U0397060

广西山口国家级红树林生态自然保护区

生物多样性图鉴

GUANGXI SHANKOU GUOJIAJI
HONGSHULIN SHENGTAI
ZIRAN BAOHUQU SHENGWU
DUOYANGXING TUJIAN

广西红树林研究中心
广西山口红树林生态国家级自然保护区管理中心 组织编写

刘文爱 孙仁杰 杨明柳 潘良浩 著

广西科学技术出版社

图书在版编目（CIP）数据

广西山口国家级红树林生态自然保护区生物多样性图鉴 / 刘文爱等
著. —南宁：广西科学技术出版社，2021.5
ISBN 978-7-5551-1575-5

Ⅰ.①广… Ⅱ.①刘… Ⅲ.①红树林—生物多样性—广西—图谱
Ⅳ.①S796-64

中国版本图书馆CIP数据核字（2021）第082859号

广西山口国家级红树林生态自然保护区生物多样性图鉴

刘文爱　孙仁杰　杨明柳　潘良浩　著

责任编辑：方振发　程　思　　　　　　责任校对：夏晓雯
责任印制：韦文印　　　　　　　　　　装帧设计：韦娇林

出 版 人：卢培钊　　　　　　　　　　出版发行：广西科学技术出版社
社　　址：广西南宁市东葛路66号　　　邮政编码：530023
网　　址：http://www.gxkjs.com

印　　刷：广西昭泰子隆彩印有限责任公司
地　　址：南宁市友爱南路39号　　　　邮政编码：530001
开　　本：889 mm × 1194 mm　1/16
字　　数：250千字　　　　　　　　　印　　张：15.25
版　　次：2021年5月第1版　　　　　　印　　次：2021年5月第1次印刷
书　　号：ISBN 978-7-5551-1575-5
定　　价：168.00元

目录

绪　论

第一部分　山口红树林保护区的植物

第二部分　山口红树林保护区大型底栖动物

第三部分　山口红树林保护区的昆虫及蜘蛛

第四部分　山口红树林保护区的鸟类

绪　论

1.山口红树林保护区概况

广西山口国家级红树林生态自然保护区（以下简称"山口红树林保护区"）于1990年9月经国务院批准成立，是我国首批建立的五个国家级海洋类型自然保护区之一，由国家海洋局主管。广西山口国家级红树林生态自然保护区管理处成立于1993年，下辖英罗管理站和沙田管理站。2001年前，广西山口国家级红树林生态自然保护区管理处的行政管理权归属合浦县人民政府，2001年后，归属广西壮族自治区国土资源厅（现广西壮族自治区自然资源厅）。保护区范围包含合浦沙田半岛东侧英罗港和西侧丹兜海两部分区域，总面积约8000 hm²，其中核心区800 hm²，缓冲区3600 hm²，实验区3600 hm²，保有红树林面积逾800 hm²。保护区1993年加入中国生物圈保护区网络（CBRN）；1994年被列为中国重要湿地；1997年与美国佛罗里达州鲁克利湾（Rookery Bay）国家河口研究保护区结成姐妹保护区关系；2000年加入联合国教育、科学及文化组织（简称"联合国教科文组织"）世界生物圈保护区网络（WNBR）；2002年列入国际重要湿地（Ramsar Site）名录。

山口红树林保护区位于广西东海岸，属南亚热带海洋性季风气候。这里的年均日照时数为1796～1800 h，年均气温23.4 ℃，大于10 ℃年积温7708～8261 ℃，1月平均气温14.2～14.5 ℃，极端低温2.0 ℃。气温年变化振幅不大，仅13.8 ℃。年平均降水量1500～1700 mm，约有一半的降水量集中在夏季。蒸发量1000～1400 mm，平均相对湿度为80%，主要灾害性天气为台风（年均2～3个，多在7～8月发生）和暴雨。气候温和，光热充足，干湿季分明，有效积温高的气候特点十分有利于红树植物的生长发育。

山口红树林保护区的海区潮汐类型属非正规全日潮。在一年中约有60%的时间为一天一次潮，其余时间为一天两次潮。该区年平均潮差在2.31～2.59 m，潮差的季节变化是夏季大，春季小。多年平均潮差2.52 m，最大潮差6.25 m。当地平均海面比黄海基面高0.37 m。平均海水盐度28.9‰。

2.山口红树林保护区生物多样性概况

根据历年的调查统计，山口红树林保护区内红树植物内生真菌8个类群，沉积物中可培养细菌70种，真红树10种，半红树7种，海草4种，盐沼植物1种，浮游植物96种，红树林大型附生藻类9种，大型底栖动物378种，鸟类242种，昆虫456种，蜘蛛31种。

2.1 微生物多样性

红树植物内生真菌泛指一类生活在红树植物体内但不使植物组织病变的真菌。内生真菌在植物体内获得营养物质和水分的同时，其代谢产物能促进植物生长发育、提高植物抵抗力，并影响其他物种的生物多样性及生态分布。肖胜蓝等在山口红树林保护区分离鉴定了8个类群及不产孢类，不产孢类46株，占总菌株数的44.23％，比例最高，其次为青霉属、曲霉属、串珠霉属、枝孢霉属、镰孢霉属、头孢霉、新月弯孢霉及1个未确定种属的类群。

除内生真菌外，还有一类是能引发植物组织病变的真菌。山口红树林保护区内红树植物的病原真菌主要有引发红树林炭疽病的胶孢炭疽菌，引发白骨壤黑斑病的番茄匍柄霉，引发桐花树煤污病的球孢枝孢、烟霉霉污菌、朱顶红枝顶孢霉和球腔菌。

红树林中微生物研究较多的是沉积物中的微生物类群，包括细菌、真菌、古菌、病毒等，其中细菌和真菌占红树林湿地沉积物微生物资源总量的90％以上。

沉积物中的细菌在红树林物质能量循环中发挥着重要作用，如硫酸盐还原、固氮、解磷、光合、产甲烷等。山口红树林保护区内红树林沉积物中的细菌主要为变形菌门、绿弯菌门、拟杆菌门、放线菌门、厚壁菌门、酸杆菌门、硝化螺旋菌门、浮霉状菌门等，其中变形菌门占绝对优势（56.95％），其次是拟杆菌门（7.27％），再次是绿弯菌门。赵雅慧等发现山口红树林保护区红树林根系土壤中可培养细菌70种，分属于9个纲20个目27个科35个属。

通过对山口红树林沉积物进行18SrDNA测序分析，结果显示红树林沉积物中的真菌在门的水平上，仅有3.56％的操作分类单元（OTUs）可以注释，包括5个门，其中子囊菌门为优势类群，其次为担子菌门，再次为接合菌门；在纲的水平上，座囊菌纲最多，其次是粪壳菌纲，再次是伞菌纲；在目的水平上，未定名目Incertae_sedis_Ascomycota最多，其次是伞菌目，再次是盘菌目；在科的水平上，未定名科Incertae_sedis_Ascomycota最多，其次是未定名科Incertae_sedis_Pezizales，再次是鬼伞科；在属的水平上，头梗霉属最多，其次是枝孢属，再次是青霉菌属；在种的水平上，热带头梗霉最多，其次是热带假丝酵母，再次是螺旋木霉。

古菌普遍存在于红树林湿地沉积物中，在元素的生物地球化学循环中发挥着重要作用。古菌具有丰富的碳代谢多样性，能固定CO_2，参与甲烷循环，生产乙酸，降解蛋白质、多聚碳水化合物等有机质，但目前对于红树林湿地沉积物中古菌碳代谢的研究才刚刚起步。古菌是红树林湿地沉积物中的重要组成成分，占沉积物原核生物的1％～10％，其中深古菌门、广古菌门、奇古菌门、洛基古菌门、索尔古菌门、乌斯古菌门和佩斯古菌门等在红树林湿地沉积物中都有广泛的分布。

红树林湿地沉积物中的病毒在很大程度上是未知的。据现有研究统计，单链DNA病毒的丰度最高，主要包括圆环病毒科（感染鸟类和哺乳动物）、微小噬菌体科（感染细菌）和矮化病毒科（感染植物）；其次是有尾噬菌体（感染细菌和古菌），包括长尾噬菌体科、短尾噬菌体科、肌尾噬菌体科。其他丰度较高的病毒科主要有藻类DNA病毒科、双生病毒科、小DNA病毒科、丝杆状病毒科和拟菌病毒科等。山口红树林保护区的病毒的组成结构有待进一步研究，但大体上应该包括上述几个门类。

2.2　植物多样性

植物是第一生产者，是所有动物直接或间接的食物来源，既能为其他动物提供栖息地，又能够涵养水源、净化空气、保持水土，还能作为药物来源。

2.2.1　藻类多样性

藻类是红树林湿地生态系统重要的生物类群，根据生态习性可分为浮游植物、底栖微藻和大型藻类三个生态类群，它们在红树林生态系统生物多样性、初级生产、元素循环等方面起着重要作用。

山口红树林保护区内的浮游植物种类在干季和湿季有所不同。浮游植物的生长、繁殖与无机环境有着密切的关系，它的丰盛程度既能反映水体生产力的大小，也能反映水质的状况，因而浮游植物往往是海洋生态环境评价的主要参数之一，其多样性指数常用来评价水质及生态环境的健康程度，有些浮游植物具有富集污染物质的能力，可作为污染的指示生物。同时，浮游植物是海洋动物尤其是海洋动物幼虫和幼体的直接饵料。

底栖大型藻类主要由红藻、绿藻、褐藻、蓝藻组成，绿藻的种类较多，红藻在数量上占优势。调查发现山口红树林保护区有9种大型附生藻类主要生长在潮沟、滩面或低矮的红树根系枝干上，以鹧鸪菜属、卷枝藻属、浒苔属和鞘丝藻属的一些种类占优势。

2.2.2　海洋及潮间带高等植物多样性

山口红树林保护区内有丰富的海洋及潮间带高等植物分布，分别是：

海草4种：日本鳗草、卵叶喜盐草、单脉二药草和贝克喜盐草。其中，贝克喜盐草资源面临持续衰退，已被国际自然保护联盟（IUCN）列为易危种，并被认为是10种具有灭绝风险的海草种类之一。

保护区内大面积分布的典型盐沼植物种类1种：互花米草。

真红树植物10种：白骨壤、桐花树、秋茄、红海榄、木榄、老鼠簕、卤蕨、无瓣海桑、榄李、海漆。

半红树植物7种：海杧果、黄槿、杨叶肖槿、苦郎树、钝叶臭黄荆、阔苞菊、水黄皮。

常见红树林伴生植物14科20属22种：豆科的鱼藤和华南云实，苦槛蓝科的苦槛蓝，马鞭草科的马缨丹，卫矛科变叶裸实，芸香科的酒饼簕，山柑科的槌果藤和曲枝槌果藤，漆树科的厚皮树，鼠李科的马甲子，大风子科的箣柊，旋花科的厚藤，草海桐科的草海桐和海南草海桐，露兜树科的露兜树，莎草科的短叶茳芏，禾本科的盐地鼠尾粟、沟叶结缕草、台湾虎尾草、扭黄茅、铺地黍和芦苇。

保护区内的滨海沙生植被主要由酒饼簕、龙船花、变叶裸实、鬣刺、单叶蔓荆、厚藤等耐旱、耐盐碱的海岸沙生种类组成，是海岸线最前沿典型的沙生植被类型，具有良好的固沙作用。

2.2.3　陆岸高等植物多样性

陆岸植被在红树林保护区具有重要作用：一方面，红树林湿地生态系统是一个完整的生态系统，由陆域基围鱼塘，丘陵台地、林地、红树林带和外海滩组成，各具功能，缺一不可；另一方面，保护区里的陆地鸟类和蝙蝠类动物主要以陆地丘陵、台地生长的乔、灌木林和基围鱼塘及其四周、水沟边生长的植被作为栖息环境，而陆地鸟类和蝙蝠类动物对控制红树林害虫的发生有着重要作用。

山口红树林保护区陆岸曾形成了以桑科见血封喉、高山榕，紫葳科猫尾木，楝科山楝，红树科竹节树等为标志的地带性植被——常绿季雨林，但是经过长期的开发和利用，该植被类型已不复存在，取而代之的是速生桉树林、农作物群落、虾塘和农村宅基地等。目前这些种类仅以单株形式残留，陆域基本无天然植被类型，以人工种植的速生桉树林为主。

山口红树林保护区滨海陆岸500 m范围内共记录维管束植物91科283属359种（含变种、亚种、栽培变种和变型），蕨类植物7科7属7种，裸子植物1科1属1种，被子植物中双子叶植物67科212属268种，单子叶植物16科63属82种。其中，禾本科42种，豆目三科29种，大戟科24种，菊科18种，茜草科14种，桑科12种，芸香科9种，莎草科8种，马鞭草科9种，锦葵科8种；栽培种69种，外来种、入侵种或逃逸种25种。

残存的常绿季雨林代表种中，见血封喉已列入《中国珍稀濒危保护植物名录》，猫尾树和山楝已列为广西滨海拟濒危植物。除此之外，土坛树、岭南山竹子、幌伞枫、厚皮树、竹节树、细基丸、倒吊笔、假苹婆、鱼骨木、鹊肾树、假柿木姜子、暗罗等山口红树林保护区岸段代表性种类少量可见，单株分布。

2.3　动物多样性

2.3.1　浮游动物多样性

浮游动物是指一类在水中营浮游性生活，本身不能制造有机物的异养型无脊椎动物和脊索动物幼体的总称。保护区内调查发现有32种浮游动物：其中，哲水蚤12种，占37.50％；剑水蚤3种，占9.38％；猛水蚤3种，占9.38％；毛颚类3种，占9.38％；水母类3种，占9.38％；介形类、莹虾类、栉板动物类各1种，各占3.13％；幼体类5类，占15.63％。

与浮游植物或底栖生物相比，浮游动物种类分布较广，对急性毒性能做出快速反应，从而反映出环境污染的综合效应。此外，它们的个体生活史较短，是监测水生生态系统健康状况的首选，不少研究认为浮游动物是相对较好的评价指标。

2.3.2 小型底栖动物

小型底栖动物是指分选时能通过孔径为0.5 mm的套筛，而被孔径为0.042 mm的套筛所截留的底栖动物。山口红树林保护区的小型底栖动物主要包括自由生活海洋线虫类、底栖桡足类、多毛类、寡毛类、猛水蚤类、介形类、动吻类、原足类、涡虫类、纽虫类、海螨类、轮虫类等12个类群，其中自由生活海洋线虫类是最主要的类群，其次是底栖桡足类。门类众多的小型底栖动物通过摄食、消化和代谢直接或间接利用生境沉积物中存在的大量有机碎屑，而自身又是大型底栖动物如鱼、虾等的食物，是连接有机碎屑库与初级生产和水层—底栖耦合系统的关键。

2.3.3 大型底栖动物多样性

底栖动物是指全部或者大部分时间生活在水体底部的水生动物群，是生态系统的重要组成部分。研究者通常将不能通过500 μm筛孔的底栖动物定义为大型底栖动物。大型底栖动物活动能力较弱、生活区域较小、容易采集、物种易鉴定、生境高度多样化等特点，使其在水生生态系统研究中越来越受到重视，经常被研究者作为水质变化指示种。

根据历年的调查数据，山口红树林保护区有大型底栖动物378种，其中腔肠动物门2种、纽形动物门4种、环节动物门30种、星虫动物门2种、软体动物门180种、节肢动物门126种、腕足动物门2种、棘皮动物门4种、尾索动物门1种、脊索动物门27种。

大型底栖动物既是海洋生态系统物质循环和能量流动中积极的参与者同时也是红树林湿地生态系统不可或缺的组成部分。大型底栖动物不仅能够摄食植物碎屑，联系底泥中的细菌及微型动物群落，也是高营养层次的甲壳类动物和鱼类等的食物源。大型底栖动物中的经济种类很多，如弓形革囊星虫、裸体方格星虫、团聚牡蛎、缢蛏、红树蚬、文蛤、青蛤、脊尾白虾、青蟹和各种底栖虾虎鱼、弹涂鱼等。到红树林湿地赶小海捕捞大型底栖动物是红树林沿岸村民的重要收入来源之一。

2.3.4 鸟类多样性

红树林湿地鸟类对生境变化非常敏感，是红树林湿地生态系统的重要组成部分。据历年统计，保护区内有鸟类242种：鸡形目1科1种，雁形目1科12种，䴙䴘目1科2种，鸽形目1科3种，夜鹰目2科5种，鹃形目1科10种，鹤形目1科8种，鸻形目8科54种，鹈形目2科16种，鹰形目2科16种，鸮形目1科5种，犀鸟目1科1种，佛法僧目2科6种，啄木鸟目1科1种，隼型目1科4种，雀形目24科98种。

红树林鸟类群落组成和种群数量是红树林湿地监测和评价的重要指标之一。潮滩中含有大量有机残余物，可为底栖动物提供能量，而丰富的底栖动物又是湿地鸟类取食的重要来源，因此，红树林湿地在国际水鸟保护协定中扮演着重要角色。

2.3.5　游泳动物多样性

浮游动物是植食性食物链的重要中间链结，是红树林湿地生态系统物质流动和能量转化的关键一环。据调查，保护区内有游泳动物68种：鱼类43种，占总种数的63.24%，共8目25科37属，其中种类数最多的是鲈形目，有14科20属23种，占鱼类总种数的53.49%；鲱形目3科5属8种，占鱼类总种数的18.60%；其他的分别是鲀形目3种、鲻形目3种、鲶形目2种、鲀形目2种、鲽形目1种、刺鱼目1种。43种鱼类均为硬骨鱼，以印度洋、太平洋区系的种类为主。甲壳类有25种，占总种数的36.76%，共2目10科21属，包括蟹类7科12属13种，虾类2科6属9种，虾蛄类1科3属3种。

2.3.6　昆虫多样性

昆虫是红树林湿地生态系统中的重要成员，在红树林湿地生态系统中占有极其重要的地位。保护区内有456种昆虫：弹尾目1科1属1种，等翅目2科3属3种，蜚蠊目2科2属3种，蜻蜓目2科9属11种，脉翅目2科3属4种，螳螂目1科2属3种，缨翅目1科1属1种，竹节虫目1科1属1种，直翅目12科40属55种，半翅目25科63属75种，鳞翅目22科109属141种，鞘翅目13科39属47种，膜翅目13科44属79种，双翅目12科22属32种。

红树林中的昆虫既是鸟类重要的食物来源，又受到鸟类等天敌的控制而保持在一个相对平衡的位置，不至于造成某些害虫对红树植物的严重为害。

捕食性和寄生性天敌昆虫、授粉昆虫对红树植物的保护和发展起着重要作用，但植食性昆虫的种群爆发则会对红树植物造成破坏。捕食性天敌昆虫主要有胡蜂、猎蝽、螳螂、蜻蜓、食虫虻；寄生性天敌主要有广大腿小蜂、姬蜂、茧蜂等；授粉昆虫主要有蜜蜂、熊蜂、蝶类成虫等。对山口红树植物造成危害的植食性昆虫主要是直翅目和鳞翅目昆虫，其中危害较大的昆虫种类主要有海榄雌瘤斑螟、柚木肖弄蝶夜蛾、毛颚小卷蛾、八点广翅蜡蝉等。

2.3.7　蜘蛛多样性

山口红树林保护区英罗港红树林区的蜘蛛群落由12科31种组成，以园蛛科和肖蛸科的种类占优势。红树林蜘蛛群落数量呈由靠陆林带到向海林带递减的趋势。蜘蛛主要以昆虫为食，其种类和数量分布规律与昆虫基本一致。

第一部分
山口红树林保护区的植物

　　红树林是生长在热带、亚热带海岸潮间带的木本植物群落，在护岸减灾、维护近海生物多样性、碳汇、净化水质、美化景观、科学研究与生态体验等方面有着陆地森林不可取代的作用，具有极高的生态服务价值。在全球气候变化大背景下，红树林是构建人类命运共同体的一个全球性、战略性资源，为全球重点保护的海洋自然生态系统。

　　红树林作为我国人口最密集的东南沿海经济发达区的生态屏障，因其强大的生态功能成为党中央促进全国海洋生态文明建设的一个重要抓手，成为中华民族伟大复兴的一个有机组成部分。2017年4月19日，习近平总书记在广西北海金海湾红树林生态保护区考察时指示：一定要尊重科学、落实责任，把红树林保护好。可以说，红树林已经成为中国海洋生态文明建设的重要部分；红树林的保护与利用水平，已经成为一个国家或地区生态文明建设水平的标志。

　　在我国所有的国家级和省级红树林自然保护区中，广西山口红树林国家级生态自然保护区是我国唯一的"双料"自然保护区，既是联合国教科文组织人与生物圈计划（MAB）在中国唯一的红树林世界保护区，也是国际重要湿地，在我国的红树林自然保护事业中占据突出地位。

　　山口国家级红树林生态自然保护区的红树林海岸是广西乃至全中国生物性海岸的典型代表。保护区现有真红树植物8科10属10种（其中外来种1科1属1种），半红树植物5科7属7种，分别占我国红树植物种类数的37.04％和58.33％。保护区分布有我国现存最完整、最古老的红海榄林。此外，还有常见的红树林伴生植物14科20属22种。保护区内还分布有国际自然保护联盟（IUCN）列为易危（VU）种、并被认为是10种具有灭绝风险的海草种类之一的贝克喜盐草（*Halophila beccarii*），以及大面积的外来入侵盐沼植物互花米草（*spartina alterniflora*）。丹兜海的山角海滩在1979年引种了互花米草，目前是保护区乃至整个广西海岸互花米草分布面积最大的海湾。保护区周边滨海500 m陆域的植被类型为较单一的人工植被，其中速生桉经济林占比超过一半，其余季雨林片林、灌草丛、沙生植被仅零星不成片分布。

广西山口国家级红树林生态自然保护区

山口红树林保护区英罗管理站及红树林

全国连片面积最大的红海榄林（英罗港）

丹兜红树林

1.白骨壤

Avicennia marina

俗名白榄。马鞭草科（Verbenaceae）海榄雌属（*Avicennia*）。

常绿灌木或小乔木，树高0.5～6.0 m不等；具备发达的指状呼吸根（该种最显著的特征之一），也常出现气生根和支柱根；花小，黄色或橙红色；具隐胎生现象，果实近扁球形，直径1～2 cm，内包裹隐胎生苗的叶芽和富含淀粉的子叶。广西群众俗称白骨壤果实为"榄钱"。"榄钱"经处理后与文蛤一起煮汤或焖煮，为广西沿海最具特色的"季节性海洋蔬菜"之一。

多分布于中低潮带滩涂，也可以在中潮带滩涂和高潮带滩涂出现。是耐盐和耐淹水能力最强的红树植物，对土壤适应性广，在淤泥、半泥沙质和沙质海滩均可出现，属海洋性的演替先锋树种，是广西乃至我国分布面积最大的红树植物种类。

常见。广布于保护区。

白骨壤植株

白骨壤指状呼吸根

白骨壤须状气生根系

白骨壤花

白骨壤果实

2.桐花树
Aegiceras corniculatum

俗称黑榄。紫金牛科（Myrsinaceae）蜡烛果属（*Aegiceras*）。

常绿灌木或小乔木，高1～5 m；根部有时会略膨大；花量大，花期长，是沿海主要的蜜源植物；果实圆柱形，弯曲如新月，形似"小辣椒"；是典型的隐胎生红树植物。

桐花树群落

多分布于有淡水输入的海湾河口中的潮带滩涂，常大片生长于红树林靠海一侧滩涂，是盐度较低区域红树林演替的先锋树种。耐寒能力仅次于秋茄，对盐度和潮位适应性广，是广西乃至我国分布面积仅次于白骨壤的红树植物种类。

常见。广布于保护区。

桐花树幼苗

桐花树根系

桐花树花

桐花树果实

3.秋茄

Kandelia obovata

俗称红榄。红树科（Rhizophoraceae）秋茄树属（*Kandelia*）。

常绿灌木或小乔木，高2～6 m；茎基部粗大，有板状根或密集小支柱根；具胎生现象，胚轴瘦长，棒棍状，长达20～30 cm；花白色。

多生长于红树林中滩及中外滩，常见于白骨壤和桐花树群落的内缘，属于演替中期种类。对温度和潮带的适应性都较广，是太平洋西岸最耐寒的红树植物，也是目前人工造林应用最广泛的红树植物种类。

常见。广布于保护区。

秋茄群落

秋茄板状根

秋茄胚轴

秋茄花

4.红海榄
Rhizophora stylosa

俗名鸡爪榄。红树科红树属（*Rhizophora*）。

常绿乔木或灌木，高可达8 m；其最显著的特征是具有发达的支柱根；花带淡黄色；具胎生现象，胚轴长圆柱形，长30～40 cm，胚轴表面有点状突出。树形优美，抗风浪冲击力强，是我国最具代表性的红树植物种类。

多见于河口外侧盐度较高的红树林中内滩，是演替中后期种类。

不常见。集中分布于保护区英罗港、海塘村、永安村和那潭村海滩。英罗港内马鞍岭海湾的红海榄纯林是我国目前连片面积最大、发育最好、保留最完整的红海榄林。

红海榄植株

红海榄支柱根系

红海榄胚轴

红海榄花

5.木榄

Bruguiera gymnoihiza

红树科木榄属（*Bruguiera*）。

常绿乔木或灌木，高可达6～10 m；常有屈膝状的呼吸根伸出滩面，并在植株基部形成板状根；树干具皮孔；花红色；具胎生现象，胚轴较红海榄胚轴更粗但略短，长15～25 cm。

多见于红树林内滩，属于演替后期种类，耐水淹能力比白骨壤、秋茄和红海榄低。

不常见。保护区高坡村、英罗港、永安村海滩有较大面积连片分布。

木榄膝状根

木榄植株

木榄皮孔

木榄花

胚轴（凋落于潮沟边）

6.海漆

Excoecaria agallocha

大戟科（Euphorbiaceae）海漆属（*Excoecaria*）。

乔木，高可达6 m；全株有白色的乳汁，具有发达的蛇形表面根；雌雄异株，雄花序（穗状）与雌花序（总状）不一致；果实为蒴果，带三角状，有3个浅沟，酷似古代兵器"铜锤"。

一般生长在高潮带及高潮带以上的淤泥质或泥沙质海岸，也常见于鱼塘堤岸。在一些生境盐度较低的河口，也常见于潮沟两侧的红树林外缘。

常见。沿海堤岸均有分布，山口保护区丹兜新村、英罗港海堤可见较大面积的带状海漆。

海漆植株

海漆表面根

海漆叶

海漆花

海漆果实

7.榄李

Lumnitzera racemosa

使君子科（Combretaceae）榄李属（*Lumnitzera*）。

常绿灌木，高1～3 m；叶先端钝圆或微凹，是本种的最显著特征之一；总状花序，白色；果实常为椭圆状，长约1.5 cm。

属于演替后期树种，生长于高潮带或大潮可淹及的泥沙滩。

少见。保护区内仅见于英罗港内海堤外侧及马鞍岭下高潮线附近潮滩，成年榄李植株不足50株。

榄李植株

榄李叶（示叶尖微凹）

榄李花

榄李果实

8.卤蕨

Acrostichum aureum

卤蕨科（Acrostichaceae）卤蕨属（*Acrostichum*）。

多年生草本植物，高可达2 m；叶脉网状两面可见，孢子囊满布于羽片背面；是广西红树植物中唯一的裸子植物。

常见于有淡水输入的高潮带滩涂，也可以生长在只有特大潮才能影响到的湿润地区。

常见。分布于保护区泥质海堤内侧及小沟边。

卤蕨植株

卤蕨孢子叶（叶背）

9.老鼠簕

Acanthus ilicifolius

爵床科（Acanthaceae）老鼠簕属（*Acanthus*）。

灌木或亚灌木，高0.5～2.0 m；有时可见支柱根；叶形变化较大，多为长椭圆形且叶缘带刺；穗状花序，顶生；果实长圆形，形状酷似小老鼠，故得名。

多生长在有淡水输入的高潮带滩涂和受潮汐影响的水沟两侧，有时也组成小面积的纯林。

少见。主要分布于保护区洗米河和那郊河河口，英罗港马鞍岭下高潮线附近有少量分布。

老鼠簕花

老鼠簕植株

老鼠簕果

10.无瓣海桑

Sonneratia apetala

海桑科（Sonneratiaceae）海桑属（*Sonneratia*）。

常绿大乔木，高可达16 m；树干圆柱形，有发达的笋状呼吸根；嫩枝纤细下垂；花中柱头呈蘑菇状；浆果，球形。

喜低盐度海岸潮间带，因此河口和岸边有淡水调节的滩涂是其主要生长地。耐淹、速生、抗风、较耐寒，是我国林业部门在东南沿海一带极力推荐的红树林造林树种。然而，大规模种植无瓣海桑已引起国内外的高度关注，人们担心会造成生物入侵（彭友贵等，2012）。

少见。外来种。天然分布于印度、孟加拉国、斯里兰卡等国家。1985年，从孟加拉国的孙德尔本斯（Sundarbans，21° 31′～22° 30′ N，89°～90° E）红树林区被引进到海南东寨港国家级红树林自然保护区，引种3年后开花结果，后扩种到我国大陆东南沿海地区。英罗管理站于1996年从海南引种少量无瓣海桑，现存3株母树和5株幼树。其中，2株母树分布于英罗管理站栈桥起始处，1株母树分布于英罗管理站大堤中段内距离大堤约50 m处；5株幼树均分布于英罗港海堤以内母树附近，呈零散分布，在海堤以内表现出一定的扩散趋势。此外，在英罗港马鞍岭英罗村以下红树林外缘也有一定数量的天然扩散的无瓣海桑植株。

无瓣海桑植株（英罗）

无瓣海桑笋状呼吸根

无瓣海桑小枝

无瓣海桑花

无瓣海桑果实

11.苦郎树

Clerodendrum inerme

又叫假茉莉、许树。马鞭草科大青属（*Clerodendrum*）。

直立攀缘状灌木，高可达2 m；单叶，对生，卵形、倒卵形或椭圆形，革质，全缘；聚伞花序，顶生或腋生，有花3～7朵，白色，稍带红晕，紫红色花丝细长；核果，倒卵形，海绵质，熟时蓝黑色，基部有增大宿萼。花果期3—12月。

生境多样，多生长于海岸沙地、红树林林缘和基岩海岸石缝或堤岸，尤其是在堤岸石质护坡的缝隙中生长旺盛，经常可以覆盖整个堤岸，为半红树植物中最常见的种类。

常见。保护区沿海堤岸均有分布。

苦郎树花

苦郎树植株

苦郎树果实

12.阔苞菊
Pluchea indica

菊科（Compositae）阔苞菊属（*Pluchea*）。

常绿灌木，高0.5～2.0 m。多分枝；单叶，互生，稍肉质，倒卵形或楔状倒卵形，全缘或有少数小尖齿，近于无柄或有短柄；头状花序，顶生，多数，排成伞房状，花粉红色；瘦果，扁平，四角柱形，有淡黄色冠毛。花果期全年。

常成片生长于红树林林缘、鱼塘堤岸、水沟两侧及沙地等，也可生长在大潮时潮水可淹及的滩涂中。

常见。主要分布于保护区海滨沙地或近潮水的空旷地。

阔苞菊植株

阔苞菊花

13.黄槿

Hibiscus tiliaceus

锦葵科（Malvaceae）木槿属（*Hibiscus*）。

常绿灌木或乔木，高可达10 m；花黄色，盛开时艳丽；果实球形。

常见于红树林林缘，高潮线上缘的海岸沙地、堤坝或村落附近，也可以在完全不受海水影响的淡水环境中生活。

常见。保护区沿海各村落房前屋后均有栽植，海堤上也有分布。

黄槿植株

黄槿叶及花

14.杨叶肖槿
Thespesia populnea

锦葵科桐棉属（*Thespesia*）。

常绿灌木或小乔木，高4～8 m；叶卵状心形，基部心形，因似杨树叶片而得名；花初生时为黄色，后渐变为淡紫红色；果实成熟时黑色，球形。

常生长于红树林林缘、海堤及海岸林中，偶见于潮位稍高的红树林中。

不常见。主要分布于保护区英罗港和丹兜新村海堤两侧。

杨叶肖槿花（二色）　　　　　　　　　杨叶肖槿果实

15.钝叶臭黄荆
Premna obtusifolia

马鞭草科豆腐柴属（*Premna*）。

攀缘状灌木，高1～2 m；花序似伞状生于枝顶；果实球形，熟时变黑色。

多生长于海岸灌丛或大潮可以淹及的海岸林林缘，也常在虾塘取水用的水沟中出现。

少见。保护区内丹兜海海堤有分布，其余天然海岸偶见。

钝叶臭黄荆植株　　　　　　　　　　钝叶臭黄荆果实

16.水黄皮
Pongamia pinnata

蝶形花科（Papilionaceae）水黄皮属（*Pongamia*）。

落叶乔木，高3～8 m；树形与叶形均酷似栽培水果植物黄皮；圆锥花序，顶生；荚果，扁平，椭圆状。

多生长于高潮线上缘的海岸。

少见。保护区英罗港、高坡等地有分布。

水黄皮植株

水黄皮花

水黄皮荚果

17.海杧果

Cerbera manghas

夹竹桃科（Apocynaceae）海杧果属（*Cerbera*）。

常绿小乔木，高2~4 m；全株有丰富乳汁；伞形花序，顶生，花白色；果实卵形，大如鸡蛋，未成熟时绿色，成熟时橙红色（剧毒）。

喜生于高潮线以上的滨海沙滩、海堤或近海的河流两岸及村庄边，也经常在红树林林缘出现。

不常见。在英罗管理站进入观光景区的道路两旁有栽种的植株，英罗港马鞍岭北侧也有少数植株。

海杧果植株

海杧果花

海杧果果实

18.贝克喜盐草

Halophila beccarii

水鳖科（Hydrocharitaceae）喜盐草属（*Halophila*）。

海生草本；叶片长椭圆形或披针形，长6～11 mm，宽1～2 mm。

典型的潮间带海草，属于所有海草中最古老的两个世系之一，有"活恐龙"之称。生物学上具有"年纪老"、形态小、生长快、雌雄同株、雌蕊先熟、遗传多样性低、一年生和多年生生活史并存的特征；生态学上具有"开拓种""先锋种"的特征，被认为"虽微小但强大"，通常能在干扰后快速恢复。由于分布范围有限、种群周转快、形态小而易被沉积物覆盖等原因，贝克喜盐草及其重要性并不被人熟知。潮间带地区高强度的人为活动对贝克喜盐草造成了极大的威胁。全球范围内，贝克喜盐草资源面临持续衰退的趋势，已被IUCN列为易危种，并被认为是10种具有灭绝风险的海草种类之一。

少见。主要分布于沙田半岛的海塘、英罗港、榕根山、永安和乌坭的潮间带滩涂。

贝克喜盐草生境

贝克喜盐草群落

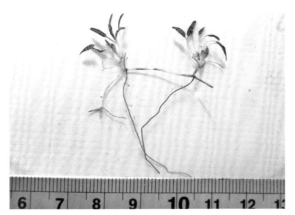

贝克喜盐草植株

贝克喜盐草种子

贝克喜盐草雌花

贝克喜盐草雄花

19.互花米草

Spartina alterniflora

禾本科（Gramineae）米草属（*Spartina*）。

多年生高秆型草本植物，秆高1.0～1.7 m，直立，不分枝；圆锥花序。有非常发达的地下茎，地下茎和根系可分布至深达60 cm的土层中；地下茎横向生长，茎节处腋芽可萌发新蘖长出新株，植株单株一年内可繁殖几十甚至上百株。

山口保护区的互花米草绝大部分呈单优势群落生长，仅很小部分与红树林混生。大部分分布于红树林向海一侧位置，同时有一定量的互花米草扩散至较为稀疏的红树林区（以红树林生长较稀疏的丹兜海西侧最为明显），同时也有一定量入侵至丹兜海东侧与潮汐连通的废弃虾塘内。原产美国东南部海岸，在美国西部和欧洲海岸归化。分布区域已经从北美洲、南美洲的大西洋沿岸扩展到欧洲、北美洲西海岸、新西兰及中国沿海地带，成为全球性的海滩外来入侵植物，中国政府于2003年将其列入第一批外来入侵物种名单。

常见。保护区内丹兜海和英罗港均有大面积分布，丹兜海是广西海岸互花米草分布面积最大的海湾。

互花米草常分布于红树林外缘（丹兜海）

互花米草入侵红树林（丹兜新村）

互花米草入侵红树林（英罗港）

互花米草入侵红树林（丹兜和荣）

互花米草花序

20.苦槛蓝

Myoporum bontioides

苦槛蓝科（Myoporaceae）苦槛蓝属（*Myoporum*）。

常绿灌木，高1～2 m；茎多分枝，有轮生叶痕，从干部长出气根再着地形成支柱根；单叶，互生，倒披针状椭圆形至矩圆形，肉质，全缘；花1～3朵腋生，花冠漏斗状钟形，白色，具紫色斑点，花冠边缘有时呈紫色；核果，卵球形，顶端有小尖头，熟时红色。

海岸及海岛特有植物，常见于基岩海岸石缝、高潮线以上的沙滩和石砾地、红树林内缘的淤泥质滩涂。

不常见。保护区内分布于英罗港和高坡高潮时潮水可淹及的堤岸边。保护区也是苦槛蓝在广西海岸分布最集中和最多的区域。

苦槛蓝植株

苦槛蓝花

苦槛蓝果实

21.中华补血草

Limonium sinense

白花丹科（Plumbaginaceae）补血草属（*Limonium*）。

多年生草本，高20～50 cm；单叶，基生，长匙形，成簇，全缘，微肉质；花钟形，花冠五裂，黄色或白色，常2～3朵组成聚伞花序，穗状排列于花序分枝顶端形成圆锥花序；胞果包在宿存花萼内。花果期几乎全年。

典型海岸植物，常见于基岩海岸的浪花飞溅区、高潮时海水可淹及的礁石缝隙及高潮带淤泥质滩涂，被认为是盐碱地的指示植物。

不常见。保护区内分布于英罗港和高坡高潮时潮水可淹及的开阔堤岸边。

中华补血草植株

中华补血草花

第二部分
山口红树林保护区大型底栖动物

　　大型底栖动物是红树林湿地生态系统中的重要类群，也是该系统中能量流动、物质循环中的消费者和转移者，对红树林湿地生态系统的生态功能具有重要意义。广西山口国家级红树林生态自然保护区红树植物群落类型丰富，生境复杂多样，大型底栖动物种类丰富。根据相关文献和2011年十年评估报告及2020年的评估报告统计，山口红树林保护区大型底栖动物共计370余种，隶属10门19纲121科，其调查范围包括红树林、海草床、浅海等区域。本次共收录了红树林区域中常见大型底栖动物99种，隶属6门10纲48科，包括环节动物门1种，星虫动物门2种，软体动物门53种，节肢动物门39种，腕足动物门1种，脊索动物门3种。书中附有每个物种的形态图片，对物种的形态特征、生态习性、地理分布进行了简要描述，并采用了近年来国内国际上较新的分类系统，对部分科、属、种的分类地位进行了调整。在大的门类上，分类地位变动较大的为螠虫动物，其原来的分类地位为螠虫动物门（Echiura），现归属于环节动物门（Annelida）多毛纲（Polychaeta）下的螠亚纲（Echiura）。

1.短吻铲荚螠
Listriolobus brevirostris

　　螠科（Echiuridae）铲荚螠属（*Listriolobus*）。

　　体壁薄，生活时为浅紫红色或棕红色，半透明或不透明。体前半部的腹面和侧面有近环形排列的皮肤乳突。前端腹面者较大而密集，后部及两侧乳突则小而稀疏，后端及背面通常无皮肤乳突。吻短，铲状，长4～12 mm，宽7～10 mm，边缘有收缩状的皱纹。腹刚毛1对。刚毛囊间有间基肌相连，通常另有一对储备刚毛。纵肌束7条，

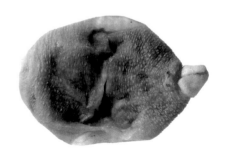

1 cm

短吻铲荚螠

不明显。肾管2对，约为体长的9倍，盘旋于体腔中，由细的固肠肌固着于体壁，其中充满大量的颗粒状泥沙。肛门囊1对，黄褐色，长囊状，表面密布纤毛漏斗，漏斗壁厚而透明，漏斗口有1束纤毛，其底有一细管通向囊腔。吻基部有一背血管，沿食道背侧向后延伸至胃部，在胃部膨大为心脏。

栖息于潮间带泥沙中。

分布于山东、江苏、广西、海南。

2.弓形革囊星虫
Phascolosoma arcuatum

革囊星虫科（Phascolosomatidae）革囊星虫属（*Phascolosoma*）。

吻部细长，管状，约为体长的1.5～2倍。吻远端有钩环50～70环，其后有不完整钩环100环。主齿尖向后弯曲，无副齿。触手指状，通常为10

1 cm

弓形革囊星虫

个，围绕项器呈马蹄形排列在口的背侧。体表生有许多皮肤乳突，圆锥形，棕褐色，由多角形的角质小板组成；位于吻基部和体末端的乳突色深，粗大而密集。纵肌束18～19束，条次分明，偶见分支。环肌成束。收吻肌大部分融合在一起，在体中部分开为2对；背对长，始自体后部1/4处的1～3或2～3纵肌束；腹对短，始自1或1～2纵肌束。纺锤肌粗大，无固肠肌。翼状肌在直肠末端，横跨4束纵肌束。肠螺旋60～85转。直肠盲囊椭圆形。普利氏管明显，无细管。肾管1对，褐色，约为体长的1/3，大部分附着在体壁上，只有末端游离，肾盲囊发达，肾孔在肛门稍前方，开口于4、5纵肌束之间。眼点1对。

生活于高潮区和潮上带盐碱性草类丛生的泥沙中。

分布于中国东南沿海的浙江、福建、广西、广东，以及海南；印度、越南、菲律宾、马来西亚、印度尼西亚，以及安达曼群岛、澳大利亚昆士兰。

3.裸体方格星虫
Sipinculus nudus

方格星虫科（Sipunculidae）方格星虫属（*Sipinculus*）。

体壁厚或较厚，不透明或半透明。体色浅黄或橘黄。吻长15～35 mm，覆盖有大型三角形乳突，顶尖向后，呈鳞状排列。纵肌束27～32束，体表由于纵横肌束的交叉排列，形成了许多整齐的小方块。收吻肌2对：背对稍低，始自8～14或9～15纵肌束；腹对始自1～6或1～7纵肌束。纺锤肌始自肛门前3～4 mm的体壁上，下行进入肠螺旋后则逐步分出许多分支连接肠壁。固肠肌数目甚多，把整个消化道自前向后牢牢固着。翼状肌只连接直肠末端。肠螺旋20～30转。普利氏管在食道的背腹两侧，背支长过腹支。肾管2个，褐色，前1/4附着，肾孔在肛门前8～10 mm处，开口于4、5纵肌束之间。簇器1对，距肛门5～6 mm，由系膜连接直肠和背收吻肌的基部。脑神经节前沿有短小的指状突起。

裸体方格星虫

生活在潮间带至潮下带浅海泥沙质中。

分布于中国沿海地带；广泛分布于太平洋、印度洋、大西洋沿岸。

4.粒花冠小月螺

Lunella coronata granulate

蝾螺科（Turbinidae）小月螺属（*Lunella*）。

壳长14.5 mm，壳宽21.0 mm。贝壳近球形，壳质坚厚结实。螺层4～5层，壳顶常被磨损。螺旋部低。体螺层较大。缝合线不深。壳面具许多由细颗粒联成的螺肋。缝合线下方的螺肋具有较大的瘤状结节，这种结

粒花冠小月螺

节在体螺层约有10粒。每螺层中部有一较发达的向外扩展的肋，此肋将壳面分成两部分：上半部形成一稍微倾斜的肩部；下半部形成一垂直面。在体螺层则有3条间隔近等的粗肋。壳表黄褐色，布有紫斑，壳顶部显露白色。壳口卵圆形。外唇简单，内唇向内下方扩展较大，在壳轴基部形成一个粗厚的胼胝。脐孔明显。厣石灰质，半球状。

生活于潮间带岩石间或红树植物根部。

分布于东海、南海；印度至西太平洋。

5.线纹蜒螺

Nerita lineata

蜒螺科（Neritidae）蜒螺属（*Nerita*）。

壳长34.6 mm，壳宽39.2 mm。贝壳近半球形。螺层约4层。螺旋部低小。体螺层膨大，几乎占贝壳的全部。壳面灰黄色。螺肋呈细线状，紫褐色，在体螺层有20余条。壳口半月形，内面淡黄色。外唇缘具黑黄相间的镶边，内面加厚部有1列小齿；内唇面倾斜、光滑，内缘中部有齿3枚。厣棕褐色，表面有细小颗粒。

线纹蜒螺

　　生活于潮间带红树植物树干基部、呼吸根表面，偶见于岩石表面。

　　分布于南海；印度至西太平洋。

6.齿纹蜒螺

Nerita yoldii

蜒螺科蜒螺属。

　　壳长15.6 mm，壳宽17.2 mm。贝壳较小，近半球形，壳质坚厚。螺层约4层，壳顶钝，常被磨损。螺旋部小。体螺层较膨大，几乎占贝壳的全部。缝合线明显。壳表面为白色或黄

齿纹蜒螺

白色底，具Z形花纹或云状斑。壳面有低平而稀的螺肋。壳口半月形，内面灰绿或黄绿色。外唇缘具黑白相间的镶边，内部有1列齿；内唇不十分广宽，倾斜度稍大，表面微显皱褶，内缘中央凹陷部有细齿2～3枚。厣棕色，半月形，表面有细小的粒状突起，内缘有2个不发达的关节。

　　生活于潮间带高、中区的岩石间。

　　分布于东海、南海；印度至西太平洋。

7.紫游螺

Neritina violacea

蜒螺科游螺属（*Neritina*）。

　　壳长13.7 mm，壳宽14.2 mm。贝壳半球形。螺旋部狭小，蜷缩于体螺层后方，与壳口内唇外缘相近。体螺层膨圆。壳表面较光滑，呈黑褐色或黄褐色，布有黄色

紫游螺

或深棕色波状花纹。壳口半圆形。外唇完整；内唇极度扩张，倾斜度小，表面光滑，棕色或橙褐色，内缘中部稍凹，有多数细齿。厣光滑，青灰色。

生活于有淡水注入的红树林区。

分布于广东、广西、海南；日本，西太平洋。

8.黑口拟滨螺
Littoraria melanostoma

滨螺科（Littorinidae）拟滨螺属（*Littoraria*）。

壳长25.6 mm，壳宽12.4 mm。贝壳尖锥形。螺层约9层。螺旋部高，呈塔状。体螺层中部稍膨大。缝合线明显。壳面淡黄色。螺肋宽平，体螺层约14层。淡褐色斜纵行的色带与螺肋相交成方格状。壳口梨形。外唇薄，内缘具缺刻；内唇紫黑色。无脐。厣角质。

生活于潮间带高潮区，常匍匐在红树植物上。

分布于东海、南海；西太平洋。

黑口拟滨螺

9.中间拟滨螺
Littoraria intermedia

滨螺科拟滨螺属。

壳长12.9 mm，壳宽9.0 mm。贝壳小而薄，低锥形。螺层约6层，壳顶稍尖。螺旋部突出。体螺层较宽大。缝合线明显。壳面微显膨圆，具许多细的螺旋沟纹，生长纹较粗。壳黄灰色，杂有放射状的棕色色带或斑纹。壳基部微膨胀，雕纹细弱，具有与壳面

中间拟滨螺

相同的色彩。壳口稍斜，卵圆形，内面具有与壳表相同的色彩和肋纹。外唇薄，简单；内唇稍扩张，多少向外反折。无脐。厣角质，褐色，薄。

生活于潮间带高、中潮区，常匍匐在红树植物或岩石上。

分布于中国南、北沿海地区；印度至西太平洋。

10.日本狭口螺

Stenothyra japonica

狭口螺科（Stenothyridae）狭口螺属（*Stenothyra*）。

壳长5.9 mm，壳宽3.6 mm。贝壳小型，长卵形，壳质坚实。螺旋部较低。体螺层凸胀，腹侧扁平。缝合线浅。壳表黄褐色，具点状螺旋线。壳口收缩且下斜明显，近圆形。

生活于河口附近盐度较低的泥质滩涂。

分布于广西、海南；日本。

日本狭口螺

11.短拟沼螺

Assiminea brevicula

拟沼螺科（Assimineidae）拟沼螺属（*Assiminea*）。

壳长5.4 mm，壳宽3.8 mm。贝壳小型，壳质较坚硬。螺层6～7层。缝合线明显，缝合线下方具1条比较宽的亚缝合线。亚缝合线下方具1条较宽的边缘锯齿状的螺旋沟。体螺层最大，膨胀，在体螺层上，螺旋沟下方具1～3条细的边缘锯齿状的螺旋线。壳表呈不透明的砖红色或黄褐色，具有微弱的生长纹与壳皮，成体壳皮常磨损。

生活于潮间带淤泥质或泥沙质滩涂上。

分布于东海、南海；印度至西太平洋。

短拟沼螺

12.斜肋齿蜷

Sermyla riqueti

跑螺科（Thiaridae）齿蜷属（*Sermyla*）。

壳长14.5 mm，壳宽6.2 mm。贝壳圆锥形。螺层7层。壳面呈黄褐色，具红褐色色带或褐色斑点。螺旋部具有纵肋，纵肋下方向左侧稍微扭

斜肋齿蜷

转。体螺层下方纵肋消失，具4～7条螺棱，上方的螺棱较下方的粗大。壳口呈长梨形。外唇薄，呈S形扭转；内唇厚。无脐孔。厣角质。

生活于淡水或咸淡水区域，以及盐度较低的红树林区域。

分布于台湾、广东、广西、海南；印度洋西岸，菲律宾、日本。

13.瘤拟黑螺

Melanoides tuberculate

跑螺科拟黑螺属（*Melanoides*）。

壳长16.9 mm，壳宽5.4 mm。贝壳较大，塔状，壳质略厚，稍坚实。螺层8～12层，各层皆外凸，增长缓慢。壳顶尖，但经常损坏。螺旋部高，其高度约为全部壳高的2/3。体螺层略膨胀。缝合线浅。壳面呈深褐色或棕褐色；具有横的细螺纹及较粗的纵肋，二者相交形成颗粒状突起，纵肋在缝合线处折断。体螺层下部具有多条螺肋。壳口呈梨形。外唇薄，易损坏；内唇贴附于体螺层上，上方呈角状，下方短沟不显。无脐孔。厣角质。

瘤拟黑螺

生活于淡水或咸淡水区域，以及盐度较低的红树林区域。

分布于台湾、福建、广东、广西、海南、四川、云南；热带及亚热带其他地区。

14.珠带拟蟹守螺

Cerithidea cingulate

汇螺科（Potamididae）拟蟹守螺属（*Cerithidea*）。

壳长28.3 mm，壳宽9.0 mm。贝壳中等大，锥形，壳质结实。螺层约15层，高度、宽度增长均匀。壳顶尖，常被腐蚀。螺旋部高。体螺层低。缝合线沟状。每一螺层上具有3列珠状螺肋，而在体螺层上仅上方的1列呈珠状，其余的变小或不明显。壳口近圆形，内紫褐色，常具有与壳面螺旋沟纹相应的条纹。外唇稍厚，边缘扩张；内唇上方滑层薄，下方稍厚，前沟短，呈缺刻状。厣角质，黄褐色，圆形，多旋，核位于中央。

珠带拟蟹守螺

生活于潮间带至浅海有淡水注入的泥或泥沙滩上。

分布于中国沿海地带；朝鲜半岛，日本、印度。

15.尖锥拟蟹守螺

Cerithidea largillierti

汇螺科拟蟹守螺属。

壳长25.1 mm，壳宽9.8 mm。贝壳锥形，壳质较薄。螺层约12层，较膨圆，胚壳常被腐蚀而残缺。螺旋部高，呈尖锥形。体螺层较宽。缝合线深。螺旋部具光滑而均匀的纵肋，体螺层上的纵肋较弱或不明显。贝壳基部具细螺肋，在螺层不同方位常出现纵肿肋。壳表常被有淡黄褐色的壳皮，壳面呈褐色或深褐色，每一螺层的中部有1条褐色螺带，螺带在体螺层上有2条。壳口卵圆形。外唇薄，易破损；内唇弧形，前沟微突出。厣角质，黄褐色，圆形，核位于中央。

尖锥拟蟹守螺

生活于潮间带高潮区泥和泥沙滩上。

分布于中国沿海地带；朝鲜半岛，日本。

16.彩拟蟹守螺

Cerithidea ornate

汇螺科拟蟹守螺属。

壳长35.1 mm，壳宽13.5 mm。贝壳锥形，壳质稍薄。壳顶数层常被磨损，残余螺层约8层，各螺层宽度增加均匀。体螺层较短，稍膨胀。缝合线深，在缝合线中间有一细弱的线状螺纹，此螺纹在体螺层上方的缝合线处不明显。壳面微显膨胀，具有发达的纵肋，上部各螺层的纵肋较细，排列较密，下部各螺层的则较粗，排列较稀。下部两螺层左腹方各有纵肿肋1条。壳表面黄白色，每螺层具有棕色色带2条，上面的较窄

彩拟蟹守螺

而色浅，下面的较宽而色深。贝壳基部稍膨胀，近壳轴基部有不明显的螺肋数条。壳口卵圆形，内面有棕色色带3条。外唇稍厚，多少反折；内唇微有扭曲，后沟不明显，前沟呈窦状。

生活于高潮区有淡水流入的内湾泥沙滩上。

分布于东海、南海；西太平洋。

17.红树拟蟹守螺
Cerithidea rhizophorarum

汇螺科拟蟹守螺属。

壳长27.8 mm，壳宽11.6 mm。贝壳锥形，壳质薄，结实。壳顶常被腐蚀而缺失，通常仅留螺层7～8层，螺层稍膨胀。螺旋部高。体螺层低。缝合线明显。壳面具纵、横螺肋，两者交叉形成颗粒状突起。在每一螺层的缝合线下有1条较发达的珠状螺肋。在体螺层上的纵肋较弱或消失，其左侧常出现纵肿肋。壳表颜色有变化，通常上半部黄白色，下半部黄褐色，各螺层上有1条界线不清的红褐色螺带。壳口近圆形。外唇薄，周

红树拟蟹守螺

缘微扩张；内唇稍反折，前沟浅，呈窦状。厣角质，黄褐色，圆形，核位于中央。

生活于潮间带高潮区有淡水流入的泥和泥沙滩上，喜栖息于红树林中。

分布于中国南、北沿海地区；朝鲜半岛，日本、菲律宾等。

18.中华拟蟹守螺
Cerithidea sinensis

汇螺科拟蟹守螺属。

壳长20.8 mm，壳宽8.0 mm。贝壳锥形，壳质薄，结实。壳顶常被腐蚀而残缺，通常仅留7～8个螺层，螺层微膨圆。螺旋部高。体螺层低。缝合线较深。各螺层具有微呈波浪状而光滑的纵肋，纵肋在体螺层上常较弱或消失。贝壳基部有较弱的螺旋纹。壳面淡黄色，每一螺层的缝合线下方有1条紫褐色的螺带。壳口卵圆形。外唇薄，常破损；内唇

中华拟蟹守螺

稍厚，略直，前沟微凸。厣角质，黄褐色，圆形，核位于中央。

生活于潮间带高潮区河口附近或有淡水流入的泥或泥沙滩上。

分布于黄海、渤海；日本。

19.蛎敌荔枝螺
Thais gradata

骨螺科（Muricidae）荔枝螺属（*Thais*）。

壳长26.7 mm，壳宽16.8 mm。贝壳较
小，菱形，壳质稍厚，坚硬。螺层约6层。
螺旋部高起，接近壳高的1/2。缝合线呈浅沟
状。在每一螺层的中部和体螺层的上部，壳
面消瘦向内凹下，形成一弧形面。在体螺层
的中上部还有1条强的龙骨突起。整个壳面有
许多粗细不均的细螺肋，生长纹细而明显。
壳面黄白色，有排成纵列的紫褐色斑纹。壳

蛎敌荔枝螺

口长卵形，内面淡黄色，有褐色斑纹。外唇较薄，中部曲折，边缘具许多明显的褶襞；内
唇略直，光滑，前沟较短，为一小的缺口。脐浅，仅残留一小的凹陷。

生活于潮间带中、下区岩石间或有碎砾石的泥沙滩上。

分布于台湾，福建以南沿海地带；西太平洋。

20.日本月华螺
Haloa rotundata

阿地螺科（Atyidae）月华螺属（*Haloa*）。

壳长11.4 mm，壳宽8.7 mm。贝壳中小
型，卵圆形至球形，壳质薄而脆。螺旋部内
卷入体螺层，在壳顶中央形成一浅凹，但不
形成深洞孔，壳顶部呈斜截断状。体螺层膨
胀。壳表半透明，白色，被淡褐色至黄色壳
皮，生长线精细明显，有细密的、波状沟的
螺旋线，外观平滑。壳口开口狭长，呈弧

日本月华螺

形，上部稍宽圆，底部扩张呈半圆形。外唇薄，简单。上部圆弯曲自壳顶中央斜升起，但

不形成角状突起，突出壳顶部较远，中部弯曲，底部圆形。内唇石灰质层狭而薄、平滑；轴唇厚，强弯曲，基部有一反褶缘盖脐区。

生活于潮间带泥沙质滩涂。

分布于黄海；日本、朝鲜、菲律宾。

21.中国耳螺
Ellobium chinensis

耳螺科（Ellobiidae）耳螺属（*Ellobium*）。

壳长27.4 mm，壳宽12.8 mm。贝壳长卵圆形。螺层7层，壳顶钝。螺旋部低。体螺层高度约占壳长的4/5。缝合线明显。壳表被褐色壳皮，生长线和细的螺旋沟纹相互交叉形成布纹状。壳口长，近耳状。外唇厚，中部隆起；内唇基部向外延伸遮盖脐部；轴唇前端有2个较强的褶襞，其后有一弱的突起。无厣。

生活于有淡水注入的高潮区及红树林中。

分布于东海、南海；日本，朝鲜半岛。

中国耳螺

22.核冠耳螺
Cassidula nucleus

耳螺科冠耳螺属（*Cassidula*）。

壳长21.3 mm，壳宽13.1 mm。贝壳近卵圆形。螺层约7层。螺旋部呈低圆锥形。体螺层上中部膨胀，逐渐向基部缩小。缝合线明显，缝合线下方和体螺层有浅灰色色带，色带在体螺层有3～4条。壳面光滑，灰褐色。壳口耳状。外唇宽厚，紫红色，内缘上部有一缺刻，外缘加厚形成纵肋状；内唇滑层上部薄，下部厚，并向外延伸遮盖脐部；轴唇前端有2枚肋状褶，其后有一弱的突起。

生活于高潮区红树林中。

分布于台湾、海南；西太平洋。

核冠耳螺

23.黑环肋耳螺

Laemodonta punctigera

耳螺科肋耳螺属（*Laemodonta*）。

壳长7.0mm，壳宽4.1mm。贝壳小，卵圆形，壳质坚实。壳顶圆钝。缝合线明显。壳表浅黄色至棕黄色，密布较大的孔形成的螺旋线，每个孔均具壳毛，壳毛常脱落。体螺层具3～4条深棕色色带。壳口近耳状。外唇内缘具2个小突起；轴唇前端有2个较强的褶襞，其后有一弱的突起。

生活于高潮区红树林林缘。

分布于香港；新加坡。

黑环肋耳螺

24.石磺

Onchidium verruculatum

石磺科（Oncidiidae）石磺螺属（*Onchididum*）。

体长25.4 mm，宽14.0 mm。体呈长椭圆形。头部有触角，无贝壳。外套膜微隆起，覆盖整个身体。体部灰黄色，布有许多突起及稀疏、分布不均匀的背眼。雌雄同体，雌生殖孔在体后端与肛门结节，雄性生殖器官在右侧触角下面。足部长而肥大。

生活于潮间带泥沙滩或高潮区岩石上。

分布于东海、南海；印度洋，日本。

石磺

25.青蚶

Barbatia obliquata

蚶科（Arcidae）须蚶属（*Barbatia*）。

壳长28.3 mm，壳高14.7 mm，壳宽11.4 mm。贝壳贻贝形，前部细而短，后部长而扩张。壳顶位于前端近1/4处。放射肋细密。前、后闭壳肌痕皆圆形，前闭壳肌痕小。铰合齿数目多，中间者极细小，前、后端大，特别是后端更大。

042

生活于潮间带至潮下带的岩礁间。

分布于浙江、福建、广东、海南；日本，东南亚地区。

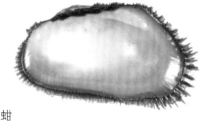

青蚶

26.毛蚶

Scapharca kagoshimensis

蚶科毛蚶属（*Scapharca*）。

壳长36.4 mm，壳高27.5 mm，壳宽24.3 mm。贝壳中型，两壳膨胀，左壳大于右壳。壳顶部膨大，位于背部中央之前。壳前部短，前端圆，后部大，近斜截形。壳表被毛状棕色壳皮，在边缘处的肋间沟更明显；壳表具31～34条规则的放射肋，肋平，肋沟间有生长刻纹；左壳的刻纹较粗糙。壳内缘有粗的缺刻；前闭壳肌痕近菱形，后闭壳肌痕顶端尖，略呈扇形。铰合部直，铰合齿前、后端者大。韧带面呈菱形。

生活于潮间带和潮下带浅水区。

分布于渤海、黄海、东海；日本。

毛蚶

27.泥蚶

Tegillarca granosa

蚶科泥蚶属（*Tegillarca*）。

壳长24.6 mm，壳高19.3 mm，壳宽15.8 mm。壳近卵圆形，壳质较厚，极膨胀，两壳相等。壳顶尖而突出，位于背部中央之前，两壳顶相距较远。壳的前端圆，后端斜截形。腹缘弓形，背缘直。壳表白色，被棕色壳皮，壳皮薄，不呈鬃毛状；每壳放射肋16～18条，极粗壮，肋上有很显著的结节，肋间沟与肋宽约相等。壳内缘具缺刻。铰合部直，铰合齿密集。韧带宽，菱形。

生活于潮间带泥质沉积区。

分布于中国沿海地带；印度至西太平洋。

泥蚶

28.橄榄蚶

Estellarca olivacea

细纹蚶科（Noetiidae）橄榄蚶属（*Estellarca*）。

壳长18.2 mm，壳高13.2 mm，壳宽11.3 mm。壳卵圆形，两壳较膨胀，壳质较厚。壳顶钝，较突出，位于背部近中央处。前端圆，后端略尖。壳表被褐色壳皮；放射肋细密；与同心生长线两者相交形成布目状刻纹。壳内面白色，内缘无齿状缺刻；前闭壳肌痕较大，卵圆形，后闭壳肌痕略小，近方形。铰合部弓形，有30多枚铰合齿，中央者较小。两壳顶接近，韧带面狭窄。

生活于潮间带和潮下带泥质区域。

分布于辽宁、河北、山东、江苏、浙江、福建；日本，东南亚地区。

橄榄蚶

29.变化短齿蛤

Brachidontes variabilis

贻贝科（Mytilidae）短齿蛤属（*Brachidontes*）。

壳长15.0 mm，壳高9.5 mm，壳宽6.6 mm。贝壳较小，壳形有变化，多呈三角形，壳质较坚硬。壳顶略显，近壳前端。壳表紫褐色；整个壳面被细放射肋，放射肋不十分规则，有分枝。壳内面灰紫色，周缘具细缺刻。铰合部有2～4枚粒状小齿。

生活于潮间带中潮区，常附着于岩石、牡蛎壳或红树上。

分布于福建、广东、广西、海南；印度至西太平洋。

变化短齿蛤

30.短偏顶蛤

Modiolatus flavidus

贻贝科偏顶蛤属（*Modiolatus*）。

壳长41.6 mm，壳高20.8 mm，壳宽16.5 mm。

短偏顶蛤

贝壳近长方形，壳质稍厚。前端与后端近等宽，背缘与腹缘略平行。自壳顶向后腹缘有一隆肋。壳面褐色。壳内面银灰色，闭壳肌痕不显或略显。韧带较细。

生活于低潮区泥沙中。

分布于东海、南海；日本、菲律宾，印度洋。

31.黑荞麦蛤

Xenostrobus atratus

贻贝科荞麦蛤属（*Xenostrobus*）。

壳长12.4 mm，壳高7.0 mm，壳宽5.6 mm。贝壳小，略呈三角形，壳质较坚厚。壳顶突出，位于近前端。壳的腹缘内陷，背缘弧形，后端圆。壳表光滑略具光泽，黑色；无放射肋；生长线细密，较明显。壳内面银灰色或黑灰色，闭壳肌痕较明显，前闭壳肌痕小，位于壳顶下方近腹缘处，后闭壳肌痕较大，与缩足肌相连，位于后部近背缘处。铰合部无齿。韧带长，深褐色，位于壳顶之后的后背缘。足丝孔小，位于腹缘内陷处，足丝发达。

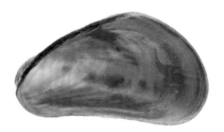

生活于潮间带，以足丝附着于红树植物或岩礁上。

广泛分布于中国南、北沿岸；日本。

黑荞麦蛤

32.中国不等蛤

Anomia chinensis

不等蛤科（Anomiidae）不等蛤属（*Anomia*）。

壳长34.1 mm，壳高32.9 mm，壳宽6.2 mm。贝壳较小，两壳较扁平，多呈圆形，但常不规则，两壳及壳两侧不等，壳质较薄。左壳稍凸，左壳略大于右壳。壳顶尖小，较低，略显。壳表呈浅橘红色、金黄色或深黄色，略具珍珠光泽；放射肋极细，同心纹明显，至壳缘附近多呈明显的皱褶状；生长线细密，有的略呈波浪状或稍呈片状。右壳较平，呈白色或青白色；壳前端有1个较大的卵圆形足丝孔。壳内面两壳颜色均与壳表相同，具光泽，左壳有1个大的足丝肌痕和2个较小的后闭壳肌痕，肌痕均呈圆形，一般较明显。铰合部稍

中国不等蛤

弯，较窄，韧带小，呈棕褐色；无铰合齿。足丝石灰质化，极坚硬发达。

生活于潮间带中、下区或潮下带浅水水域的岩石上。

分布于中国沿海地带；西太平洋。

33.难解不等蛤
Enigmonia aenigmatica

不等蛤科难解不等蛤属（*Enigmonia*）。

壳长9.5 mm，壳高43.2 mm，壳宽4.0 mm。贝壳多呈横长椭圆形，壳质薄脆，半透明。两壳不等，左壳略大于右壳。壳顶小，微凸，近壳前方，壳左右两侧在壳顶前方愈合，形成一条较明显的曲痕。壳面呈紫铜色，略具光泽；同心生长纹细密而明显；右壳较平，放射肋不明显，足丝孔呈椭圆形。壳内色浅，具光泽；左壳足丝肌痕强大；闭壳肌痕小，位于壳中前部，较明显。铰合部无齿。

生活于潮间带，以足丝附着在红树等植物上。

分布于广东、广西、海南；印度至西太平洋。

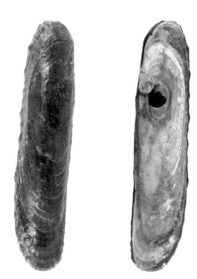

难解不等蛤

34.熊本牡蛎
Crassostrea sikamea

牡蛎科（Ostreidae）巨牡蛎属（*Crassostrea*）。

壳长29.9 mm，壳高37.3 mm，壳宽17.6 mm。贝壳长或近方形，较扁。壳面光滑，常呈青色，带有褐色花纹；放射肋不明显，仅在边缘处有褶皱。壳内面白色；肌痕明显，黄褐色或白色。

固着生活于潮间带岩石、礁石或红树植物上。

分布于江苏盐城以南各海区；日本。

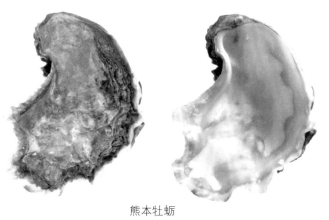

熊本牡蛎

35.葡萄牙牡蛎

Crassostrea angulata

牡蛎科巨牡蛎属。

壳长42.0 mm，壳高66.2 mm，壳宽28.2 mm。壳型多变化，近长型或椭圆形，附着面大。壳面为青色或褐色；右壳面较平，有明显放射褶存在，左壳有轻微放射肋结构。壳内面白色；闭壳肌痕褐色，长型。韧带槽小，壳顶腔较浅。

固着生活于潮间带岩石上。

分布于长江以南各海区，台湾。

葡萄牙牡蛎

36.棘刺牡蛎

Saccostrea echinata

牡蛎科囊牡蛎属（*Saccostrea*）。

壳长35.2 mm，壳高36.1 mm，壳宽12.1 mm。贝壳较小型，侧扁，多圆形。壳表黑色或紫灰色；生长线细密呈鳞片状，鳞片边缘卷曲形成管状棘，棘的多少、强弱随不同个体及所处环境而变化。左壳附着面较大。壳内面的嵌合体仅出现于前、后两侧。

固着生活于潮间带岩石或红树植物上。

分布于浙江以南沿海地带；日本。

棘刺牡蛎

37.印澳蛤

Indoaustriella plicifera

满月蛤科（Lucinidae）印澳蛤属（*Indoaustriella*）。

壳长22.2 mm，壳高22.0 mm，壳宽14.0 mm。壳型中等大，两壳较膨胀，壳质较厚。壳顶突出，前倾，位于中央之前。小月面小，不对称，心脏形，下陷。前背缘短，前缘圆；后背缘微凸，后缘截形。壳表具有稍凹的前背区和后背区；壳面覆以土黄色的壳皮；无放射刻纹，同心肋片状，肋间沟很宽。壳内面白色，内缘平滑；前闭壳肌痕长，上窄下宽，末端圆，约3/4的长度同外套线分离；后闭壳肌痕略呈菱形；外套线完整无窦。铰合部无齿，两壳各有1枚前侧齿。外韧带细长，深褐色。

生活于潮间带红树林软泥底质区。

分布于海南、广东；马来半岛。

印澳蛤

38.古明圆蛤

Cycladicama cumingii

别名古明志圆蛤。蹄蛤科（Ungulinidae）圆蛤属（*Cycladicama*）。

壳长20.9 mm，壳高18.2 mm，壳宽13.1 mm。两壳相等，前、后不等，较膨胀。壳顶突出，前倾，位于背部中央之前。壳的前部略尖细，前端尖，后部扩大，后缘圆。壳顶到后腹缘有一放射脊。壳皮灰褐色，愈近边缘处颜色愈浓；生长线不甚规则。壳内灰白色，前闭壳肌痕特别细长，后闭壳肌痕呈纺锤形。两壳铰合部各具2枚主齿，左壳前主齿分叉，右壳后主齿分叉，2枚齿尖中前齿尖较高。

生活于潮间带泥沙滩中。

分布于中国大陆沿岸；日本，东南亚地区。

古明圆蛤

39.津知圆蛤

Cycladicama tsychi

蹄蛤科圆蛤属。

壳长13.2 mm，壳高11.9 mm，壳宽8.3 mm。贝壳小，壳质较坚厚，两壳较膨胀。壳顶较突出，前倾，位于背部近中央处。壳的前端圆，后端近截形，后背缘微凸或近平直，它同后缘相会处形成一个不甚明显的后背角。壳表具土黄色壳皮，同心生长纹不甚规则，每隔一定的距离有颜色较深的年轮状同心纹，在壳顶前特别是后部常有深色沉积物附着于表面。前闭壳肌痕长而宽，后闭壳肌痕卵圆形。铰合部宽厚，铰合齿粗壮，

津知圆蛤

左壳分叉的前主齿的前齿尖高于后齿尖，右壳分叉的后主齿的两个齿尖高度近相等，左右壳的前侧齿长而低矮。

生活于潮间带至潮下带泥沙滩中。

分布于渤海、黄海；日本。

40.拟箱美丽蛤

Merisca capsoides

樱蛤科（Tellinidae）美丽蛤属（*Merisca*）。

壳长28.6 mm，壳高20.7 mm，壳宽8.5 mm。壳白色，侧扁，后端偏向右方；壳顶尖，较低，位于背部近中央处。小月面和楯面均呈披针状，而且陷入较深。壳表面的同心肋越近后部越明显；自壳顶到后背缘之间的壳面略低；壳面的中部有纤细的放射刻纹；外套窦长，腹缘1/2的长度同外套痕愈合。

生活于潮间带泥沙底质中。

分布于浙江以南各省（区）沿海；印度至西太平洋。

拟箱美丽蛤

41.幼吉樱蛤

Jitlada juvenilis

别名刀明樱蛤。樱蛤科吉樱蛤属（*Jitlada*）。

壳长11.4 mm，壳高7.4 mm，壳宽4.5 mm。贝壳略呈卵圆形，壳质较厚。壳顶较低，后倾，位于背部中央之后。壳的前部宽大，前端圆，前背缘微凸；后背缘在韧带附着处平直，然后呈斜截形，后端尖。壳表多红色；有细的生长纹；自壳顶到后端有一放射脊，形成后褶。壳内面也呈红色；前闭壳肌痕略长，后闭壳肌痕呈桃形；外套窦深，但未触及前闭壳肌痕，其腹缘与外套线完全愈合。

生活于潮间带泥沙底质中。

分布于台湾、海南；日本、越南、菲律宾。

幼吉樱蛤

42.圆胖樱蛤

Pinguitellina cycladiformis

别名小暗弧蛤。樱蛤科胖樱蛤属（*Pinguitellina*）。

壳长10.1 mm，壳高7.9 mm，壳宽5.6 mm。贝壳小，略呈圆形，较膨胀，壳质较坚厚。壳顶钝，后倾，位于背部中央之后。壳表粉红色，具细的生长线，间有较粗的同心线。壳内面红色，愈近壳顶处，颜色愈浓；两壳外套窦等长，几乎可触及前闭壳肌痕，顶端略尖，腹缘与外套线愈合。

生活于潮间带泥沙底质中。

分布于海南；菲律宾。

圆胖樱蛤

43.长竹蛏

Solen strictus

竹蛏科（Solenidae）竹蛏属（*Solen*）。

壳长37.6 mm，壳高6.1 mm，壳宽4.0 mm，壳长是壳高的6～7倍。壳前端截形，略倾斜；后缘近圆形。壳表光滑，生长纹明显，被一层黄色壳皮。

生活于潮间带至潮下带泥沙底质中。

分布于我国南、北沿海各海区；日本，朝鲜半岛。

长竹蛏

44.尖齿灯塔蛤

Pharella acutidens

刀蛏科（Cultellidae）灯塔蛤属（*Pharella*）。

壳长29.6 mm，壳高7.3 mm，壳宽5.0 mm。壳形长。壳顶位于中央之前，前、后端圆。壳表被深绿色壳皮，同心线较粗糙。壳面自壳顶有一浅沟向壳的中、后腹缘延伸，同时腹缘内陷。外套窦极浅，顶端斜截形。铰合齿尖而高。

生活于潮间带，或有淡水注入的地方。

分布于广东、海南；印度至西太平洋。

尖齿灯塔蛤

45.纹斑棱蛤

Trapezium liratum

棱蛤科（Trapeziidae）棱蛤属（*Trapezium*）。

壳长29.2 mm，壳高16.6 mm，壳宽10.4 mm。壳质厚，两壳相等，前、后极不等，略呈长方形。壳顶较低平，前倾，位于近前端。小月面心脏形，楯面披针状。壳的前缘微凸出，后缘近截形，腹缘平，中部微内陷，是足丝孔所在，背、腹缘平行。壳表面灰白色，常出现放射状淡紫色条纹；同心生长线粗糙，在背缘常呈片状突起。壳内白色，后部常为紫褐色；前闭壳肌痕小，梨形，后闭壳肌痕较大，近马蹄形；外套痕明显，完整无窦。两壳铰合部各有2枚主齿、1枚后侧齿。左壳前主齿小，后主齿大；右壳前主齿大，顶部分叉，后主齿较弱。

生活于潮间带中、下区岩石缝或红树根部。

分布于中国南、北沿海地区；印度至西太平洋。

纹斑棱蛤

46.河蚬

Corbicula fluminea

蚬科（Corbiculidae）蚬属（*Corbicula*）。

壳长27.3 mm，壳高24.2 mm，壳宽14.7 mm。贝壳中等大小，呈三角形（壳高与壳长相近），两壳膨胀。壳后缘为圆形且腹侧圆弧形，壳顶位置中央偏前。壳表面有光泽，颜色因环境而异，常呈棕黄色、黄绿色或黑褐色；有粗糙的环肋。闭壳肌痕明显，外套痕深而明显。铰合部发达，左、右壳各具3枚主齿，前后侧齿各1枚，前后侧齿上有很多小的微细锯齿排列。韧带短。

平时栖息于江河、湖泊、沟渠或池塘，在河口区也偶见。

分布于中国内陆地区，台湾；俄罗斯、日本、韩国，东南亚地区。

河蚬

47.红树蚬

Gelonia coaxans

蚬科硬壳蚬属（*Gelonia*）。

壳长58.2 mm，壳高54.1 mm，壳宽31.5 mm。壳质厚重，较膨胀。壳顶突出，前倾，位于近中央。壳表被黑褐色壳皮，顶部常磨损；生长线粗而密；自壳顶到后腹缘有一浅的缢沟。壳内面白色。铰合部具3枚主齿，左壳前、中主齿和右壳中、后主齿分叉。前、后侧齿有变化，1～2枚，后侧齿位于后背缘中部。前闭壳肌痕呈长卵圆形；后闭壳肌痕近马蹄状。外韧带较长，黑褐色。外套痕明显。

生活于河口高潮区泥沙底质中，或有红树的区域。

分布于台湾、广东、广西、海南；孟加拉国、菲律宾、澳大利亚。

红树蚬

48.角镜蛤

Dosinia angulosa

帘蛤科（Veneridae）镜蛤属（*Dosinia*）。

壳长31.8 mm，壳高30.1 mm，壳宽13.7 mm。贝壳略呈四边形。壳表生长线细，在前、后部略呈高的片状，但并不十分规则；壳面较粗糙；自壳顶到后部有一浅的缢沟。小月面浅而较狭窄。壳内面的外套窦特别长，末端尖圆，指向前背缘。

生活于潮间带至潮下带浅水区的泥沙底质中。

分布于海南、台湾；日本。

角镜蛤

49.裂纹格特蛤

Marcia hiantina

帘蛤科格特蛤属（*Marcia*）。

壳长27.9 mm，壳高22.4 mm，壳宽14.3 mm。贝壳斜三角卵圆形，壳形在壳长、壳高、壳宽比例上有许多变化。小月面随贝壳体形大小与形状变化而略有变化，通常呈楔形，界线不清楚。楯面界线不明，大部分为黑褐色的韧带所占据。壳内面白色。铰合部3枚主齿分散排列，齿间距离近等。前闭壳肌痕较小，后闭壳肌痕大，近圆形。外套痕清楚，外套窦弯入深，斜伸向贝壳中部，先端钝圆。

生活于潮间带中潮区和低潮区泥沙滩中。

裂纹格特蛤

分布于福建、广东、广西、海南；印度至西太平洋。

50.丽文蛤

Meretrix lusoria

帘蛤科文蛤属（*Meretrix*）。

壳长39.4 mm，壳高33.9 mm，壳宽20.4 mm。贝壳三角卵圆形，壳质坚厚。前缘圆，后缘末端尖，贝壳的后缘明显长于前缘。壳面颜色和花纹变化极大，有浅米色、黄褐色、黑褐色等；花纹、色斑常出现在壳顶部附近，有棕色点线状花纹、锯齿状花纹，褐色斑带或斑块等。小月面近梨形，楯面菱形，常呈黑褐色或蓝紫色。外套窦宽而浅。

生活于河口区和潮间带至潮下带泥沙底质中。

分布于江苏以南沿海地带；日本、朝鲜。

丽文蛤

51.琴文蛤

Meretrix lyrata

帘蛤科文蛤属。

壳长36.9 mm，壳高30.8 mm，壳宽20.7mm。贝壳卵三角形，壳质较厚。前端圆，后端尖。壳表面被一层薄的灰色壳皮；后背区深褐色；同心肋宽，肋沟间狭而浅。壳内面白色，后背区深褐色。外套窦很浅。前、后闭壳肌痕皆延长，左、右壳各具3枚主齿，左壳具前侧齿。

生活于潮间带或潮下带浅海沙质区域。

分布于台湾、广西；越南、泰国。

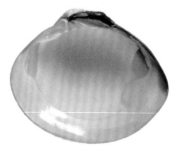

琴文蛤

52.青蛤
Cyclina sinensis

帘蛤科青蛤属（*Cyclina*）。

壳长40.9 mm，壳高41.6 mm，壳宽25.8 mm。壳纵长，壳高大于壳长，壳形圆。壳顶尖，突出，前倾，位于背部中央之前。小月面不明显，其上刻纹是壳面刻纹的延续。楯面很长，界线不显著。壳表的颜色因地而异，北方个体周缘多呈白色，南方个体多呈紫色；同心生长线细密，排列整齐，放射刻纹细而精致，在壳的边缘处较明显，同生长线相交。壳内缘具细的齿状缺刻；前闭壳肌痕较小，后闭壳肌痕较大；外套窦较深，顶端尖，两壳各有3枚主齿，无侧齿。

生活于潮间带或潮下带浅海沙质区域。

分布于中国沿海地带；西太平洋。

青蛤

53.中国绿螂
Glauconome chinensis

绿螂科（Glauconomidae）绿螂属（*Glauconme*）。

壳长21.3 mm，壳高10.3 mm，壳宽7.6 mm。壳形细长，壳质较薄脆。壳顶位于背部中央之前。前端圆，后部细，末端尖。壳表具厚的绿色壳皮，壳的前、后部常形成皱纹；同心生长纹较粗糙。壳内前、后闭壳肌痕小；外套窦深，顶端圆，呈指状；右壳后主齿大而分叉，形成2个大的齿尖，左壳中主齿分叉。

生活于潮间带泥沙底质中。

分布于台湾、福建、广东、广西；日本，以及东南亚地区、孟加拉湾。

中国绿螂

54.皱纹绿螂
Glauconome corrugate

绿螂科绿螂属。

壳长17.6 mm，壳高9.6 mm，壳宽6.5 mm。壳形较长。壳顶低，后倾，位于背部中央略前。壳皮绿色，壳顶到后腹角的放射脊较明显；壳表同心刻纹粗糙，特别在放射脊之后常形成同心皱纹。壳内面淡蓝色，前、后闭壳肌痕小；外套窦深，呈指状，不同外套线愈合；右壳前、中主齿分叉，左壳中、后主齿分叉。外韧带褐色。

生活于潮间带泥沙质滩涂中。

分布于台湾；菲律宾。

皱纹绿螂

55.鸭嘴蛤

Laternula（*Laternula*）*anatine*

鸭嘴蛤科（Laternulidae）鸭嘴蛤属（*Laternula*）。

壳长19.4 mm，壳高11.5 mm，壳宽10.1 mm。壳型较大，壳质薄脆。两壳顶相接，位于背部后约1/3处。壳的前部宽而大，前缘圆，前背缘略平直；壳的后部短小，后背缘微凹，末端上翘。壳的两端开口，前端开口为裂缝状，后端两壳扩张，形成喇叭状开口。自壳顶到后腹缘有一浅沟，将壳表的刻纹分为两部分，沟之前的壳表布满粒状突起，沟之后的三角形壳表上仅有生长线形成的同心皱纹。壳内面具珍珠光泽，前闭壳肌痕卵圆形，后闭壳肌痕圆形；外套窦浅。铰合部无齿，着带板突出于铰合部，呈匙状，指向腹缘，其下方的支撑肋也指向腹缘。内韧带上无石灰质韧带片。

生活于潮间带泥沙质滩涂中。

分布于中国沿海地带；印度至西太平洋。

鸭嘴蛤

56.截形鸭嘴蛤

Laternula（*Exolaternula*）*truncate*

鸭嘴蛤科鸭嘴蛤属。

壳长35.6 mm，壳高17.6 mm，壳宽12.7 mm。壳型较大，壳质极薄脆，半透明，较膨胀。两壳不能密闭，后端有一个较大的开口。壳顶前倾，较低平，位于背部近中央处，有一横裂缝。壳的前部宽，前端圆，前背缘微凸；壳的后部微收缩，后背缘微下陷，后端微上翘，末端截形，有开口。壳表生长线不甚规则，自壳顶到后腹缘有一浅的缢沟，沟之前的壳表分布着粒状突起，沟后部的三角形壳表光滑，无粒状突起，只有垂直的生长纹。壳内具珍珠光泽，前闭壳肌痕卵圆形，后闭壳肌痕近圆形；外套窦宽，末端圆，其下缘不同外套线愈合。铰合部无齿，具有突出的内韧带着带板，其下方的支撑肋斜向后腹缘；石灰质韧带片呈V字形。

截形鸭嘴蛤

生活于潮间带泥沙质滩涂中。

分布于福建以南地区；日本、菲律宾、澳大利亚。

57.白条地藤壶
Euraphia withersi

小藤壶科（Chthamalidae）地藤壶属（*Euraphia*）。

壳低扁、圆锥形，褐色，腐蚀后为白色，表面光滑或近基部有肋，板缝直而清楚；幅部窄，翼部宽。壳口大，呈菱形；基底膜质。盖板外表具4条白色条纹。楯板几乎成直角三角形，褐色，背缘直，有1条白色纵条纹，关节脊不突出于背缘之外；关节沟浅，有明显的闭壳肌窝和侧压肌窝，无闭壳肌脊。背板上宽下窄，峰缘有一白色纵条纹，楯缘直，关节沟浅，关节脊低，侧压肌脊2～3条，矩不明显，与基楯角结合。峰吻径8.7 mm，侧径6.9 mm。

白条地藤壶

栖息于潮间带上部，通常附着于岩石、红树或其他动物壳上。

分布于东海、南海；日本、菲律宾、澳大利亚，以及马来群岛、丹老群岛、马达加斯加岛。

58.纹藤壶
Amphiblalanus amphitrite

藤壶科（Balanidae）纹藤壶属（*Amphibalanus*）。

壳圆锥形或筒锥形，表面光滑，白色或奶油色的底色上，有成束自顶端放射的紫色或灰褐色纵条纹，但无横条纹；吻板和侧板条纹多为2束，每束2～5条，板的中央和边缘部分常形成较宽的白色纵带。幅部宽阔，覆盖相邻壳板翼部的大部分，上缘几乎平行或略斜于基底。翼部宽阔，顶缘不很斜。壳口大，略呈菱形。楯板外面平坦，生长脊粗糙，不很突出；关节脊突出于背缘之外，长度等于或超过背缘之半，游离的下端较尖，常弯。背板宽阔，外面平坦，生长脊清楚；矩宽阔而短，末端圆或平截，与基楯角间距离小于本身的宽度；侧压肌脊短而强，4～6条。峰吻径9.1 mm，侧径8.1 mm。

纹藤壶

生活于潮间带和潮下带区域，常附着于红树植物、木桩、岩石或贝壳上。

分布于中国南、北沿海地区；广布于世界范围内。

59.红树纹藤壶

Amphibalanus rhizophorae

藤壶科纹藤壶属。

壳圆锥形，表面光滑，有灰紫色细纵条纹；幅部狭窄，顶缘斜；翼部宽而薄，顶缘圆斜。壳口中等大小，呈五角形，壳口缘明显，呈锯齿状。楯板狭三角形，外表面稍拱，光滑，淡灰紫色，生长脊不突出，基缘长度小于或等于背缘，关节脊长度约为背缘之半或稍长，但决不足背缘长度的2/3；闭壳肌脊长而发达。背板宽阔，基缘直，矩稍小于矩宽，在年老的个体中则较宽短，矩至基楯角的距离超过矩长的一半。峰吻径12.1 mm，侧径9.8 mm。

生活于潮间带，常附着于木桩、红树植物上。

分布于南海。

红树纹藤壶

60.刀额新对虾

Metapenaeus ensis

对虾科（Penaeidae）新对虾属（*Metapenaeus*）。

额角上缘6～9齿，额角后脊伸至头胸甲后缘。头胸甲具胃上刺、肝刺、眼眶刺。腹部第一至第六节背中央具纵脊，后2节背中脊高且锐，第六节背脊末端有一小刺，后下侧角各有一小刺，腹部前5节两侧具有不规则的脊，第六节侧面有3条纵脊，尾节无侧缘刺。前3对步足具基节

刀额新对虾

刺，第一对步足具座节刺。雄性交接器侧叶末侧角尖，末端中突特别发达，远超出端侧突出的末端，末半部向背曲卷，顶端尖，基部宽。雌性交接器前板近长方形，前半部宽，后半部窄，前缘多毛，后部两侧各有一长椭圆形隆起，后侧板侧缘拱起较高，弧形；向腹面突出，弯向内前方，略呈杯状，侧板后缘彼此分离，胸部末节腹甲的后隆起与侧板不接触。

生活于潮间带至潮下带浅海区域。

分布于东海、南海、北部湾，以及台湾、香港；印度至西太平洋。

61.优美鼓虾

Alpheus euphrosyne

鼓虾科（Alpheidae）鼓虾属（*Alpheus*）。

额角短小，三角形，未伸至第一触角第一节1/2处，额脊较低，侧沟不明显。第一触角柄第二节约为第一节长的1.5倍，约为第三节长的2.5倍；柄刺宽，末端尖，伸至第一节末端。第二触角鳞片侧刺约与鳞片部分等长，约与第一触角柄末端相齐。大螯较粗大，表面光滑，长约为宽的2.3倍，指约占螯长的2/5，掌上缘近关节处有一横沟，横沟近端和远端的肩皆圆不突出，横沟分别向两侧延伸形成三角形和四边形凹陷；掌下缘的肩圆，下缘缺刻向外

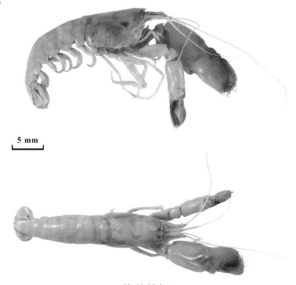

优美鼓虾

侧面延伸形成三角形凹陷，内侧面下缘具一纵沟；长节无刺。小螯雌雄异形：雄性小螯长约为宽的4.7倍，指约与掌部等长，缺刻凹陷与大螯相似，但不甚明显，指节具刚毛环；雌性小螯长约为宽的5倍，指约为掌长的1.3倍，掌部有极浅的凹陷，长节无刺。第二步足腕节各节比例为10∶5∶3∶3∶4。第三步足座节具1刺；长节无刺；腕节约为长节长的1/2，上缘

末端突出，下缘具7刺，末端具1对刺，掌节侧面具成排的、短而硬的刚毛。尾节宽，前对背刺约在2/5处，后对背刺约在7/10处，后缘稍圆。

生活于潮间带泥沙滩上。

分布于台湾、海南；肯尼亚、泰国、菲律宾、印度尼西亚、北澳大利亚。

62.泥虾

Laomedia astacina

泥虾科（Laomediidae）泥虾属（*Laomedia*）。

额角近三角形，边缘锯齿状，具密毛，末端钝，具2齿，眼后刺存在。头胸甲背面的颈沟很浅，两侧有平行的鳃甲线，自头胸甲前缘伸至末缘。眼柄短，角膜黑色，位于眼柄前端中部。第一触角柄显著短且较第二触角柄细；第二触角柄粗壮。第一对步足左右近对称，螯状，一侧稍大，二指内缘齿的形态略有差异；座节下缘密具细齿，长节宽，上缘甚为鼓起，无齿，下缘略鼓，中部以下具细锯齿；腕节三角形，上缘具细锯齿，下缘光滑；掌部长为腕节的2倍，上缘具细齿，下缘无齿；不动指短于掌部，内缘具小齿，可动指末端弯，个体较大者内缘基部具一方形扁齿，较小者内

5 mm

泥虾

缘具细齿。步足简单。腹部第二至第五节侧甲板发达，多毛。雄性缺第一对腹肢，雌性第一腹肢小，单枝型。尾节宽短，舌状；尾肢内外肢宽，皆具横缝。

生活于潮间带泥沙滩中。

分布于黄海、东海、南海，以及台湾；越南、日本，以及朝鲜半岛。

63.光滑异装蟹

Heteropanope glabra

毛刺蟹科（Pilumnidae）异装蟹属（*Heteropanope*）。

头胸甲长7.9 mm，宽11.6 mm。头胸甲表面光滑，前、后略为隆起，分区不显著。只有胃、心区之间的分界较清楚。额宽，中部被一浅纵沟分为2叶，每叶前缘稍拱，额后叶

可辨。背眼缘具极为微细的锯齿，腹眼缘的锯齿明显，第二触角基节很短。前侧缘包括外眼窝齿在内共分为4齿，第一齿拱圆，第二齿呈圆钝的宽三角形，第三齿呈较锐的宽三角形，末齿小而锐，由此基部引入一横行隆线。螯足不甚对称，腕、掌节略显肿胀，表面光滑，腕节的内末角突出呈齿状，两指除基部外呈黑色。步足细长，略具刚毛。雄性第一腹肢略呈S形，末端趋尖，弯向腹下方。腹部分7节，三角形，尾节末缘圆钝。

光滑异装蟹（雄）

生活于潮间带泥沙滩上。

分布于广东、广西；印度至西太平洋。

64.拟曼赛因青蟹

Scylla paramamosain

别名拟穴青蟹。梭子蟹科（Portunidae）青蟹属（*Scylla*）。

头胸甲长69.1 mm，宽46.3 mm。头胸甲横卵形，胃、心区具一宽H形沟，沟的两侧附近隆起，其他较低平。额齿尖，细而长，呈三角形，两齿之间的缺刻宽而浅，呈宽U字形。前侧缘具9齿（包括外眼窝齿在内），齿宽，末齿最小。螯足粗壮，不对称，右大于左；长节前缘具3弯齿，外缘中部向

拟曼赛因青蟹（雄）

外膨大，末缘1/3处具小齿，末外缘具一更小的齿；腕节略呈菱形，内末角具一壮齿，外末角具一小齿；掌节膨大，长约为宽的1.1倍，背缘近末端具并列2刺，外面1枚较小，每刺具1对隆脊，通到后面；近腕关节处具一小刺，掌的内侧中部隆起，近末端具一小突起；可动指稍大于不可动指，基部具一大臼齿，不动指基部具2枚宽扁的臼齿，中部2枚长而宽，末部具钝齿。雄性第一腹肢基半部粗壮，背缘具小刺，末端开口呈卵形。雄性腹部分为5节（第三节至第五节愈合），尾节呈钝三角形，长宽约相等，第六节呈梯形，长大于宽；雌性腹部第三节至第五节愈合，尾节呈钝三角形，宽大于长。

栖息于浅水水域、泥滩、碎礁石和红树林泥滩里。

分布于浙江、福建、广东、广西、海南、台湾；越南、新加坡、印度尼西亚、泰国。

65.四齿大额蟹

Metopograpsus quadridentatus

方蟹科（Grapsidae）大额蟹属（*Metopograpsus*）。

头胸甲长17.6 mm，宽21.5 mm。头胸甲近方形，宽度大于长度，前半部较后半部稍宽，表面较平滑，分区不甚明显。额宽约为头胸甲宽度的3/5，前缘较平直，具细颗粒，额后隆脊分4叶，各叶表面具横行皱纹。外眼窝角锐，眼窝腹缘内侧部具细锯齿，第二触角基部之下突出呈隆脊状，腹内眼窝齿钝，与额角几乎相接触。两侧缘近平

四齿大额蟹（雄）

直，外眼窝之后具一小锐齿。螯足不等大，长节腹内缘基半部具3～4个锯齿，末部突出呈叶状，具3个大锐齿及1～2个小齿，外腹缘上也具锯齿，其末端具一锐刺，腕节背面具皱襞，内末角具2个小齿，掌节背面具斜行皱襞及颗粒，内、外侧面均光滑，两指内缘具大小不等的钝齿。步足扁平，长节较宽，背面具横行皱纹，前缘近末端具一刺，后缘近末部突出呈叶状，具3～4个小刺，末3节具长短不一的刚毛，前节后缘末端具一锐刺，指节前、后缘均具小刺，共4刺。雄性第一腹肢粗壮，末半部稍胀大，几丁质突起的末端呈一平面状，腹部三角形。雌性腹部圆大。

生活于潮间带岩石缝中或石块下。

分布于黄海、东海、南海；印度至西太平洋。

66.印尼小相手蟹

Nanosesarma batavicum

相手蟹科（Sesarmidae）小相手蟹属（*Nanosesarma*）。

头胸甲长6.7 mm，宽8.9 mm。头胸甲表面具成簇的短刚毛，胃、心区具H形沟，额缘中部稍凹，背眼缘甚为向下倾斜，外眼窝角三角形，侧缘向后稍靠拢。雄性螯足对称，掌节背面有2条斜行梳状齿，可动指背面具9～10个突起，两指基半部外侧面具绒毛。步足长节后末角具3个锐齿，腕、前节前缘密具短绒毛，并间具长刚毛，各步足指节前缘的前、后缘具小刺。雄性第一腹肢末端几丁质突起细长，末缘分成长短不等的裂片

印尼小相手蟹（雄）

状。雄性腹部宽三角形，尾节近圆形；雌性腹部圆大，尾节嵌入第六节内。

生活于潮间带地区红树林的泥滩中。

分布于广西、海南；印度尼西亚，以及马来半岛、印度东岸。

67.小相手蟹
Nanosesarma minutum

相手蟹科小相手蟹属。

小相手蟹（雄）

头胸甲长6.1 mm，宽6.9 mm。体型小，头胸甲的宽度稍大于长度，全身密具绒毛，分区可辨。额宽，弯向下方，额缘中部内凹，额后具1对隆脊。外眼窝角锐三角形，略弯向前方，侧缘在外眼窝角后具一三角形齿，此齿后方具一斜行隆线。螯足粗壮等大，长节短，内腹缘末部突出一三角形叶，腕节背面具皱襞，内末角突出呈圆叶状，掌节肿胀，背、外侧面密具绒毛，去毛后可见1列与腹缘平行的横行颗粒隆脊，其余的颗粒分散，并不排列成明显的横列。两指合拢时空隙狭窄，内缘各具大小不等的三角形齿。步足长节扁宽，前缘锋锐，近末端处具一锐齿，后缘具细颗粒，近末端具一三角形宽齿，边缘具细锯齿。雄性第一腹肢末端几丁质突起指向背外方。雄性腹部三角形，第六节基部的宽度约当长度的3倍，尾节长度大于宽度；雌性腹部圆大，尾节全部嵌入第六节内，呈横卵圆形。

生活于潮间带岩石旁或红树林中。

分布于东海、南海；印度至西太平洋。

68.刺指小相手蟹
Nanosesarma pontianacensis

相手蟹科小相手蟹属。

刺指小相手蟹（雄）

头胸甲长6.2 mm，宽5.6 mm。头胸甲呈长圆方形，中部稍隆，表面密覆短毛及分散的长绒毛。前额宽，中央呈浅V形缺刻，额区斜向前下方。眼大，眼柄短。前侧缘向后稍分离，在外眼窝角后具一齿痕。螯足并不比步足显得壮大，掌节可动指基部近外侧面具一小刺，表面

062

具短刚毛，前后缘具棒状刚毛。步足扁平，长节宽大，后末缘具小锯齿，末3节相对细长，指节后缘具小刺，末端爪状。雄性第一腹肢末端几丁质突起扁平近方形。雄性腹部末节长椭圆形；雌性腹部圆大，末节嵌入第六节内。

生活于潮间带红树林的泥滩中。

分布于南海；西太平洋。

69.近亲拟相手蟹
Parasesarma affine

相手蟹科拟相手蟹属（*Parasesarma*）。

头胸甲长14.8 mm，宽19.6 mm。头胸甲的宽度大于长度，表面稍隆，前半部及鳃区具粗糙颗粒及斜行颗粒隆线。额弯向下方，中部稍凹，额后部的4叶突出。外眼窝角锐三角形，指向前方，侧缘在外眼窝角之后具1个不明显的齿痕。雄性螯足粗壮等大，长节外侧缘具颗

近亲拟相手蟹（雄）

粒隆脊，近末端具刺，内侧缘近末端具一三角形刺，外侧面有横纹；掌节厚而短，表面具颗粒，背面具2个梳状栉，可动指背面具7～9个较大的突起。步足宽大扁平，第二、第三对步足等长，较其他2对步足长，其长度约当头胸甲宽度的1.5倍；第三对步足长节长约当宽的2倍。雄性腹部宽三角形，尾节较短而宽，末缘半圆形，长度与第六节长度相当；第六节宽度约当长度的2倍多。雄性第一腹肢细长，末端趋长，弯曲呈45°，几丁质突起长而直，指向外方。雌性腹部圆大，尾节宽大。

生活于潮间带红树林中。

分布于黄海、东海、南海；印度至西太平洋。

70.双齿拟相手蟹
Parasesarma bidens

别名双齿近相手蟹。相手蟹科拟相手蟹属。

头胸甲长19.1 mm，宽23.3 mm。头胸甲近方形，背部平坦，表面具隆线及短刚毛。额宽，前缘中部内凹，额后隆脊分4叶，中叶具成簇短刚毛，但侧叶不甚隆起。胃、心区较心、肠区的分

双齿拟相手蟹（雄）

区沟深而明显，鳃区具斜行隆线。前侧缘连外眼窝齿在内共分2齿，第二齿小而锐，齿间缺刻深，齿端尖锐。螯足长节短，呈三棱形，内缘近末端处具一大刺；腕节背面隆起，表面具皱襞，内末角钝圆，掌节外侧面具颗粒及皱襞，背面有2条斜行的梳齿状隆脊，可动指背缘具1条隆脊，含11～12个卵圆形疣状突起，此隆脊的内侧具1列微细颗粒。步足的长节很宽，大于其长度的1/2，背面具数条横行细隆线，前缘近末端处具一锐齿，最末3节均具短硬刚毛。雄性第一腹肢挺直，末端角质突起向腹外方弯指。腹部三角形，尾节末缘半圆形。

生活于潮间带红树林中。

分布于东海、南海；印度至西太平洋。

71.吉氏胀蟹
Sarmatium germaini

相手蟹科胀蟹属（*Sarmatium*）。

头胸甲长18.4 mm，宽20.7 mm。头胸甲近方形，背部强烈拱起，较肿胀，宽约当长的1.1倍，表面光滑，具光泽，背面具细凹点及短刚毛；胃、心区明显。额弯向下方，前缘中部内凹，额后分2叶，2叶之间的沟较深且光滑。前侧缘包括外眼窝角共4齿，第一齿圆钝，第二齿钝且宽大，第三齿小，第四齿为一齿痕。螯足粗壮等大，长节背、腹缘均具颗粒；腕节背面具颗粒，内末角具一宽齿，腹面具一长隆脊；掌节背面具7～8个间隔均匀的横向沟槽分离而形成的8条横向肿胀的

吉氏胀蟹（雄）

脊，背末缘近关节处有1列14～17个低平的圆形突起；掌部外侧面光滑，具细颗粒；可动指基部具3个粗壮的几丁质突起，以及1列17～18个小而尖锐的突起紧跟其后，掌节腹缘有一隆脊延伸至不可动指末端，两指略尖，向内略弯曲。步足长度中等，呈细圆柱形；长节背末缘具一锐刺。雄性第一腹肢中等粗壮，较直，末端几丁质突起长而趋尖。雄性腹部窄三角形，尾节长度短于第六节；雌性腹部圆大。

穴居于潮间带高潮区泥沙底质中。

分布于南海；西太平洋。

72.道氏拟厚蟹

Helicana doerjesi

弓蟹科（Varunidae）拟厚蟹属（*Helicana*）。

头胸甲长11.1 mm，宽13.9 mm。身体略扁平，头胸甲近方形，表面具细颗粒及短刚毛，侧缘在后半部大致平行。前侧缘包括外眼窝齿在内共4齿，第三齿很小，第四齿仅为齿痕。额部稍弯向下方，中部内凹，眼窝背缘中部隆起，外眼窝齿指向前方，腹眼窝隆脊具

道氏拟厚蟹（雄）

12～15个突起，靠近体中央的颗粒融合且具条纹，融合长度占眼窝隆脊长度的比例较小，约为2/5。雌性眼窝隆脊具12～13个圆形突起。螯足粗壮等大，长节腹缘末部具一较长的发音隆脊，掌节的长度稍大于高度，背缘不呈隆脊形突出，外侧面及内侧面具细颗粒。各对步足上有长刚毛，第一、第二步足腕、前节的前面密具绒毛，第三步足较稀少。雄性第一腹肢细长，末端向背方弯指。腹部第六节略呈长方形，宽度略大于长度，尾节呈圆钝的三角形，近末缘处具1列横行刚毛。在体色上，整体呈灰绿色，略带紫色，头胸甲具一些不规则的紫红色至黑色的小斑点，腹面淡白色。

生活于潮间带泥沙滩上。

分布于浙江、福建、台湾；日本。

73.侧足厚蟹

Helice latimera

弓蟹科厚蟹属（*Helice*）。

头胸甲长19.6 mm，宽24.6 mm。体呈方形，宽度稍大于长度，表面隆起，具均匀分散的短刚毛。额部稍向下倾斜，中具宽沟，约分2叶。背眼缘中部稍隆，前侧缘连外眼窝角在内共4齿，第一齿锐三角形，略向内倾，第二齿较小而锐，第三齿很小，第四齿仅为一齿痕。雄

侧足厚蟹（雄）

性下眼缘为一连续性隆脊，被纵沟分为50～67个突起，两端趋窄，中部纵长，每个突起上均有纵行隆线。雌性的隆脊为分开的圆形突起，有36～41个。螯足雄性比雌性大，长节腹缘内侧末部具一纵行发音隆脊，掌节很高，光滑，背缘锋锐隆起。步足细长，第一步足前

节及腕节末端的腹面具短绒毛。雄性第一腹肢近末端具一内叶，末端几丁质突起弯向背下方。雄性腹部三角形，第六节两侧缘近末部1/2骤然靠拢，尾节具一横列绒毛；雌性腹部圆大，尾节嵌入第六节内。

生活于潮间带泥沙滩上。

分布于东海、南海；越南。

74.秀丽长方蟹
Metaplax elegans

弓蟹科长方蟹属（*Metaplax*）。

头胸甲长11.6 mm，宽17.9 mm。头胸甲呈长方形，宽度约当长度的1.5倍，表面稍隆，具分散的颗粒及短刚毛，鳃区及胃、心区之间的沟浅。额宽约当头胸甲宽的1/3，稍斜向下方，中部凹入。外眼窝齿锐三角形，侧缘共4齿，第一齿锐而突出，稍大于外

秀丽长方蟹（雄）

眼窝齿，此二齿之间的缺刻较深，第二、第三齿明显，第四齿很小。眼窝腹下缘的隆脊具50～60个圆形颗粒，雌性较少，为35～40个。雄性螯足长节壮大，背外缘的基部及内腹缘基半部隆起，具发声隆脊，掌部的长度约当高度的1.4倍，外侧面光滑，背、腹面及内侧面均具颗粒，可动指的中部及不动指的近末部各具一突齿。第二至第四步足长节的前缘具小刺。雄性第一腹肢末端几丁质突起弯向腹外方。雄性腹部长条形，尾节半圆形；雌性腹部圆大，尾节三角形。

生活于潮间带红树林区域。

分布于台湾，以及东海和南海；东南亚。

75.长足长方蟹
Metaplax longipes

弓蟹科长方蟹属。

头胸甲长14.6 mm，宽21.1 mm。头胸甲呈横长方形，宽度约当长度的1.4倍，鳃区具2条横沟，胃、心区具H形细沟，肠区两侧亦具细沟。额宽约当头胸甲宽的1/3，前缘中

长足长方蟹（雄）

部稍凹，表面有一纵沟向胃区两侧延伸。眼窝下缘的隆脊具9～17枚突起，内侧的4～5齿延长，外侧的渐小。外眼窝角锐三角形，侧缘具4齿，第一齿与外眼窝角之间具较深的缺刻，第二齿小，第三、第四齿仅为齿痕。螯足长节背缘及腹内缘均具锯齿，后者近中部处具一发声隆脊，掌节光滑，长度稍大于高度，两指内缘具锯齿，可动指内缘基半部的锯齿较为突出。步足瘦长，第二、第三对步足腕、前节密具短绒毛，第一、第四对步足较短小，腕、前节仅具少数绒毛。雄性第一腹肢末端弯向背外方。雄性腹部近长方形，尾节长圆形；雌性腹部近圆形，尾节三角形。

生活于潮间带泥沙滩上。

分布于台湾，以及东海和南海。

76.绒螯近方蟹
Hemigrapsus penicillatus

弓蟹科近方蟹属（*Hemigrapsus*）。

头胸甲长15.0 mm，宽17.3 mm。头胸甲呈方形，表面具细凹点，前半部具颗粒，胃、心区之间具H形沟。额较宽，前缘中部凹。下眼窝隆脊的内侧部具6～7枚颗粒，外侧部具3枚钝齿状突起，愈到外端则愈小。前侧缘包括外眼窝角在内共分3齿，依次渐小。螯足雄性比雌性大，长节

绒螯近方蟹（雄）

的腹缘近末部处具一发音隆脊，掌节大，内、外面近两指的基部具1丛绒毛，尤以内面的为密，雌性及雄性幼体均无。雄性第一腹肢末端几丁质突起半圆形，稍弯向背外方。雄性腹部呈窄长的三角形；雌性腹部呈圆形。

生活于河口泥滩上，以及潮间带岩石下或岩石缝中。

分布于中国沿海地带；朝鲜半岛，日本。

77.六齿猴面蟹
Camptandrium sexdentatum

猴面蟹科（Camptandriidae）猴面蟹属（*Camptandrium*）。

头胸甲长5.5 mm，宽7.1 mm。头胸甲近六角形，表面具对称的隆块，覆有颗粒及绒

六齿猴面蟹（雄）

毛。肝区低平，具1～2个粗糙颗粒，中胃区小，呈三角形而凸起，心区两旁及肠区中部各具1条短的横行隆线，前鳃区具2个突起。额宽小于头胸甲宽的1/3，中央被纵缝分成2钝叶，额后隆脊甚为突起，眼窝宽而深，背缘中部稍突，腹缘内齿大，呈钝三角形，由背面可以察见。前缘包括外眼窝齿在内共分3钝齿，第一齿呈三角形，第二齿低平，第三齿最宽，后侧缘稍凸。雄螯壮大，长节边缘具微细颗粒及短毛，腕节背面呈圆形，掌节表面光滑，指节较掌节为短，末端匙形，可动指内缘基部具一三角形锐齿。步足瘦长，密具绒毛及颗粒，尤以长节的特别显著。雄性第一腹肢末端向背下方弯曲，末端伸出2条细枝。雄性腹部长条状，第二至第五节愈合，第五节两侧中部内凹，第六节矩形，尾节末缘圆钝；雌性腹部圆大。

穴居于潮间带泥滩上。

分布于中国沿海地带；印度至西太平洋。

78.浓毛拟闭口蟹

Paracleistostoma crassipilum

猴面蟹科拟闭口蟹属（*Paracleistostoma*）。

头胸甲长9.2 mm，宽12.6 mm。头胸甲近长方形，表面隆起，中部较光滑，鳃区尤以中、后鳃区具浓密绒毛。额宽约当头胸甲宽度的1/4，前缘埂起稍拱，略弯向下方，额后具1对扁平的隆起。背眼缘的中部稍隆，外侧稍凹，外眼窝角呈平钝的三角形，不甚突出。侧缘稍

浓毛拟闭口蟹（雄）

拱，中部引入一斜行细隆线。螯足在雄性成体较壮大，光滑；长节三棱形，背缘及内腹缘均具长绒毛；腕节内末角具一小簇短绒毛；掌部的高度与长度约相等，内侧面近背缘处具稀疏的短绒毛；可动指内缘近基部具一钝齿，末半部具细锯齿，不动指内缘末2/3处亦具细锯齿，两指末端匙铲状，合拢时，空隙较大。步足粗壮，尤以第二、第三步足为甚，各步足长、腕、前节均具长浓毛。雄性第一腹肢豆芽状，末端向下弯转，内侧卵圆形，外侧末部略突出。雄性腹部长条形，第三至第五节愈合，第六节宽度大于长度，呈横长方形，尾节圆方形，长度大于第六节；雌性腹部圆大。

生活于潮间带泥沙滩。

分布于广西、广东、海南。

79.扁平拟闭口蟹

Paracleistostoma depressum

猴面蟹科拟闭口蟹属。

头胸甲长6.6 mm，宽9.1 mm。头胸甲的宽度约当长度的1.4倍。表面扁平，额区具1对隆脊，胃、心区具H形细沟。额稍弯向下方，表面凹陷，前缘稍隆。外眼窝角三角形，末端略向前突出。前缘中部向背后方引入一斜行颗粒隆线，延伸至末对步足的基部。雄螯比雌螯壮大，

扁平拟闭口蟹（雄）

掌部光滑，长度约当高度的1.2倍，可动指内缘近基部具一方钝齿，末半部具6～7个细齿，不动指内缘末半部具细锯齿。第一步足光滑，第二、第三步足除指节外，密具绒毛，长节宽大，末对步足长节具绒毛，其余各节光滑。雄性第一腹肢末部弯向背下方，基半部隆胀呈卵形，末半部细长，外叶三角形，内叶隆突，表面具细刺。雄性腹部窄长，第三节具一隆脊，第二至第五节愈合，第二、第三节之间的缝稍可辨，第三至第五节之间的缝很难分辨，第六节基部的宽度约当长度的1.4倍，尾节基部的宽度约当长度的1.1倍，末缘圆钝；雌性腹部圆大。

生活于潮间带泥沙滩。

分布于台湾、福建、海南；东南亚。

80.三突无栉蟹

Leipocten trigranulum

猴面蟹科无栉蟹属（*Leipocten*）。

雄性头胸甲长5.2 mm，宽6.4 mm；雌性头胸甲长7.0 mm，宽8.7 mm。头胸甲近圆方形，宽度约当长度的1.2倍，表面具长短不等的刚毛，粘满泥污，去毛后分区可辨，雄性较光滑，肝区及近侧缘处具微细颗粒，近后缘处具3个不甚明显的、稍大的颗粒突起，雌性的颗粒较雄性突出显著，近后侧缘的3个突起尤为明显。额缘较为平直，中部稍凹，分为不明显的2叶。额后隆脊可辨，外眼窝角三角形，其侧缘无明显颗粒，齿后具一缺刻，两侧缘向后靠拢。雄性螯足显著比雌性壮大，腕节内末缘具3～4

雌

雄

三突无栉蟹

个颗粒突起，掌部的长度约当高度的1.2倍，可动指内缘近基部处具一齿突，两指间空隙较大。前3对步足粗壮，末对步足较小，各对步足长节的后缘有1列栉齿弯向腹外方。雄性第一腹肢细长，末半部向背下方弯转，末端具2个三角形瓣片，外侧具一长壮刺，刺端叉形，内侧具1簇壮刺。雄性腹部长条形；雌性腹部宽大。

生活于潮间带腐蚀性蜂窝状的沙石中或被蛀孔的红树植物基部。

分布于广西、海南。

81.韦氏毛带蟹

Dotilla wichmanni

毛带蟹科（Dotillidae）毛带蟹属（*Dotilla*）。

头胸甲长6.5 mm，宽7.7 mm。头胸甲的宽度约当长度的1.1倍，背部不甚隆起，额区具倒Y形细沟，心、肠区周围具六角形细沟，鳃区近侧缘处具较深的纵沟。眼窝浅而倾斜，外眼窝角三角形，侧缘与鳃区之间具较深的纵沟，第三对颚足隆起，长节较座节长且大。螯足长

韦氏毛带蟹（雄）

度稍短于头胸甲长度的2倍，长节外侧面的上下部各具一圆形及卵形鼓窗，腕节背缘基半部具短毛，掌部内、外侧面具颗粒，长度约当高度的1.1倍，可动指内缘中部稍隆起，呈不明显的钝齿状，不动指内缘具细齿。步足纤瘦。长节背面均具一卵形股窝，前3对步足的指节约等长，第四对的较长，约2倍于腕节的长度。雄性第一腹肢侧扁，略呈S形，末部弯向腹面，末缘稍凹。雄性腹部呈长条形，第四节的末缘突出，密具短刚毛，盖于第五节上；雌性腹部稍宽亦呈长条形。

穴居于潮间带的泥沙滩中。

分布于福建，南海北部；印度尼西亚、泰国、印度。

82.宁波泥蟹

Ilyoplax ningpoensis

毛带蟹科泥蟹属（*Ilyoplax*）。

头胸甲长7.6 mm，宽10.9 mm。头胸甲近矩形，宽度约当长度的1.4倍，表面鳃区具粗糙颗粒，颗粒顶端具短刚毛。额窄，前缘稍凹。眼窝背缘稍斜，侧缘在眼窝外角之后具浅凹。雄性螯足壮大，腕节内末角钝而无齿，掌节背、腹面具颗粒，外侧面光滑，内侧面近

背缘处具一横列短毛，可动指内缘基部具一钝齿。步足粗壮，前3对长节的背、腹面各具一鼓膜，长度约占长节长度的1/2，末对步足光滑，无鼓膜。雄性第一腹肢较直立，末部骤窄，长条形，近中部腹缘稍隆。腹部第五节的基半部具一束腰，第六节的基半部较中部为窄。

宁波泥蟹（雄）

生活于潮间带沙滩上。

分布于东海、南海北部。

83.锯眼泥蟹
Ilyoplax serrata

毛带蟹科泥蟹属。

头胸甲长5.4 mm，宽7.5 mm。头胸甲矩形，宽度约当长度的1.3倍，表面覆以多数具刚毛的颗粒，后侧部有2条短而斜行的颗粒隆线，前部1/3处有1条与头胸甲等宽的横行沟，有一纵沟由额部伸展至肠区。中胃区具3对带颗粒的突起，后面1对较前面的2对大而明显；心区呈四方形，具颗粒

锯眼泥蟹（雄）

突起；鳃区中部稍后具一浅横沟。额宽，稍小于头胸甲宽度的1/3，前缘背面观稍凹。眼窝深，眼柄粗而短，背缘中部稍凸，靠外眼窝齿处渐凹，腹眼缘下的隆脊中部具4个锯齿，愈近外侧者愈小。侧缘具微细颗粒，前端与外眼窝齿之间具V字形缺刻，前1/3处稍向外突。螯足长节的外、内侧面的颗粒稀少，腹面具一龙骨状隆起，腕节的内侧面具一壮齿，掌节长度稍大于高度，腹面基部有颗粒隆线，伸至不动指的末端。可动指内、外面具1条颗粒隆线，内缘中部具一宽齿，齿缘具锯齿。第一至第三步足的腕、前节均具绒毛。指节较前节短，具细沟。雄性第一腹肢细长，中部稍弯曲，向末端略趋窄。腹部长条形。

生活于潮间带泥滩上。

分布于东海、南海。

84.淡水泥蟹
Ilyoplax tansuiensis

毛带蟹科泥蟹属。

头胸甲长3.5 mm，宽5.5 mm。头胸甲的宽度约当长度的1.6倍，表面具稀疏的颗粒。额缘略凹，背面中部凹陷。眼窝背缘略拱，外眼窝角指向前侧方，与前侧缘之间具一三角形缺刻。腹眼窝缘具一弯向内上方的三角形齿。前侧缘前半段几乎平行，后半段略向

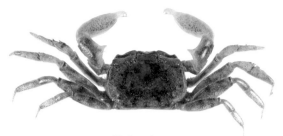

淡水泥蟹

后方倾斜。螯足长大，腕节内抹角突出一大齿，齿的基部具短刚毛；掌节背缘埂起，内侧面具稀疏的短毛，腹面具颗粒隆线，可动指内缘后半部具一宽齿，齿缘具细锯齿，末半部具细齿。前2对步足的腕节和前节的前面密覆绒毛，第三对只在这2节之间有小部分绒毛，末对步足光滑，各对步足长节的鼓膜不易分辨。雄性第一腹肢略弯曲，末端背面观呈三瓣状。雄性腹部窄长，第五节基部具一束腰；雌性腹部圆形。

生活于河口的泥滩上。

分布于东海、南海。

85.角眼切腹蟹

Tmethypocoelis ceratophora

毛带蟹科切腹蟹属（*Tmethypocoelis*）。

头胸甲长4.1 mm，宽6.9 mm。头胸甲的宽度为长度的1.7～2倍，自前向后逐渐趋窄，背面稍隆，分区明显，除额区及胃区外，各区均具细软毛。胃区宽，前部有短纵沟，心区小，呈六角形。额窄，仅为头胸甲

角眼切腹蟹（雄）

前缘宽度的1/5，前缘稍隆，弯向下方。背眼窝缘宽，向外眼窝角处倾斜。眼柄长，末端又伸出一角质柄，尖端具数短毛。外眼窝角呈窄三角形，眼窝腹缘具细锯齿，近中部的下方具一斜沟。侧缘向内后方倾斜，抵达第四对步足的基部。螯足壮大，长节内侧面具一卵圆形鼓膜，腕节窄长，表面基部具颗粒，掌节扁平，愈靠近指节则愈宽，可动指内缘近中部有一小形齿突，外侧面具一隆脊，不动指末部亦突出一三角形齿。步足细长，各节均有稀疏的短毛，长节背、腹面各有一长卵形的鼓膜。雄性第一腹肢纤细，末端具6壮棘。腹部第五节基部具一束腰，尾节末部半圆形。

生活于河口附近咸淡水的细沙滩或红树林中。

分布于台湾，南海北部；日本、印度尼西亚。

86.明秀大眼蟹

Macrophthalmus（Mareotis）definitus

大眼蟹科（Macrophthalmidae）大眼蟹属（*Macrophthalmus*）。

明秀大眼蟹（雄）

头胸甲长16.4 mm，宽23.8 mm。头胸甲的宽度约当长度的1.4倍，最宽处位于第三侧齿之后。表面除额部与胃、心、肠区及前、中鳃区内侧的隆起处光滑外，其余部分均具绒毛及颗粒，肝、心区各有一横沟，胃区周围有细沟环绕，胃、心区之间有H形细沟。额窄，有中纵沟。第一侧齿（外眼窝角）三角形，第二齿稍向前上方翘，第三齿明显可辨。螯足壮大，长节背、内缘具绒毛，内侧面较光裸，掌节的长度约当高度的1.4倍，两指的内侧面具绒毛，可动指近基部具一钝齿，不动指中部具一突齿。前3对步足除指节外，其余各节均密布短绒毛，尤以前半部为甚，长节前缘近末端的刺小，隐藏在浓密的绒毛下，末对步足较光滑，仅前缘具绒毛及刚毛，长节前缘无刺。雄性第一腹肢末端角质突起较长且趋窄，弯向背外方，其基部具一指状突起。雄性腹部窄长，第三节具一横行隆脊，第六节基部的宽度约当长度的1.8倍，尾节半圆形；雌性腹部圆大。

生活于潮间带泥沙滩的洞穴中。

分布于福建、香港、海南；菲律宾、印度尼西亚。

87.太平大眼蟹

Macrophthalmus（Mareotis）pacificus

大眼蟹科大眼蟹属。

太平大眼蟹（雄）

头胸甲长14.0 mm，宽19.3 mm。头胸甲横长方形，表面光滑，放大后具微细颗粒，前鳃区由第三齿引入一斜行颗粒隆线，中、后鳃区具2条近乎平行的纵行颗粒隆线。额弯向下方，基部稍收缩，额缘光滑，表面中部具一较深的纵沟。眼柄细长。第三颚足座节大于长节。前侧缘包括外眼窝齿在内共具3齿，第一齿宽，近方形，基部被一深而窄的缺刻与第二齿相隔，第二齿很宽，末端圆钝，第三齿小而明显。雄性螯足壮大，长节三角形，腹内缘有1列长毛，背缘具大的颗粒锯齿，腹外侧基半部小颗粒，末半部具大颗粒，内、外面光滑，但腹面的末半部具浓密的绒毛；腕节背缘末部具少量大颗粒，腹缘具小而分散的颗粒，内面光滑具微细分散的颗粒，外面具分散的小颗粒及短刚毛；掌部外侧面光滑，放大后具微细颗粒，内侧面基半部具肉眼可见的颗粒，末半部具浓密的绒毛，延伸至不动指基部，不动指内缘具大小不等的颗粒齿，可动指内侧缘的中部具一大的方形齿。步足各节前缘具分散的短毛。雄性第一腹肢稍弯，末端角质突起分2叶。腹部窄长。

生活于潮间带泥沙滩的洞穴中。

分布于南海；西太平洋，印度。

88.绒毛大眼蟹
Macrophthalmus（Mareotis）tomentosus

大眼蟹科大眼蟹属。

头胸甲长21.9 mm，宽31.9 mm。头胸甲的宽度约当长度的1.4倍，表面除额区、中胃区及心区外均具粗糙颗粒。侧缘向前靠拢，前部较窄。额窄，表面中部具一纵沟。眼柄细长，末端不达外眼窝角。第一前侧齿（外眼窝角）近直角形，与第二齿之间有一缺刻相隔，第

绒毛大眼蟹（雄）

三侧齿很小，约可辨。口前板中部内凹，第三颚足长节明显短于座节。雄螯壮大，长节内腹面具短毛，腹缘近中部具一短的发音隆脊，掌节的长度约当高度的2.1倍，外侧面光滑，内侧面近末部有少量短绒毛，可动指末部略向上翘，内缘近基部具一钝齿，末部具细齿，不动指内缘近中部具一突出齿，末部具稀疏的细齿，两指末端具长毛。第一步足长节及第二、第三步足长、腕、前节密具绒毛。雄性第一腹肢末端角质突起指向背外方。腹部第六节基部的宽度约当长度的2倍，尾节末缘钝圆。

生活于潮间带泥沙滩的洞穴中。

分布于福建，南海；西太平洋。

89.短指和尚蟹
Mictyris brevidactylus

和尚蟹科（Mictyridae）和尚蟹属（*Mictyris*）。

头胸甲长15.4 mm，宽13.6 mm。头胸甲呈圆球形，长度稍大于宽度，表面甚隆，光滑，胃、心区两边的纵沟明显，鳃区膨大，额甚窄，并向下弯，中部与触角隔板相连。无

眼窝，眼柄不甚长。前侧角呈刺状突起，后缘直，有软毛，口框广宽，第三颚足宽大，呈叶片状，但外肢细长，部分藏入内肢下，无触须。螯足对称，长节下缘具3～4刺，愈向末端则愈大，腕节甚长，末端宽，指节很长，末端尖锐，可动指内缘基部具一钝齿。步足瘦长，第四对步足似乎较短，指节弯曲，其他步足的指节直伸。雄性第一腹肢细小，直立，末端弯向背外方。两性腹部同形，分7节，第

短指和尚蟹（雄）

一、第二节之间最窄，依次渐宽，第五节末缘最宽，第六节稍窄，尾节短小，半圆形。

生活于潮间带泥沙滩上。

分布于福建、台湾、广东、广西、海南；西太平洋。

90.弧边招潮

Uca arcuata

沙蟹科（Ocypodidae）招潮属（*Uca*）。

头胸甲长19.9 mm，宽31.8 mm。头胸甲前宽后窄，状似菱角，表面光滑，中部各区与侧鳃区之间有浅沟相隔，中部各区分界明显。额小，中部具一细缝向后延伸，眼窝宽而深，背缘中部突出，侧部凹入。眼柄细长。外眼窝角三角形，指向前方。前侧缘末端向背后方引入一斜行隆线，形成一凹入的后侧面。雄螯极不对称，大螯长节背缘甚隆，颗粒稀少，内腹缘具锯齿，腕节背面观呈长方形，

弧边招潮（雄）

掌节外侧面具粗糙颗粒，掌部的长度约当高度的1.2倍，两指间的空隙很大，有时稍小，两指侧扁，可动指的长度约当掌节长度的1.3倍，内缘平直，具不规则的颗粒状齿，不动指内缘弧形或中部突出一明显齿。步足的长节宽壮，前缘具细锯齿，腕节前面有2条平行的颗粒隆线。第四对步足腕节仅前缘具微细颗粒，前节隆线与腕节相似，指节扁平。雄性第一腹肢稍弯向背方，末端圆钝，背外方具2枚角质突齿。腹部窄长，尾节半圆形。雌性腹部卵圆形，尾节末缘半圆形，基部嵌入第六节中。

生活于潮间带高、中潮区泥沙质滩涂上。

分布于东海，南海北部；日本，朝鲜半岛。

91.北方招潮

Uca borealis

沙蟹科招潮属。

头胸甲长16.3 mm，宽25.6 mm。头胸甲表面隆起光滑，前缘约当长度的1.5倍，颈沟稍有凹痕，胃、心区之间具H形细沟。额窄，背面具短细纵沟。外眼窝角锐三角形，指向前侧方。前侧缘圆钝，后缘中部稍凹。雄性大螯长节内缘末端呈锐三角形，腕节背面具微细泡状颗粒，掌节的长度与高度约相当，外侧面具泡状颗粒，不动指基部具U形沟及一

北方招潮（雄）

纵沟引入不动指，不动指内缘基部具一凹陷，末半部平坦或另具一浅凹，指端半圆形或角状，可动指外侧面光滑，长度约当掌长的1.4～1.6倍，内缘平坦，基部具一圆钝突齿，有时中部或末部具一突齿。雄性第一腹肢末端具一扁平的角质突起，内叶指状突出明显。腹部窄，尾节横卵形。雌性腹部近圆形，尾节横卵形，基部几乎4/5嵌入第六节的基缘。生殖孔圆形，中部突出，上半部近圆顶形。

生活于潮间带中、低潮区的宽广泥滩地。

分布于福建、台湾，以及南海北部。

92.拟屠氏招潮

Uca paradussumieri

沙蟹科招潮属。

头胸甲长23.2 mm，宽35.3 mm。头胸甲梯形，向后骤窄，表面光滑，中部各区有纵沟与鳃区相隔，胃、心区之间有一浅横沟。额斜弯向下方，背面后部有一短纵沟。背眼缘中部平钝，外侧稍向下斜凹，外眼窝角较为突出尖锐，指向前侧方，腹眼缘具颗粒。两前侧缘向后靠拢，向背、后方引入一细微隆线，背、后侧缘圆钝，后缘稍凹。雄性大

拟屠氏招潮（雄）

螯长节腹面及外侧面具粗糙颗粒，腕节近长方形，表面具泡状颗粒，掌部外侧面具泡状颗粒，内侧面具斜行颗粒隆脊，两指间间隙稍小，可动指较不动指稍长，内缘除颗粒齿外近基部及中部具一稍大的颗粒齿突，可动指长度约当掌长的2.3倍，不动指外侧面具一纵沟，

内缘中部有一较大的突齿。雄性第一腹肢末端除中部较短的角质突起外，两侧各具一较长大的刺状角质突起。腹部窄，尾节横卵形，末缘中部稍凹。

生活于潮间带泥沙滩中。

分布于福建、广东；西太平洋、东印度洋。

93.莱氏异额蟹

Anomalifrons lightana

短眼蟹科（Xenophthalmidae）异额蟹属（*Anomalifrons*）。

莱氏异额蟹（雄）

头胸甲长10.1 mm，宽13.5 mm。头胸甲宽，宽约当长的1.3倍，身体近圆柱形，表面具粗糙不平的凹点与皱纹，并覆盖有一薄层软毛。1条钝的隆脊横贯头胸甲的中部，在胃前区凸向前方。1对纵沟从内眼窝角向后延伸，在中部被横脊中断在这对沟的外侧，具另1对弯曲并彼此中凹的纵沟，后胃区的侧部具1对肾形凹陷，鳃区凹凸不平，具较长的柔毛。头胸甲侧缘为从眼向斜后方的1条颗粒隆脊所代表，这条脊在侧缘中部形成一圆瓣，其后另具一弧形瓣，后侧缘及其基部附近具粗糙颗粒。额方形，末部稍宽，中部最突出。眼窝位于脊面，小而深，眼柄短而不活动。雄性螯足粗壮，光滑，尤其以掌节为甚，两指短小，可动指内缘近基部突出，具细齿，不动指内缘无齿，两指合拢时空隙较大。第二、第三步足粗壮，第一步足较短小，末对步足最细小，指节均呈矛状。雄性第一腹肢细长，基半部明显较末半部粗壮，末端斜切形。腹部窄长，分7节，第五节最长，其基部具不明显的束腰。

生活于潮间带浅水中。

分布于福建、广东、广西；马来西亚。

94.圆尾鲎

Carcinoscorpius rotundicauda

圆尾鲎

鲎科（Tachypleidae）蝎鲎属（*Carcinoscorpius*）。

体长126.4 mm。由头胸部、腹部和尾剑三部分组成。全身覆以硬甲，背面圆突，腹面凹陷。头胸甲背面突起较低，腹面凹陷较浅；头胸甲前缘平坦。腹部呈六角形，两侧缘具6对可活动边缘刺。腹甲末端无棘刺或具1枚棘刺。尾剑呈半圆柱形，光滑无小刺，尾剑腹面为凸圆形，尾剑横截面圆形内含中空三角形。尾剑长于背甲。

生活于潮间带至浅海区域。

分布于海南，北部湾；印度至西太平洋，苏门答腊岛，以及孟加拉国、泰国、马来西亚、新加坡等。

95.中国鲎

Tachypleus tridentatus

中国鲎

鲎科鲎属（*Tachypleus*）。

体长152.1 mm。由头胸部、腹部和尾剑三部分组成。全身覆以硬甲，背面圆突，腹面凹陷。头胸部背甲广阔，呈马蹄形，背甲突起较高，内凹较深。腹部略呈六角形，雄鲎两侧具6对可活动的倒刺，雌鲎仅3对较显著。腹甲末端具3枚棘刺。尾剑三角锥形，尾剑横截面三角形内含中空三角形；在上棱角及下侧两棱角基部均有锯齿状小刺。尾剑长度约等于背甲。

生活于潮间带至浅海区域。

分布于浙江、海南，以及北部湾；阿拉伯海、苏门答腊岛，以及马来西亚、越南、菲律宾、日本。

96.鸭嘴海豆芽

Lingula anatian

海豆芽科（Lingulidae）海豆芽属（*Lingula*）。

由背壳和腹壳包闭的躯体部及细长的肉茎构成。背、腹两壳宽而扁，铲形或鸭嘴形，带绿色，表面光滑，生长线明显。背壳小，基部较圆；腹壳大，基部较尖，壳周外套膜上皆有细密的刚毛。柄状肉茎圆筒状，外层为角质层，半透明，内层为肌肉层，富收缩力。

鸭嘴海豆芽

生活于潮间带泥沙底质中。

分布于黄海、东海、南海；西太平洋。

97.大弹涂鱼

Boleophthalmus pectinirostris

虾虎鱼科（Gobiidae）大弹涂鱼属（*Boleophthalmus*）。

体长95.5 mm。体延长，前部亚圆筒形，后部侧扁；背腹缘平直；尾柄高而短。头大，稍侧扁。眼小，背侧位，互相靠近，突出于头顶之上；下眼睑发达。口大，前位，平裂。上、下颌等长。背鳍2个，分离。第一背鳍高，鳍棘丝状延长，

大弹涂鱼

平放时伸越第二背鳍起点，第三鳍棘最长，大于头长；第二背鳍基底长，鳍条较高。臀鳍基底长，与第二背鳍同形。左、右腹鳍愈合成一吸盘，后缘完整。尾鳍尖圆，下缘斜截形。体背侧青褐色，腹侧浅色。第一背鳍深蓝色，具不规则白色小点；第二背鳍蓝色，具4个纵行小白斑。臀鳍、胸鳍和腹鳍浅灰色，尾鳍青黑色，有时具白色小点。

生活于近海沿岸及河口的低潮区滩涂。

分布于中国沿海地带；朝鲜半岛，日本。

98.弹涂鱼

Periophthalmus modestus

虾虎鱼科弹涂鱼属（*Periophthalmus*）。

体长59.9 mm。体延长，侧扁；背缘平直，腹缘浅弧形；尾柄较长。头宽大，略侧扁。吻短而圆钝，斜直隆起。眼小，背侧位，位于头的前半部。眼间隔狭小，小于眼径。口宽大，亚前位，平裂。背鳍2个，分离较接近。第一背鳍前上方不尖突，圆弧形；第二背鳍基部长。左、右腹鳍基部愈合成一心形吸盘，后缘凹入，具膜盖及愈合膜。尾鳍圆形，下缘斜直。体侧中央具若干个褐色小斑。第一背鳍浅褐色，边缘白色，近边缘处无较宽黑色纵带。第二背鳍上缘浅色，其中部具一黑色纵带，此带下缘具1条白色纵带，近鳍的基底处暗褐色。臀鳍浅褐色，边缘白色，胸鳍黄褐色，腹鳍灰褐色，尾鳍褐色，鳍条具暗斑区。

生活于潮间带淤泥、泥沙质滩涂上。

分布于中国沿海地带，台湾；朝鲜半岛，日本。

弹涂鱼

99.青弹涂鱼

Scartelaos histophorus

虾虎鱼科青弹涂鱼属（*Scartelaos*）。

体长104.3 mm。体延长，前部亚圆筒形，后部侧扁；背缘、腹缘几乎平直；尾柄短。头大，圆钝，稍平扁。眼小，背侧位，位于头前部1/3处。口中大，亚前位，稍斜。背鳍2个，相距较远。第一背鳍高，基底短，鳍棘呈丝状延长，第三鳍棘最长；第二背鳍低，基部长。左、右腹鳍愈合成一吸盘，后缘完整。尾鳍尖长，下缘略呈斜截形。体蓝灰色，腹部较浅色。体侧常具5~7条黑色狭横带，头背和体上部具黑色小点。第一背鳍蓝灰色，端部黑色；第二背鳍暗色，具小蓝点。臀鳍、胸鳍和腹鳍浅色，胸鳍条和基部具蓝点，尾鳍上具4~5条暗蓝色点横纹。

生活于河口及红树林区域。

分布于东海、南海；印度洋北部，以及澳大利亚、日本。

青弹涂鱼

第三部分
山口红树林保护区的昆虫及蜘蛛

　　昆虫是红树林湿地生态系统中的重要成员，一方面作为初级消费者取食一定数量的植物以保持自身发展；另一方面被鸟类和其他动物捕食而成为食物来源。因此，昆虫在红树林湿地生态系统中占有极其重要的地位，对维护生物多样性具有积极的作用。昆虫调查是区域本底生物调查的重要内容。2018年保护区组织实施新一轮生物资源本底调查，以全面评估生态环境质量。该次调查共采集昆虫1560号，共鉴定出451种昆虫，为保护区生物多样性研究奠定了基础。

　　蝴蝶种类和数量极为丰富，几乎占所发现的鳞翅目（Lepidoptera）昆虫种数的一半，凤蝶、粉蝶和蛱蝶等体型较大的蝴蝶较多。

　　以蝗虫和蛾类为代表的植食性昆虫、以蝽和蚧为代表的刺吸式昆虫均能在保护区内大量发现。这些昆虫均具有潜在的经济危害性，一定要加强监测，一旦局部大发生需立即采取相应措施。

　　天敌昆虫的种类非常丰富，草蛉类4种，蜻蜓11种，螳螂3种，猎蝽9种，隐翅甲2种，沟芫菁3种，步甲6种，捕食性瓢虫8种，蚂蚁23种，寄生性或捕食性蜂类24种，寄蝇、麻蝇、食蚜蝇、食虫虻等双翅目（Diptera）天敌昆虫13种。这些天敌昆虫占总昆虫种数的20%以上。

　　传粉昆虫的种类分散于各目昆虫中。常见种类有蜜蜂、切叶蜂、隧蜂、彩带蜂、蝶、蛾、食蚜蝇等。这些传粉昆虫对植物种群繁衍与群落稳定有至关重要的作用，应加强调查研究与保护。

　　蜘蛛作为生态系统中最丰富的捕食性天敌，起到维持红树林湿地生态系统稳定的作用。在各类农田捕食性天敌中，蜘蛛的占有比例也相当大，平均可达70%左右，可见农林蜘蛛在害虫的综合治理上是一不可忽视的重要因素。此外，蜘蛛对生境因子高度敏感，可作为监测生境和生物多样性变化的指示类群。陆地上农林害虫的防治主要以化学防治为主，极大威胁着蜘蛛的生存。对此，应对蜘蛛加强保护，以维持生态平衡。在该次调查采集过程中，发现蜘蛛的种类与数量极大，某些种类形成优势天敌类群。该次采集并鉴定出15种蜘蛛，肖蛸科（Tetragnathidae）种类最多，有5种；园蛛科（Araneidae）次之，共3种；球蛛科（Theridiidae）和跳蛛科（Salticidae）均为2种；其余均为1种。

1.蛉虫（草蛉和蚁蛉）

脉翅目（Neuroptera）的昆虫，包括草蛉科（Chrysopidae）和蚁蛉科（Myrmeleontidae）等。

一般为中小型，少数大型。复眼大，口器咀嚼式，触角形态不一，多数为丝状。翅2对，翅脉网状，翅缘部多叉脉，有时生毛。翅虽发达但飞行能力弱。

多数陆生，肉食性，可捕食蚜或蚁，为益虫。

主要种类有草蛉科草蛉属（*Chrysopa*）的普通草蛉（*Chrysopa carnea*）；蚁蛉科蚁蛉属（*Myrmeleon*）的蚁蛉（*Myrmeleon formicarius*）。

普通草蛉

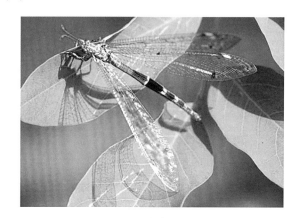
蚁蛉

2.蚧虫

半翅目（Hemiptera）蚧总科（Coccoidea）的统称。

以雌成虫和若虫为害植株，虫体一般较小，体长一般为1～7 mm，个别大的可达25 mm，雌雄异型。雌成虫一般呈圆形、圆球形或椭圆形，无翅，头胸腹部分界常不明显，腹面有发达的口针，刺入植物组织吸取汁液并固着于植物表面；体背常被各种粉状、绵状、丝状等蜡质分泌物，或被胶质，或被各种形状的介壳（盾壳）保护，或者虽虫体裸露，但体背强烈硬化。雌成虫的发育为渐变态，若虫与成虫外部形态非常相似，雌若虫经2～3次蜕皮后（3龄后）即发育为成虫。雄成虫身体小，长形；触角念珠状，单眼多，口器退化；有1对薄的前翅，后翅退化成平衡棒；腹部末端有一突出的交配器。雄成虫寿命极短，交配结束后即死去，一般不容易采到，有的种类至今未取得雄虫标本。卵圆球形或圆形，产在雌虫的身体下、介壳下或身体后蜡质的卵袋内。

蚧虫常见危害人工红树林的枝叶，主要感染秋茄。雄性有翅，能飞，雌虫和幼虫一经羽化，终生寄居在枝叶或果实上，造成叶片发黄、枝梢枯萎、树势衰退，且易诱发煤污病。在自然情况下，蚧虫活动性小，其自身传播扩散能力有限，分布有一定的局限性，但在红树林中可以借助海水水流传播扩散。随着生产的发展，人工造林、调运频繁，人为和远距离传播病虫害的机会日益增多。检疫工作规定花卉不带蚧虫的幼苗方可运输。如发现病虫，应采取各种有效措施加以消灭，防止其进一步传播扩散。

山口红树林保护区蚧虫种类

科	属	种
绵蚧科（Margarodidae）	吹绵蚧属（*Icerya*）	吹绵蚧（*Icerya purchase*）
蜡蚧科（Coccidae）	蜡蚧属（*Ceroplastes*）	日本龟蜡蚧（*Ceroplastes japonicas*）
		红蜡蚧（*Ceroplastes rubens*）
盾蚧科（Diaspididae）	白盾蚧属（*Pseudaulacaspis*）	考氏白盾蚧（*Pseudaulacaspis cockerelli*）
	金顶盾蚧属（*Chrysomphalus*）	黑褐圆盾蚧（*Chrysomphalus aonidum*）
	蛎蚧属（*Lepidosaphes*）	蛎盾蚧（*Lepidosaphes* sp.）
	圆盾蚧属（*Aspidiotus*）	椰圆盾蚧（*Aspidiotus destructor*）

吹绵蚧

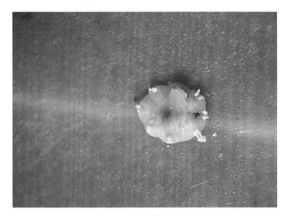

日本龟蜡蚧

红蜡蚧

考氏白盾蚧

黑褐圆盾蚧

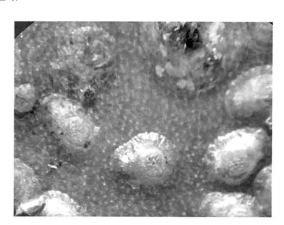

椰圆盾蚧

牡蛎盾蚧

3.蝉

半翅目蝉科（Cicadidae）昆虫。

蝉科是半翅目个体最大的科，最大特点是雄虫可以发音，具有发达的鼓膜发音器。一般为大型昆虫，头大、宽短，复眼圆而大，单眼3个；触角短，刚毛状；喙管发达，3节；前、中胸发达，中胸盾片后端有X形隆起，后胸较小；翅脉粗壮，前后翅多具缘脉；前足开掘式，雌性产卵器发达。

其幼虫生活在土中，利用刺吸式口器吸取植物根系的汁液，削弱树势，影响植物生长。幼虫可在土壤中生长几年甚至十几年。幼虫常于傍晚钻出土表，爬到树上，蜕皮羽化。初羽化的成虫常停留片刻，待翅膀和体表变硬后，便开始起飞，成虫寿命长约2个月。

主要种类有熊蝉属（*Cryptotympana*）的黑蚱蝉（*Cryptotympana atrata*）；红蝉属（*Huechys*）的红蝉（*Huechys sanguinea*）和蟪蛄属（*Platypleura*）的黄蟪蛄（*Platypleura hilpa*）。

黑蚱蝉

红蝉

黄蟪蛄

4.沫蝉

半翅目沫蝉科（Cercopidae）昆虫。

虫小型，成虫后足胫节外侧有1～2根强刺，其端部有2列端刺；后足第一、第二节端部各有1列端刺；若虫腹部第七、第八节具有发达的泡沫腺，能分泌胶质，与呼出的气体相混，形成泡沫盖住全体，以做保护。

生活在植物叶片上，跳跃能力强。栖息地十分广泛，遍布全球各地。

主要种类有禾沫蝉属（*Callitettix*）的稻赤斑黑沫蝉（*Callitettix versicolor*）。

稻赤斑黑沫蝉

5.叶蝉

半翅目叶蝉科（Cicadellidae）昆虫。

小型或中等大，体长多在3～15 mm，最长可达30 mm，外形似蝉，形状变化大。头部概分为背面的头冠和腹面的颜面：头冠通常即头顶区，没有沟和缝；颜面额区和后唇基无明显界限，形成额唇基区。两侧颊区一般宽大；触角刚毛状；复眼三角形、长圆形或球形，分列于头部两侧；单眼2枚，位于头冠、颜面或头部前缘，少数种类缺失；前翅革质或膜质；后足胫节细长具有棱脊，棱脊上着生有刺或刚毛列。

年发生1～6代不等。若虫形似成虫，不很活泼，常聚集在叶背或茎干上为害，不受惊扰很少迁徙，极易发现它们留下的蜕皮。对叶蝉影响大的气候因子是温度。一般高温、光照强烈的情况下，繁殖代数增加，为害程度加大。多食性，一种叶蝉能加害数十乃至数百种植物。对食料方面，要求寄主丰盛而多汁，所以在氮肥过多、植物疯长的地方更加严重，杂草多的地方发生也多。

主要种类有小绿叶蝉属（*Empoasc*）的小绿叶蝉（*Empoasca fabae*）；黑尾叶蝉属（*Nephotettix*）的黑尾叶蝉（*Nephotettix cincticeps*）。

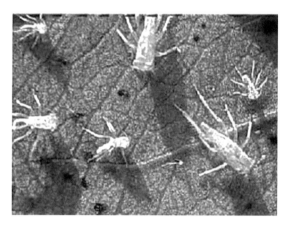

小绿叶蝉

黑尾叶蝉

6.蜡蝉

半翅目蜡蝉总科（Fulgoroidea）广翅蜡蝉科（Ricaniidae）和蛾蜡蝉科（Flatidae）等科的昆虫。

体小到中型，个别种类大型。刺吸式口器由头后方伸出；触角短，梗节膨大生有感觉器；单眼2个；前翅基部有爪片，爪片上的两爪脉在端部合并成Y形；足的中垫发达，节3节，前、中足基节长，生于体侧且互相远离，后足基节不可动。

本总科昆虫全部为植食性，且多为多食性。成虫、若虫均可分泌蜡质。该类群以成虫、若虫群集在嫩梢、叶背和嫩芽上吸食汁液造成危害，此外雌成虫产卵时破坏寄主茎叶组织导致枝条枯死、影响新嫩梢的抽发，以及若虫排泄物诱发煤污病。近年来，八点广翅蜡蝉的寄主范围与分布呈逐年扩大趋势，对保护区的调查发现，该虫严重危害林区的秋茄、桐花树、白骨壤等红树植物。

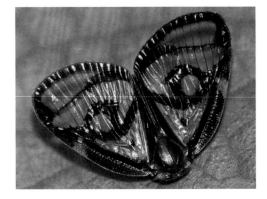

眼纹疏广蜡蝉

主要种类有广翅蜡蝉科疏广翅蜡蝉属（*Euricania*）的眼纹疏广蜡蝉（*Euricania ocella*）和广翅蜡蝉属的（*Ricabia*）八点广翅蜡蝉（*Ricabia speculum*）；蛾蜡蝉科络蛾蜡蝉属（*Lawana*）的紫络蛾蜡蝉（*Lawana imitata*）。

八点广翅蜡蝉

紫络蛾蜡蝉

7.飞虱

半翅目蜡蝉总科飞虱科（Delphacidae）昆虫。

小型昆虫，体连翅长大多在3～5 mm，通常有长、短两种翅型。触角着生在头两侧复眼的下方，梗节膨大并生有感觉圈；单眼2个；前胸背板短，中胸背板有肩板；前翅爪脉端部共柄形成Y形；中足基节长，着生在身体两侧，后足基节短，不能活动；胫节上有2个侧刺，胫节端部及第一、第二跗节端部有端刺；另外，胫节末端有1个能活动的大距，是区别于蜡蝉总科中其他各科最为重要的特征。

成虫和若虫善跳，大多有趋光性，某些种具有迁飞的特性。全世界已知并记录的2000多种本科昆虫均为植食性，其中许多种类是为害禾本科作物和竹类等的重要害虫。成虫和若虫均可刺吸植物汁液，影响植物的生长，严重时可使叶片发黄，甚至整株干枯和倒伏。除此之外，有的还能传播多种植物病毒、病害，造成间接为害。

主要种类有褐飞虱属（*Nilaparvata*）的褐飞

褐飞虱

虱（*Nilaparvata lugens*）、白背飞虱属（*Sogatella*）的白背飞虱（*Sogatella furcifera*）和灰飞虱属（*Laodelphax*）的灰飞虱（*Laodelphax striatellus*）。

白背飞虱　　　　　　　　　　　　　　　　　灰飞虱

8.蝽

半翅目蝽科（Pentatomidae）、负子蝽科（Belostomatidae）、盾蝽科（Scutelleridae）、蛛缘蝽科（Alydidae）、荔蝽科（Tessaratomidae）、缘蝽科（Coreidae）、长蝽科（Lygaeidae）、红蝽科（Largidae）和猎蝽科（Reduviidae）等科的昆虫。

体小型至大型；刺吸式口器；丝状或棒状触角；前胸背板发达，中胸小盾片发达；前翅基半部革质，端半部膜质。一般在身体腹面有臭腺，能分泌出恶臭物质。

常生活于草丛或林间，植食性或捕食性。植食性种类一般以吸取植物汁液为食，为害虫；猎蝽科昆虫多为捕食性种类，摄取昆虫体汁，为益虫。

山口红树林保护区蝽类昆虫种类

科	属	种
蝽科	岱蝽属（*Dalpada*）	小斑岱蝽（*Dalpada nodifera*）
	麻皮蝽属（*Erthesina*）	麻皮蝽（*Erthesina fullo*）
	绿蝽属（*Nezara*）	黑须稻绿蝽（*Nezara antennata*）
		绿蝽（*Nezara* sp.）
负子蝽科	负子蝽属（*Belostoma*）	负子蝽（*Belostoma* sp.）
盾蝽科	角盾蝽属（*Cantao*）	角盾蝽（*Cantao ocellatus*）
	丽盾蝽属（*Chrysocoris*）	紫蓝丽盾蝽（*Chrysocoris stollii*）
蛛缘蝽科	稻缘蝽属（*Leptocorisa*）	异稻缘蝽（*Leptocorisa acuta*）
	蜂缘蝽属（*Riptortus*）	点蜂缘蝽（*Riptortus pedestris*）
		条蜂缘蝽（*Riptortus linearis*）

续表

科	属	种
荔蝽科	荔蝽属（*Tessaratoma*）	荔蝽（*Tessaratoma papillosa*）
缘蝽科	瘤缘蝽属（*Acanthocoris*）	瘤缘蝽（*Acanthocoris scaber*）
	菲缘蝽属（*Physomerus*）	菲缘蝽（*Physomerus grossipes*）
	棘缘蝽属（*Cletus*）	长肩棘缘蝽（*Cletus trigonus*）
		稻棘缘蝽（*Cletus punctiger*）
长蝽科	痕腺长蝽属（*Spilostethus*）	箭痕腺长蝽（*Spilostethus hospes*）
红蝽科	斑红蝽属（*Physopelta*）	突背斑红蝽（*Physopelta gutta*）
	棉红蝽属（*Dysdercus*）	离斑棉红蝽（*Dysdercus cingulatus*）
		联斑棉红蝽（*Dysdercus poecilus*）
		叉带棉红蝽（*Dysdercus decussatus*）
猎蝽科	轮刺猎蝽属（*Scipinia*）	轮刺猎蝽（*Scipinia horrida*）
	哎猎蝽属（*Ectomocoris*）	黑哎猎蝽（*Ectomocoris atrox*）
	真猎蝽属（*Harpactor*）	云斑真猎蝽（*Harpactor incertis*）
	犀猎蝽属（*Sycanus*）	黄带犀猎蝽（*Sycanus croceovittatus*）

小斑岱蝽

麻皮蝽

黑须稻绿蝽

绿蝽

负子蝽

角盾蝽

紫蓝丽盾蝽

异稻缘蝽

点蜂缘蝽

条蜂缘蝽

荔蝽

瘤缘蝽

菲缘蝽

长肩棘缘蝽

稻棘缘蝽

箭痕腺长蝽

突背斑红蝽

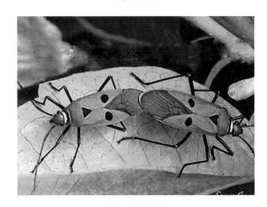

离斑棉红蝽

联斑棉红蝽

叉带棉红蝽

轮刺猎蝽

黑哎猎蝽

云斑真猎蝽

黄带犀猎蝽

9.蜜蜂

膜翅目（Hymenoptera）蜜蜂总科（Apoidea）昆虫。

前胸背板不达翅基片，体被分枝或羽状毛，后足常特化为采集花粉的构造。成虫体被绒毛，足或腹部具由长毛组成的采集花粉器官。口器嚼吸式，是昆虫中独有的特征。

独栖性或社会性生活。一般有贮蜜或贮花蜜与花粉的习性，或仅贮花粉以供幼虫食取、生长之用。蜜蜂总科昆虫中绝大多数种类是益虫，其中家蜜蜂不仅可以酿蜜、造蜡、生产蜂王浆和蜂毒，还能为农作物、果树及经济作物传粉，特别是人们不太注意的众多的野生蜜蜂，它们在植物的传粉方面一直起着重要的作用。

山口红树林保护区蜜蜂类昆虫种类

科	属	种
蜜蜂科（Apidae）	木蜂属（Xylocopa）	灰胸木蜂（Xylocopa phalothorax）
		黄胸木蜂（Xylocopa appendiculata）
		竹木蜂（Xylocopa nasalis）
	花芦蜂属（Ceratina）	绿芦蜂（Ceratina smaragdula）
		黄芦蜂（Ceratina flavipes）
	蜜蜂属（Apis）	中华蜜蜂（Apis cerana）
		意大利蜜蜂（Apis mellifera）
	无垫蜂属（Amegilla）	青条蜂（Amegilla calceifera）
隧蜂科（Halictidae）	带蜂属（Nomia）	彩带蜂（Nomia sp.）
		三条彩带蜂（Nomia incerta）
切叶蜂科（Megachilidae）	切叶蜂属（Megachil）	切叶蜂（Megachile sp.）

灰胸木蜂

黄胸木蜂

竹木蜂

绿芦蜂

黄芦蜂

中华蜜蜂

意大利蜜蜂

青条蜂	彩带蜂
三条彩带蜂	切叶蜂

10.胡蜂

膜翅目胡蜂总科（Vespoidea）昆虫，通称胡蜂，俗名黄蜂，包括蚁蜂科（Mutillidae）、蛛蜂科（Pompilidae）、胡蜂科（Vespidae）、土蜂科（Scoliidae）和蜾蠃科（Eumenidae）等。

体壁坚厚，光滑少毛；成虫体多呈黑色、黄色、棕色三色相间，或为单一色；具大小不同的刻点或光滑；绒毛一般较短；足较长；翅发达，飞翔迅速，静止时前翅纵折，覆盖身体背面；口器发达，上颚较粗壮。雄蜂腹部7节，无螫针。

分布广泛，全世界约有1.5万种，已知5000种以上，中国记载200种。为捕食性蜂类，有喜光性和嗜甜性，晚间归巢不动。20世纪70年代，我国开始人工利用胡蜂防治害虫，目前已在多个省（自治区、直辖市）开展。利用胡蜂的归巢习性，林中移入一次可长期起到防治作用，对于鳞翅目害虫的幼虫防治效果较好。

山口红树林保护区胡蜂类昆虫种类

科	属	种
蚁蜂科	驼盾蚁蜂属（*Radoszkowskius*）	眼斑驼盾蚁蜂（*Radoszkowskius oculata*）
蛛蜂科	狭鳞沟蛛蜂属（*Leptodialepis*）	黄头蛛蜂（*Leptodialepis bipartita*）
胡蜂科	长脚黄蜂属（*Polistes*）	点马蜂（*Polistes stigma*）
		果马蜂（*Polistes olivaceus*）
		棕马蜂（*Polistes gigas*）
	胡蜂属（*Vespa*）	黄腰胡蜂（*Vespa affinis*）
土蜂科	长腹土蜂属（*Campsomeris*）	长腹土蜂（*Campsomeris plumipes*）
蜾蠃科	喙蜾蠃属（*Rhynchium*）	黄喙蜾蠃（*Rhynchium quinquecinctum*）

眼斑驼盾蚁蜂

黄头蛛蜂

点马蜂

果马蜂

棕马蜂

黄腰胡蜂

长腹土蜂　　　　　　　　　　　　黄喙螺蠃

11.泥蜂

膜翅目泥蜂科（Sphecidae）昆虫。因腹柄细长而显著，又称为细腰蜂科。

体长4～48 mm，体形细长；通常黑色，并有黄色、橙色或红色斑纹；头大，横阔；触角一般丝状，雌性12节，雄性13节；前胸背板三角形或横形，不伸达肩板，前侧片后方有隆起的线；足细长，前足适于开掘，中足胫节有2端距；翅狭，前翅一般具3个亚缘室，少数1个或2个；并胸腹节长，腹柄通常包括腹部第一、第二节及第三节的一部分。

世界已知8000多种。无真正社会性生活，单独筑巢或群集筑巢，巢中贮藏食物为蜘蛛类、蝗虫类、同翅目、蝇类、青虫类和蜂类等昆虫。能传播花粉，有利于人类。

主要种类有锯齿泥蜂属（*Sceliphron*）的黄腰壁泥蜂（*Sceliphron madraspatanum*）。

黄腰壁泥蜂

12.姬蜂

膜翅目姬蜂科（Ichneumonidae）昆虫。

体小型或大型，一般为细长形寄生蜂；触角长丝状，多节；翅大，前翅前缘室消失；腹部细长，圆筒形而窄扁。卵产于寄生体外或体内。

主要种类有姬蜂科黑点瘤姬蜂属（*Xanthopimpla*）的黑点瘤姬蜂（*Xanthopimpla* sp.）；拟瘦姬蜂属（*Netelia*）的拟瘦姬蜂（*Netelia testacea*）。

黑点瘤姬蜂　　　　　　　　　　　拟瘦姬蜂

13.蝴蝶

鳞翅目昆虫。

头部没有单眼，有1对发达的复眼，复眼内侧有1对多节的触角，其端膨大成棒状或锤状；头前下方有1根粗而长的喙，用以吸吮花蜜和水；前胸、中胸、后胸3节分别着生前足、中足和后足；在中胸和后胸的翅基片上各着生1对翅。翅面有各色鳞粉；翅呈三角形，后翅略圆；前后翅各有3个角，称为基角、顶角和后角；翅的3条边分别称为前缘、外缘和后缘。翅脉多为纵脉，也称主脉，少数种有横脉。

蝶类幼虫的取食对象因虫种不同而各有不同，大多数幼虫嗜食叶片，有些种类嗜食花蕾，还有一些种类蛀食嫩荚或幼果；有少数种类的幼虫为肉食性。蝶类成虫取食花粉、花蜜。

山口红树林保护区蝴蝶类昆虫种类

科	属	种
蛱蝶科（Nymphalidae）	波蛱蝶属（Ariadne）	波蛱蝶（Ariadne ariadne）
	眼蛱蝶属（Junonia）	波纹眼蛱蝶（Junonia atlites）
		蛇眼蛱蝶（Junonia lemonias）
		黄裳眼蛱蝶（Junonia hierta）
		美眼蛱蝶（Junonia almana）
	锯眼蝶属（Elymnias）	翠袖锯眼蝶（Elymnias hypermnestra）
	斑蝶属（Danus）	虎斑蝶（Danus genutia）
	襟蛱蝶属（Cupha）	黄襟蛱蝶（Cupha erymanthis）
	斑蛱蝶属（Hypolimnas）	金斑蛱蝶（Hypolimnas missipus）
		幻紫斑蛱蝶（Hypolimnas bolina）
	尾蛱蝶属（Polyura）	窄斑凤尾蛱蝶（Polyura athamas）
	眉眼蝶属（Mycalesis）	中介眉眼蝶（Mycalesis intermedia）
粉蝶科（Pieridae）	黄粉蝶属（Eurema）	檗黄粉蝶（Eurema blanda）
		宽边黄粉蝶（Eurema hecabe）
	橙粉蝶属（Ixias）	橙粉蝶（Ixias pyrene）
	园粉蝶属（Cepora）	黑脉园粉蝶（Cepora nerissa）
	迁粉蝶属（Catopsilia）	梨花迁粉蝶（Catopsilia pyranthe）
		迁粉蝶（Catopsilia pomona）
	青粉蝶属（Pareronia）	青粉蝶（Pareronia anais）
凤蝶科（Papilionidae）	凤蝶属（Papilio）	达摩凤蝶（Papilio demoleus）
		玉带凤蝶（Papilio polytes）
斑蝶科（Danaidae）	紫斑蝶属（Euploea）	妒丽紫斑蝶（Euploea tulliolus）
		幻紫斑蝶（Euploea core）
		默紫斑蝶（Euploea klugii）

续表

科	属	种
弄蝶科（Hesperiidae）	黄室弄蝶属（*Potanthus*）	宽纹黄室弄蝶（*Potanthus pava*）
	籼弄蝶属（*Borbo*）	籼弄蝶（*Borbo cinnara*）
灰蝶科（Lycaenidae）	梳灰蝶属（*Ahlbergia*）	尼采梳灰蝶（*Ahlbergia nicevillei*）
	山灰蝶属（*Shijimia*）	山灰蝶（*Shijimia moorei*）
	银线灰蝶属（*Spindasis*）	银线灰蝶（*Spindasis lohita*）
	蓝灰蝶属（*Everes*）	长尾蓝灰蝶（*Everes lacturnus*）
	珍灰蝶属（*Zeltus*）	珍灰蝶（*Zeltus amasa*）
蚬蝶科（Riodinidae）	褐蚬蝶属（*Abisara*）	蛇目褐蚬蝶（*Abisara echerius*）

波蛱蝶

波纹眼蛱蝶

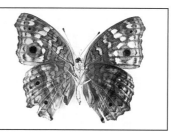

蛇眼蛱蝶

黄裳眼蛱蝶

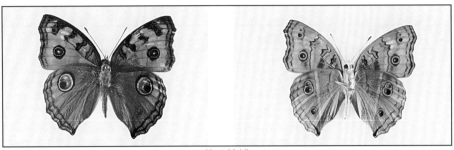

美眼蛱蝶

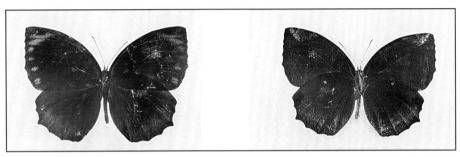

翠袖锯眼蝶

虎斑蝶

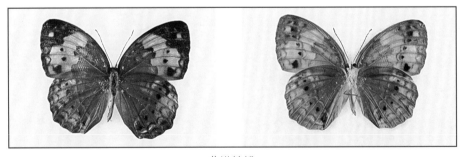

黄襟蛱蝶

金斑蛱蝶

幻紫斑蛱蝶

窄斑凤尾蛱蝶

中介眉眼蝶

檗黄粉蝶

宽边黄粉蝶

橙粉蝶

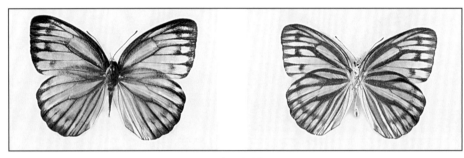

黑脉园粉蝶

梨花迁粉蝶

迁粉蝶

青粉蝶（雄）

青粉蝶（雌）

达摩凤蝶

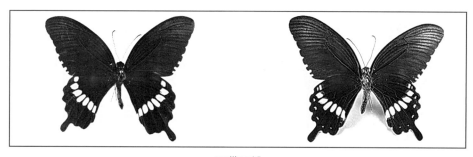

玉带凤蝶

妒丽紫斑蝶

幻紫斑蝶

默紫斑蝶

宽纹黄室弄蝶

籼弄蝶

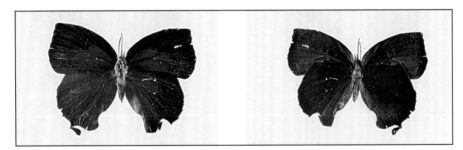

尼采梳灰蝶

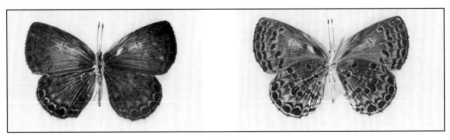

山灰蝶

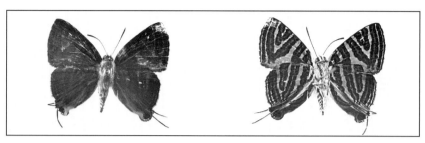

银线灰蝶（雌）

银线灰蝶（雄）

长尾蓝灰蝶

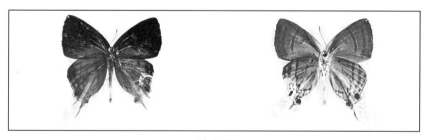

珍灰蝶

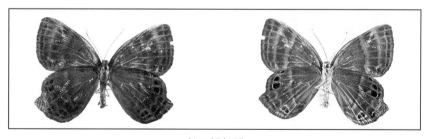

蛇目褐蚬蝶

14.蛾类

鳞翅目昆虫。形似蝴蝶，种类远多于蝶类。

成虫有2对膜质的翅，横脉少，翅、身体及附肢上满生鳞片；上颚退化或消失，口器主要由下颚形成一个虹吸状的口吻；腹部短粗，触角呈羽状、线状或栉齿状，触角末端不膨大。静止时双翅展开。完全变态，即有卵、幼虫、蛹、成虫4个虫期；幼虫蠋形，头部有傍额片，腹足具趾钩。

蛾类大部分在夜间活动。多为农业害虫。利用其趋光性，可灯诱进行防治。农业上常常利用生物、物理和化学的方法进行防治。常在保护区形成较大面积虫害的种类有海榄雌瘤斑螟（*Ptyomaxia syntaractis*）、柚木肖弄蝶夜蛾（*Hyblaea puera*）、毛颚小卷蛾（*Lasiognatha cellifera*），以及各种袋蛾等。

山口红树林保护区蛾类昆虫种类

科	属	种
螟蛾科（Pyralidae）	黑野螟属（*Phlyctaenia*）	白斑黑野螟（*Phlyctaenia tyres*）
	蛀果斑螟（*Assara*）	白缘蛀果斑螟（*Assara albicostalis*）
	纵卷叶野螟属（*Cnaphalocrocis*）	稻纵卷叶野螟（*Cnaphalocrocis medinalis*）
	斑水螟属（*Eoophyla*）	海斑水螟（*Eoophyla halialis*）
	瘤斑螟属（*Ptyomaxia*）	海榄雌瘤斑螟
	娟野螟（*Diaphania*）	亮斑娟野螟（*Diaphania canthusalis*）
	叶野螟属（*Nausinoe*）	云纹叶野螟（*Nausinoe perspectata*）
	蛀野螟属（*Dichocrocis*）	白骨壤蛀果螟（*Dichocrocis* sp.）
灯蛾科（Arctiidae）	苔蛾属（*Danielithosia*）	黄苔蛾（*Danielithosia immaculata*）
木蠹蛾科（Cossidae）	豹蠹蛾属（*Zeuzera*）	咖啡豹蠹蛾（*Zeuzera coffeae*）
		梨豹蠹蛾（*Zeuzera pyrina*）
卷蛾科（Tortricidae）	棟小卷蛾属（*Loboschiza*）	苦楝小卷蛾（*Loboschiza koenigiana*）
	毛颚小卷蛾属（*Lasiognatha*）	毛颚小卷蛾
夜蛾科（Noctuidae）	癣皮蛾属（*Blenina*）	荔枝癣皮夜蛾（*Blenina lichenosa*）
	肖弄蝶夜蛾属（*Hyblaea*）	柚木肖弄蝶夜蛾
草螟科（Crambidae）	卷叶野螟属（*Syllepte*）	棉大卷叶野螟（*Syllepte derogate*）
	扇野螟属（*Pleuroptya*）	三条扇野螟（*Pleuroptya chlorohanta*）
刺蛾科（Limacodidae）	银纹刺蛾属（*Miresa*）	闪银纹刺蛾（*Miresa fulgida*）
尺蛾科（Geometridae）	兔尺蛾属（*Hyperythra*）	双线兔尺蛾（*Hyperythra lutea*）
	豹尺蛾属（*Dysphania*）	海桑豹尺蛾（*Dysphania* sp.）
袋蛾科（Psychidae）	桉袋蛾属（*Acanthopsyche*）	桉袋蛾（*Acanthopsyche subferalbata*）
	彩袋属（*Chalia*）	蜡彩袋蛾（*Chalia larminati*）
	小袋蛾属（*Mahasena*）	褐袋蛾（*Mahasena colona*）
	白袋蛾属（*Chalioides*）	白囊袋蛾（*Chalioides kondonis*）
枯叶蛾科（Lasiocampidae）	胸枯叶蛾属（*Streblote*）	木麻黄胸枯叶蛾（*Streblote castanea*）
	黄枯叶蛾属（*Trabala*）	绿黄枯叶蛾（*Trabala vishnou*）
毒蛾科（Lymantriidae）	古毒蛾属（*Orgyia*）	棉古毒蛾（*Orgyia postica*）

白斑黑野螟

白缘蛀果斑螟

稻纵卷叶野螟

海斑水螟

海榄雌瘤斑螟

亮斑娟野螟

云纹叶野螟

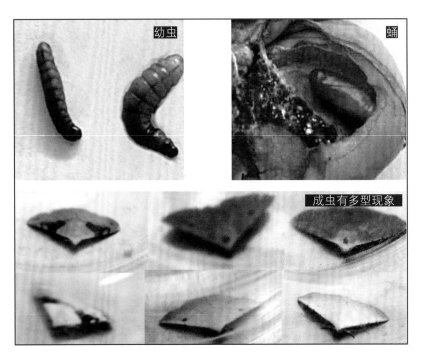

白骨壤蛀果螟

黄苔蛾

咖啡豹蠹蛾

梨豹蠹蛾

苦楝小卷蛾

毛颚小卷蛾

荔枝癣皮夜蛾

柚木肖弄蝶夜蛾

棉大卷叶野螟

三条扇野螟

闪银纹刺蛾

双线兔尺蛾

海桑豹尺蛾

桉袋蛾

蜡彩袋蛾

褐袋蛾

白囊袋蛾

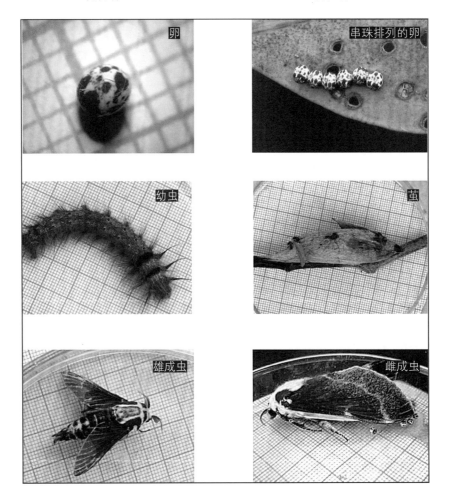

木麻黄胸枯叶蛾

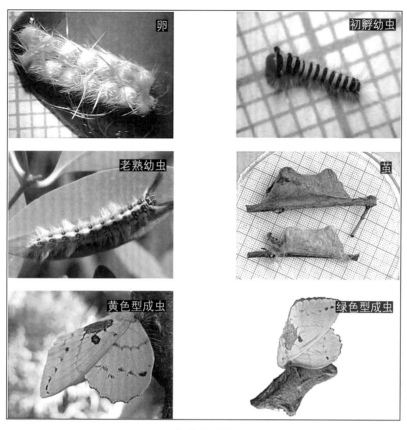

绿黄枯叶蛾

棉古毒蛾

15.白蚁

等翅目（Blattaria）昆虫中一类昆虫的俗称，容易与蚂蚁混为一谈。

一般体躯可分为头、胸、腹三部分。头部有重要感觉器官，如触角、眼等。取食器官为典型的咀嚼式口器。胸部由前、中、后3个体节组成，分别着生1对分节的胸足；有翅成虫的中胸和后胸各生有1对狭长、膜质的翅，前后翅形状、大小几乎相等，因此被称为等翅目；腹部10节。雄性生殖孔开口于第九腹板与第十腹板间。雌虫第七腹板增大，生殖孔开口于下。多数种类于第九腹板后中缘有1对简单刺突，第十节腹板两侧有1对尾须。

社会性昆虫，不仅营巢居的集群生活，而且群体内有品级的分化，分为蚁王、蚁后、工蚁、兵蚁和有翅成虫等，各个品级分工明确又联系紧密。不同品级的形态差别很大，但可归纳为原始型和蜕变型两类。

主要种类有白蚁科（Termitidae）大白蚁属（*Macrotermes*）的黄翅大白蚁（*Macrotermes barneyi*），土白蚁属（*Odontotermes*）的黑翅大白蚁（*Odontotermes formosanus*）；鼻白蚁科（Rhinotermitidae）乳白蚁属（*Coptotermes*）的家白蚁（*Coptotermes formosanus*）。

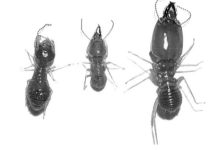

黄翅大白蚁

黑翅大白蚁

家白蚁

16.蚂蚁

膜翅目昆虫。

头部形状变化很大，常为卵圆形、圆形或长方形；上颌形状各异，用途不同；上唇仅余痕迹；下颚由多节骨片组成，无齿；下须1～6节；下唇须1～4节；触角膝状，4～13节。并腹胸在各类群间及同一种各品级间的构造和形状变化很大；并胸腹节基面和斜面交汇处或多或少成一定角度，其边缘圆滑或具棱边，有的基面末端具刺或齿；足发达，胫节末端常具1～2个距或刺。有翅蚁的翅简单，翅脉变化大。腹柄节1～2节，由腹部的第一节或前2节转化而成，通常呈结节状或鳞片状。后腹部由腹柄节以外的各节组成，腹末具整针或特化为喷射蚁酸的特殊构造。

　　蚂蚁的多型现象十分明显。一般有雄蚁、雌蚁和工蚁。种群数量庞大，在陆地生态系统中起着重要的作用。蚂蚁是陆地无脊椎动物的主要捕食者，我国有着利用蚂蚁防治农林作物虫害的悠久历史，特别是在林业上，许多蚁种一直起着维护森林生态平衡的重要作用。也有些蚂蚁因在人类居室中取食食品和传染疾病而成为害虫。

山口红树林保护区蚂蚁类昆虫种类

科	属	种
蚁科（Formicidae）	凹臭蚁属（Ochetellus）	无毛凹臭蚁（Ochetellus glaber）
	小家蚁属（Monomorium）	花居小家蚁（Monomorium floricola）
	弓背蚁属（Camponotu）	侧扁弓背蚁（Camponotus compressus）
	举腹蚁属（Cremastogaster）	黑褐举腹蚁（Cremastogaster rogenhoferi）
	双刺猛蚁属（Diacamma）	聚纹双刺猛蚁（Diacamma rugosum）
	齿猛蚁属（Odontoponera）	横纹齿猛蚁（Odontoponera transversa）
	织叶蚁属（Oecophylla）	黄猄蚁（Oecophylla smaragdina）
	巨首蚁属（Pheidologeton）	近缘巨首蚁（Pheidologeton affinis）
	多刺蚁属（Polyrhachis）	双齿多刺蚁（Polyrhachis dives）
	火蚁属（Solenopsis）	火蚁（Solenopsis geminata）
	铺道蚁属（Tetramorium）	双脊铺道蚁（Tetramorium bicarinatum）
		沃尔什氏铺道蚁（Tetramorium walshi）
		茸毛铺道蚁（Tetramorium lanuginosum）
		相似铺道蚁（Tetramorium simillimum）
	行军蚁属（Dorylu）	东方食植行军蚁（Dorylus orientalis）

无毛凹臭蚁

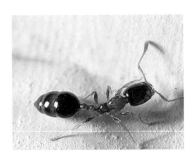

花居小家蚁

侧扁弓背蚁

黑褐举腹蚁

聚纹双刺猛蚁

横纹齿猛蚁

黄猄蚁

近缘巨首蚁

双齿多刺蚁

火蚁

双脊铺道蚁

沃尔什氏铺道蚁

茸毛铺道蚁

相似铺道蚁

东方食植行军蚁

17.蓟马

缨翅目（Thysanoptera）昆虫。

体型小、细长，常具2对窄且具缘毛的翅。头部触角短小，具明显的复眼，还有独特的锉吸式口器。

蓟马为植食性或捕食性昆虫。榕母管蓟马主要危害榕树，且集中为害，使受害榕树生长发育受抑制，光合作用减弱，观赏价值降低。每年5月为害严重，有世代重叠现象。

主要种类有管蓟马科（Phlaeothripidae）母管蓟马属（Gynaikothrips）榕母管蓟马（Gynaikothrips uzeli）。

榕母管蓟马

18.螳螂

螳螂目（Mantodea）昆虫。

中型或大型捕食性昆虫，渐变态，若虫和成虫相似。头三角形，转动幅度大，且灵活。复眼大，视力好，具咀嚼式口器。前足常举起，似祷告，适于捕捉猎物。

螳螂通常以其他种类昆虫为食，但有报道螳螂也吃小型脊椎动物，例如较小的蜥蜴、老鼠、蛇、蛙、小型淡水鱼或蜂鸟之类的小型鸟类。

主要种类有螳螂科（Mantodea）大刀螳属（Tenodera）的中华大刀螳（Tenodera sinensis）和枯叶大刀螳（Tenodera aridifolia），斧螳属（Hierodula）的广腹螳螂（Hierodula patellifera）。

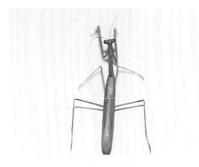

中华大刀螳

枯叶大刀螳

广腹螳螂

19.瓢虫

鞘翅目（Coleoptera）瓢虫科（Coccinellidae）昆虫。

体小型至中型，体长常为1～10 mm。体背拱起，腹面平坦。与鞘翅目其他科昆虫外部主要的区别特征：第一腹板上有后基线；下颚须末节斧状；跗节隐4节。瓢虫科多数种类同时具备以上3个特征，部分种类具备其中2个特征，少数种类如小艳瓢虫亚科的一些种仅具其中的1个特征，即第一腹板上有后基线。

大多数为捕食性，其中大多数以蚜虫为食，常兼食其他节肢动物或其他昆虫的一些种，也常兼食花粉、花药或偶尔咬食植物的幼嫩部分。

盔唇瓢虫亚科（Chilocorinae）主要捕食有蜡质覆盖物的介壳虫，如盾蚧科、蜡蚧科等的昆虫；红瓢虫亚科（Coccidiinae）专食绵蚧和粉蚧；四节瓢虫亚科（Lithophilinae）也有捕食绵蚧和粉蚧的种类；隐胫瓢虫亚科（Aspidimerinae）主要捕食蚜虫和蚧壳虫；小毛瓢虫亚科（Scymninae）和小艳瓢虫亚科（Stichlotidinae）中有捕食蚜虫、蚧壳虫、粉虱、叶螨的种类，其中食螨瓢虫族专食叶螨，是叶螨的重要天敌之一。在捕食蚧壳虫的瓢虫类群中，不少种类的幼虫于幼龄时钻入介壳内取食，至其中的虫体或虫卵食尽后才转移捕食其他个体；但在取食大型蚧壳虫时，也有在一个介壳内完成发育的，这种取食方式近于寄生性。瓢虫是农林业上不少重要害虫的天敌，因此，大多属于利用和保护的对象。捕食性的种类也有不同程度的专一性。

山口红树林保护区瓢虫类昆虫种类

科	属	种
瓢虫科	有突肩瓢虫属（*Synonycha*）	大突肩瓢虫（*Synonycha grandis*）
	兼食瓢虫属（*Micraspis*）	稻红瓢虫（*Micraspis discolor*）
	瓢虫属（*Coccinella*）	狭臀瓢虫（*Coccinella transversalis*）
	裂臀瓢虫属（*Henosepilachna*）	茄二十八星瓢虫（*Henosepilachna vigintioctopunctata*）
	宽柄月瓢虫属（*Cheliomenes*）	六斑月瓢虫（*Cheliomenes sexmaculata*）

大突肩瓢虫

稻红瓢虫

狭臀瓢虫

茄二十八星瓢虫

六斑月瓢虫

20.甲虫

鞘翅目昆虫。

一般为中等到大型昆虫，少有小型。前翅角质，缺翅脉；后翅膜质，主导飞行，藏于鞘翅下，有时消失。口器咀嚼式。

以动物或植物为食，还有的以腐殖质、粪便为食。甲虫分布极广，水中、陆地表面、地下、空中和动植物体内外，都能生存。

山口红树林保护区甲虫类昆虫种类

科	属	种
金龟科（Scarabaeidae）	洁蜣螂属（Catharsius）	神农洁蜣螂（Catharsius molossus）
	绒鳃金龟属（Maladera）	黑绒金龟（Maladera orientalis）
象甲科（Curculionidae）	灰象属（Sympiezomias）	广西灰象（Sympiezomias guangxiensis）
	鳞象属（Hypomeces）	蓝绿象（Hypomeces squamosus）
步甲科（Carabida）	炮步甲属（Pheropsophus）	耶屁步甲（Pheropsophus jessoensis）
	缘虎甲属（Callytron）	暗色白缘虎甲（Callytron inspeculare）
	虎甲属（Cicindela）	金斑虎甲（Cicindela aurulenta）
叶甲科（Chrysomelidae）	粗腿甲属（Sagra）	紫胫甲（Sagra femorata）
	梳龟甲属（Aspidomorpha）	星斑梳龟甲（Aspidomorpha miliaris）
芫菁科（Meloida）	沟芫菁属（Hycleus）	曲纹沟芫菁（Hycleus schoenherri）
		眼斑沟芫菁（Hycleus cichorii）
金花虫科（Chrysomelidae）	筒金花虫属（Cryptocephalu）	三带筒金花虫（Cryptocephalus trifasciatus）
丽金龟科（Rutelidae）	异丽金龟属（Anomala）	红脚绿丽金龟（Anomala cupripes）

神农洁蜣螂

黑绒金龟

广西灰象

蓝绿象

耶屁步甲

暗色白缘虎甲

金斑虎甲

紫胫甲

星斑梳龟甲

曲纹沟芫菁

眼斑沟芫菁

三带筒金花虫

红脚绿丽金龟

21.食虫虻

又称盗虻，双翅目昆虫，分布在世界各地，大约有7100种。

所有的食虫虻都有粗壮、着刺的腿，脸部有浓密的胡子状鬃毛，2只大的复眼中间有3个单眼。体多为褐色且粗壮，通常多毛，形似大黄蜂。眼大，两眼之间有一刚毛。足长，能在飞行中捕食，在进食时用足抓住食物。

反应速度极快，动作极其敏捷，是捕虫的能手，堪称昆虫界的"狮子""老虎"。它们能捕食黄蜂、蝴蝶、蝗虫，甚至能捕食蜘蛛。在食虫虻分布的地方，往往能保持昆虫数量的平衡。

主要种类有食虫虻科（Asilidae）弯顶毛食虫虻属（Neoitamus）的曲毛食虫虻（Neoitamus angusticornis），长吻虫虻属（Promachus）的大食虫虻（Promachus yesonicus）。

曲毛食虫虻

大食虫虻

22.食蚜蝇

双翅目食蚜蝇科（Syrphidae）昆虫，全世界已知种类有6000余种。

成虫体小型到大型，个别种类体长可达40 mm。体宽或纤细，光滑或具毛，体色单一暗色或常具黄色、橙色、灰白色等色彩鲜艳的斑纹，某些种类则有蓝色、绿色、铜色等金属色，外观似蜂。头部大。雄性眼合生，雌性眼离生，也有两性均离生。新月片缺如或不清楚。颜变异很大，或正中突起，或下半部略向前突，或自触角以下向前呈圆锥形突出，或向下延伸。触角3节，芒位于第三节背侧；或触角很长，向前直伸，芒位于第三节末端，称端芒；芒裸或羽状。一般喙短，少数种类喙特别细长，几与体长相等。胸部一般无刚毛。翅大，翅脉在r4+5脉与m1+2脉之间有1条褶皱状或骨化的伪脉，极少数种类缺如，伪脉是识别本科昆虫的主要特征。足简单或特化。腹部狭长、扁宽或棒棍状，至少可见4节，一般可见5～6节，末端数节形成尾器。

成虫通常在阳光下取食花蜜和花粉；飞翔时能在空中静止不移又忽然突进。腐食性和粪食性的幼虫生活在朽木、粪便和腐败动植物体中；捕食性种类取食蚜虫、蚧壳虫、粉虱和叶蝉等。

主要种类有食蚜蝇科斑眼蚜蝇属（*Eristalis*）的棕腿斑眼蚜蝇（*Eristalis arvorum*），斑翅食蚜蝇属（*Dideopsis*）的斑翅食蚜蝇（*Dideopsis aegrotus*），直脉食蚜蝇属（*Dideoides*）的侧斑直脉食蚜蝇（*Dideoides latus*）。

棕腿斑眼蚜蝇

斑翅食蚜蝇

侧斑直脉食蚜蝇

23.蜻蜓

蜻蜓目（Odonata）昆虫。

多数为大型、中型昆虫，体长20～150 mm。颜色多艳丽。触角短小，刚毛状，3～7节。复眼发达，占头部的大部分，单眼3个。口器咀嚼式。上颚发达。前胸较细如颈；中胸、后胸合并，称合胸。2对翅膜质，透明，翅多横脉，翅前缘近翅顶处常有翅痣。腹部细长，雄性交合器生在腹部第二、第三节腹面，雄性在性成熟时，会把精液藏入交合器中。

全世界均有分布，尤以热带地区为多。稚虫生活在水中，捕食蚊子的幼虫等水生动物，可以作为水体污染程度的指示昆虫之一。按捕食能力可分为三类：豆娘类，体纤瘦弱，飞翔力差，捕食能力也弱；蜻类，飞翔力强，捕食功能健全；蜓类，飞翔力极强，捕食能力也最强。多数以蜻蜓点水方式每次投下几颗卵。稚虫水生，统称水虿，经过多次蜕皮后上岸羽化为成虫。

山口红树林保护区蜻蜓类昆虫种类

科	属	种
蜻科（Libellulidae）	红蜻属（*Crocothemis*）	红蜻（*Crocothemis servilia*）
	灰蜻属（*Orthetrum*）	华丽灰蜻（*Orthetrum chrysis*）
		狭腹灰蜻（*Orthetrum sabina*）
	黄蜻属（*Pantala*）	黄蜻（*Pantala flavescens*）
	脉蜻属（*Neurothemis*）	截斑脉蜻（*Neurothemis tullia*）
	丽翅蜻属（*Rhyothemis*）	斑丽翅蜻（*Rhyothemis variegate*）
蟌科（Coenagriidae）	小蟌属（*Agriocnemis*）	杯斑小蟌（*Agriocnemis femina*）

红蜻　　　　　　　　　　　华丽灰蜻

狭腹灰蜻　　　　　　　　　黄蜻

截斑脉蜻（雄）　　　　　　截斑脉蜻（雌）

斑丽翅蜻（雌）　　　　　　斑丽翅蜻（雄）

杯斑小蟌

24.蟋蟀

直翅目（Orthoptera）昆虫，包括树蟋科（Oecanthidae）和蟋蟀科（Trigonidiidae）等。
体长大于3 mm，缺少鳞片；触角丝状，长于身体；跗节3节，前足为步行足，胫节常具鼓膜听器，后足为跳跃足；多数种类雄虫前翅具发声结构。雌性产卵瓣发达，呈刀状、矛状或长板状。

蟋蟀类常产卵于地下，散分布，属穴居性种类。树蟋类产卵于树枝木隧部，排列成行。蟋蟀性好斗，杂食性，喜干燥温暖，常栖息于洞中、沟中或树木、腐木等物中，树蟋则生活在树上。

山口红树林保护区蟋蟀类昆虫种类

科	属	种
树蟋科	树蟋属（*Oecanthus*）	黄树蟋（*Oecanthus rufescens*）
		印度树蟋（*Oecanthus indicus*）
蟋蟀科	斗蟋属（*Velarifictorus*）	长颚斗蟋（*Velarifictorus aspersus*）
	油葫芦属（*Teleogryllus*）	黄脸油葫芦（*Teleogryllus emma*）
		黑脸油葫芦（*Teleogryllus occipitalis*）
		澳洲油葫芦（*Teleogryllus commodus*）
		北京油葫芦（*Teleogryllus mitratus*）
	大蟋属（*Tarbinskiellus*）	花生大蟋（*Tarbinskiellus portentosus*）
	灶蟋属（*Gryllodes*）	短翅灶蟋（*Gryllodes sigillatus*）
	棺头蟋属（*Loxoblemmus*）	石首棺头蟋（*Loxoblemmus equestris*）
	蟋蟀属（*Gryllus*）	双斑大蟋（*Gryllus bimaculatus*）

黄树蟋

印度树蟋

长颚斗蟋

黄脸油葫芦

黑脸油葫芦

澳洲油葫芦

北京油葫芦

花生大蟋

短翅灶蟋

石首棺头蟋

双斑大蟋

25.蝗虫

直翅目昆虫，有剑角蝗科（Acrididae）和锥头蝗科（Pyrgomorphidae）等。

头卵圆形或锥形，颜面垂直或向后倾斜，头顶中央具细纵沟或缺。触角发达，8~30

节，丝状，少有锯齿状、片状和剑状等。前胸背板发达呈马鞍状，较短，覆盖于胸部背面，常具中隆线和侧隆线。口器咀嚼式，常有发音器。前翅长于后翅，少数种类翅短或无翅。跗节3节，后足粗壮，适于跳跃。产卵瓣较短，顶端呈钩状。

　　蝗虫是不完全变态昆虫，包括卵、若虫、成虫三个阶段。蝗虫有群居或散居的习性，群居一般具有迁飞性，常常造成大范围的危害。多数分布于热带或温带，可在地上或植物丛中看见。多数蝗虫种类有伪装色彩或特征，大多数蝗虫是农业害虫。

山口红树林保护区蝗虫类昆虫种类

科	属	种
剑角蝗科	踵蝗属（*Pternoscirta*）	红翅踵蝗（*Pternoscirta sauteri*）
	飞蝗属（*Locusta*）	东亚飞蝗（*Locusta migratoria manilensis*）
	芋蝗属（*Gesonula*）	芋蝗（*Gesonula punctifrons*）
	稻蝗属（*Oxya*）	中华稻蝗（*Oxya chinensis*）
	剑角蝗属（*Acrida*）	中华剑角蝗（*Acrida cinerea*）
锥头蝗科	负蝗属（*Atractomorpha*）	短额负蝗（*Atractomorpha sinensis*）

红翅踵蝗

东亚飞蝗

芋蝗

中华稻蝗

中华剑角蝗

短额负蝗

26.蝼蛄

直翅目蝼蛄科（Grylloidea）昆虫。

体狭长。头小，圆锥形；复眼小而突出，单眼2个；前胸背板椭圆形，背面隆起如盾，两侧向下伸展，几乎把前足基节包起；前足特化为粗短结构，基节特短宽，腿节略弯，片状，胫节很短，三角形，具强端刺，便于开掘；内侧有1条裂缝为听器；前翅短；雄虫能鸣，发音镜不完善，仅以对角线脉和斜脉为界，形成长三角形室；端网区小；雌虫产卵器退化。

一般于夜间活动，但气温适宜时，白天也可活动。成虫有趋光性，夜晚可用灯光诱到大量蝼蛄。成虫和若虫均善游泳。母虫有护卵哺幼习性。蝼蛄多发生在砂壤土和多腐殖质的地带。

主要种类有蝼蛄属（*Gryllotalpa*）的东方蝼蛄（*Gryllotalpa orientalis*）。

东方蝼蛄

27.螽斯

螽斯总科（Tettigonioidea）螽斯科（Tettigoniidae）和草螽科（Conocephalidae）昆虫。

螽斯，中国北方称其为蝈蝈，是鸣虫中体型较大的一种，体长在40 mm左右；身体多为草绿色，也有的是灰色或深灰色；触角丝状，长于腹端；覆翅膜质，较脆弱；前喙向下方倾斜，一般以左翅覆于右翅之上；后翅多稍长于前翅，也有短翅或无翅种类；雄虫前翅具发音器；前足胫节基部具1对听器；后足腿节十分发达，足跗节4节；尾须短小；产卵器刀状或剑状。

一般为肉食性昆虫，也有杂食性种类。有翅种常生活在草丛中，无翅种栖于穴内、树洞、石下或室内。常产卵在植物的组织内或表面，少产卵于土中。

山口红树林保护区螽斯类昆虫种类

科	属	种
螽斯科	纺织娘属（*Mecopoda*）	纺织娘（*Mecopoda elongata*）
	条螽属（*Ducetia*）	日本条螽（*Ducetia japonica*）
草螽科	似织螽属（*Hexacentrus*）	素色似织螽（*Hexacentrus unicolor*）
	草螽属（*Conocephalus*）	斑翅草螽（*Conocephalus maculatus*）
		鸣草螽（*Conocephalus melas*）

纺织娘

日本条螽

素色似织螽

斑翅草螽

鸣草螽

28.蚊类

双翅目直角亚目（Nematocera）蚊科（Culicidae）昆虫。

成蚊的口器演化为由下唇形成外鞘的长喙，突生在头的前端，是蚊类取食的构造，绝大多数种类雌蚊的口器适于刺吸人或动物的血液；翅的翅脉和翅缘具鳞片，其他部分包括头、胸、足以及多数种类的腹部也覆盖或具有鳞片。

蚊类是完全变态的昆虫，幼期水生，成蚊营陆上生活。蚊类的危害不仅在于骚扰吸血，而且蚊类是多种严重疾病的传播媒介。

山口红树林保护区蚊类昆虫种类

科	属	种
蚊科	伊蚊属（*Aedes*）	白纹伊蚊（*Aedes albopictus*）
		骚扰伊蚊（*Aedes vexans*）
	库蚊属（*Culex*）	海滨库蚊（*Culex sitiens*）
	按蚊属（*Anopheles*）	微小按蚊（*Anopheles minimus*）
		多斑按蚊（*Anopheles maculatus*）

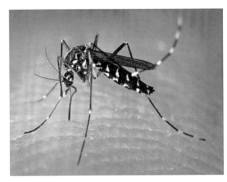

白纹伊蚊

骚扰伊蚊

海滨库蚊

微小按蚊

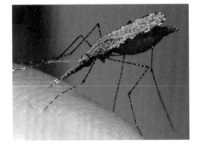

多斑按蚊

29.蜚蠊

蜚蠊目（Blattari）昆虫，俗称蟑螂，包括蜚蠊科（Blattidae）和姬蠊科（Blattellidae）等。

中型虫。头小，三角形，常被宽大的盾状前胸背板盖住。复眼发达，极少数种类复眼相对退化；单眼退化。触角长，丝状，多节。口器咀嚼式。体扁平，体壁光滑、坚韧，常为黄褐色或黑色。多数种类具2对翅，前翅覆翅狭长，后翅膜质。跗节5节。腹部10节，尾须多节。雌虫产卵器小，不外露。

渐变态昆虫。不善飞翔，一般生于暗处，可生活在社区、蚁巢、蜂巢、树皮、落叶和石块中。喜在温暖、潮湿、食物丰富和多缝隙的场所栖居。大多数生活在热带地区。

美洲大蠊

主要种类有蜚蠊科大蠊属（*Periplaneta*）的美洲大蠊（*Periplaneta americana*）和澳洲大蠊（*Periplaneta australasiae*）；姬蠊科姬蠊属（*Blattella*）的德国小蠊（*Blattella germanica*）。

澳洲大蠊

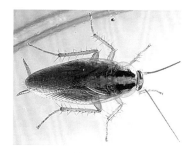
德国小蠊

30.蜘蛛

蛛形纲（Arachnida）蜘蛛目（Araneae）的蜘蛛。

体长0.5～90 mm不等。身体分头胸部和腹部：头胸部背面有背甲，背甲的前端通常有8个单眼，排成2～4行；腹面有1片大的胸板，胸板前方中间有下唇。头胸部有6对附肢：1对螯肢、1对触肢和4对步足。螯肢由螯基和螯牙两部分构成。触肢6节。雌蛛触肢足状，雄蛛触肢变成交接器，末节（跗节）膨大成触肢器。步足在胫节和跗节之间有后跗节，共7节。腹柄由第一腹节演变而来。腹部多为圆形或卵圆形，但有的有各种突起，形状奇特。除少数原始种类的腹部背面保留分节的背板外，多数种类已无明显的分节痕迹。腹部腹面前半部有一胃外沟或生殖沟，中央有生殖孔。雄孔仅为一简单开口，雌孔周围有一些结构，统称为外雌器。腹部腹面纺器由附肢演变而来，少数原始的种类有8个纺器，位置稍靠前；大多数种类有6个纺器，位于体后端肛门的前方。纺器上有许多纺管，内连各种丝腺，由纺管纺出丝。个别种类在前纺器的前方还有筛器，据认为是由祖先的前中纺器的原基演变而来的。

蜘蛛是捕食性动物，在自然生态系统中有抑制害虫发生的作用。以蛛治虫作为生物防治中的一条途径，有不少独特之处：一是资源丰富；二是捕食量大，幼蛛、成蛛皆捕食，作用时间长；三是繁殖力强，田间密度大，寿命长；四是耐饥力强。其中，球蛛的生活类型属于定居型。食性很广，主要捕食飞虱、叶蝉、叶螨、蚜虫和蝽虫等农田小型昆虫，以及蝇类、蚊类等卫生害虫；有的种类以蚂蚁为食。

山口红树林保护区蜘蛛种类

科	属	种
肖蛸科（Tetragnathidae）	肖蛸属（Tetragnatha）	锥腹肖蛸（Tetragnatha maxillosa）
		华丽肖蛸（Tetragnatha nitens）
		前齿肖蛸（Tetragnatha praedonia）
		羽斑肖蛸（Tetragnatha pinicola）
		鳞纹肖蛸（Tetragnatha squamata）
皿蛛科（Linyphiidae）	盖蛛属（Neriene）	花腹盖蛛（Neriene radiate）
球蛛科（Theridiidae）	鞘腹蛛属（Coleosoma）	八斑鞘腹蛛（Coleosoma octomaculatum）
	锥腹蛛属（Argyrode）	银锥腹蛛（Argyrodes bonadea）
管巢蛛科（Clubionidae）	管巢蛛属（Clubiona）	粽管巢蛛（Clubiona japonicola）
跳蛛科（Salticidae）	金蝉蛛属（Phintella）	警戒金蝉蛛（Phintella versicolor）
	哈沙蛛属（Hasarius）	花哈沙蛛（Hasarius adansoni）
园蛛科（Araneidae）	云斑蛛属（Cyrtophora）	摩鹿加云斑蛛（Cyrtophora moluccensis）
	园蛛属（Araneus）	黑斑园蛛（Araneus mitificus）
	艾蛛属（Cyclosa）	角腹艾蛛（Cyclosa mulmeinensis）
猫蛛科（Oxyopidae）	猫蛛属（Oxyopes）	斜纹猫蛛（Oxyopes sertatus）

锥腹肖蛸

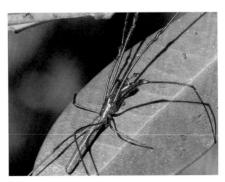

华丽肖蛸

前齿肖蛸

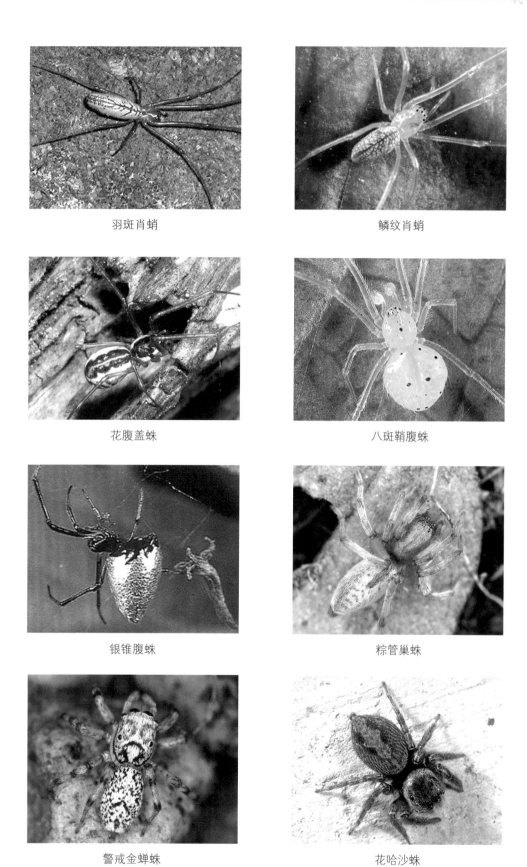

羽斑肖蛸　　　　　　　　　　　　鳞纹肖蛸

花腹盖蛛　　　　　　　　　　　　八斑鞘腹蛛

银锥腹蛛　　　　　　　　　　　　棕管巢蛛

警戒金蝉蛛　　　　　　　　　　　花哈沙蛛

摩鹿加云斑蛛

黑斑园蛛

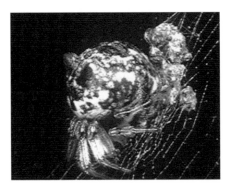

角腹艾蛛

斜纹猫蛛

第四部分
山口红树林保护区的鸟类

　　根据多年来野外实地调查监测，结合相关文献资料，在广西山口国家级红树林生态自然保护区共记录到242种鸟类，隶属16目50科143属，约占广西鸟类种类总数的34.79%。其中国家一级重点保护鸟类（2021年最新名录）5种，分别为黄嘴白鹭、黑脸琵鹭、黑嘴鸥、乌雕、黄胸鹀，国家二级重点保护鸟类39种，分别为栗树鸭、褐翅鸦鹃、小鸦鹃、水雉、小杓鹬、白腰杓鹬、大杓鹬、翻石鹬、大滨鹬、阔嘴鹬、白琵鹭、黑冠鳽、鹗、黑翅鸢、蛇雕、黑鸢、松雀鹰、日本松雀鹰、凤头鹰、褐耳鹰、赤腹鹰、灰脸𫛭鹰、普通𫛭、白腹鹞、鹊鹞、黑冠鹃隼、凤头蜂鹰、领角鸮、红角鸮、鹰鸮、领鸺鹠、斑头鸺鹠、白胸翡翠、栗喉蜂虎、红隼、燕隼、游隼、红脚隼、画眉。在记录到的242种鸟类中，有156种为候鸟（包括旅鸟、冬候鸟、夏候鸟），其中列入《中华人民共和国政府和日本国政府保护候鸟及其栖息环境协定》（简称"中日候鸟保护协定"）的鸟类109种，列入《中华人民共和国政府和澳大利亚政府保护候鸟及其栖息环境的协定》（简称"中澳候鸟保护协定"）的鸟类47种。

1.小䴙䴘
Trachybaptus ruficollis

　　䴙䴘科（Podicipedidae）小䴙䴘属（*Trachybaptus*）。

　　体长25～27 cm。雌雄同色。冬夏羽不同。夏羽：上体黑褐色，部分羽毛尖端苍白色；眼先、额、上喉等黑褐色；下喉、耳羽、颈侧红栗色；初级、次级飞羽灰褐色，初级飞羽尖端灰黑

小䴙䴘

色，次级飞羽尖端白色；大覆羽、中覆羽暗灰黑色，小覆羽淡黑褐色。前胸、两胁、肛周均灰褐色，前胸羽端苍白色或白色，后胸和腹丝光白色，沾些与前胸相同的灰褐色，腋羽和翼下覆羽白色。冬羽：额淡灰褐色，头顶和后颈黑褐色，颈色较深于头，并有栗色、白色横斑；腰的两侧淡黄棕色；上体余部灰褐色。颏、喉等均白色，下喉带些黄色；颊、耳羽、颈侧等均淡黄褐色，并有白色斑纹；前胸和两胁淡黄棕色；胁部羽端黑褐色。瓣状蹼。虹膜黄色，嘴黑色，脚蓝灰色，趾尖浅色。识别特征：嘴尖细，眼睛乳黄色，善于潜水。

游禽，常见。栖息于湖泊、水塘、水渠、池塘和沼泽地带，也见于水流缓慢的江河和沿海芦苇沼泽中。多单独或成对活动，有时也集成3～5只或几十只的小群。善游泳和潜水，在陆地上亦能行走，但行动迟缓而笨拙。飞行力弱，在水面起飞时需要在水面涉水助跑一段距离才能飞起。食物主要为各种小型鱼类，也吃虾、蜻蜓幼虫、蝌蚪、甲壳类动物、软体动物和蛙等小型水生无脊椎动物和脊椎动物，偶尔也吃水草等少量水生植物。

留鸟，保护区全年可见。列入《国家保护的有重要生态、科学、社会价值的陆生野生动物名录》（以下简称"三有"名录），濒危等级LC（无危）。

2.绿翅鸭
Anas crecca

鸭科（Anatidae）鸭属（*Anas*）。

体长34～45 cm。雌雄异色。冬夏羽异色。雄鸟繁殖羽头和颈深栗色，自眼周往后有一宽阔的具有光泽的绿色带斑，自嘴角至眼有一窄的浅棕白色细纹在眼前分别向眼后绿色带斑上下缘延伸，在头侧栗色和绿色之间形成一条醒目的

绿翅鸭

分界线。上背、两肩的大部分和两胁均为黑白相间的虫蠹状细斑；下背和腰暗褐色，羽缘较淡；尾上覆羽黑褐色，具浅棕色羽缘；尾羽亦为黑褐色，但较为深暗；下体棕白色，胸部满杂以黑色小圆点，两胁具黑白相间的虫蠹状细斑，非繁殖羽似雌鸟，但翼镜前缘白色部分较宽。雌鸟上体暗褐色，具棕色或棕白色羽缘；下体白色或棕白色，杂以褐色斑点；

下腹和两胁具暗褐色斑点。翼镜较雄鸟为小，尾下覆羽白色，具黑色羽轴纹。识别特征：体型细小，雄鸟头部栗色和绿色搭配，飞翔时翅上具有翠绿色翼镜。

游禽，罕见。主要栖息在开阔、水生植物茂盛且少干扰的中小型湖泊和各种水塘中，非繁殖期栖息在开阔的大型湖泊、江河、河口、港湾、沙洲、沼泽和沿海地带。飞行疾速、敏捷有力，觅食主要在水边浅水处。主要以植物性食物为主，也吃螺、甲壳类动物、软体动物、水生昆虫和其他小型无脊椎动物。

冬候鸟，保护区11月至次年3月可见。列入"三有"名录，"中日候鸟保护协定"保护种，濒危等级LC。

3.斑嘴鸭
Anas poecilorhyncha

鸭科鸭属。

体长60 cm。雌雄同色。冬夏羽相同。从额至枕棕褐色，从嘴基经眼至耳区有一棕褐色纹；眉纹淡黄白色；眼先、颊、颈侧、颏、喉均呈淡黄白色，并缀有暗褐色斑点。上背灰褐色沾棕色，具棕白色羽缘，下背褐色；腰、尾上覆羽和尾羽黑褐色，下体自胸以下

斑嘴鸭

均淡白色，杂以暗褐色斑。虹膜黑褐色，外围橙黄色；嘴蓝黑色，具橙黄色端斑，嘴甲尖端微具黑色；跗跖和趾橙黄色，爪黑色。识别特征：体型较大，嘴黑色，先端黄色，脚橙红色。

游禽，罕见。主要栖息在内陆各类大小湖泊、水库、江河、水塘、河口、沙洲和沼泽地带，迁徙期间和冬季也出现在沿海和农田地带，常成群活动，也和其他鸭类混群。善游泳，亦善于行走，但很少潜水。主要吃植物性食物，常见的主要为水生植物的叶、嫩芽、茎和根，也吃昆虫、软体动物等。

冬候鸟，保护区11月至次年3月可见。列入"三有"名录，"中日候鸟保护协定"保护种，濒危等级LC。

4.绿头鸭
Anas platyrhynchos

鸭科鸭属。

体长50～62 cm。雌雄异色。冬夏羽相同。雄鸟头、颈绿色，具辉亮的金属光泽。颈基有一白色领环。上背和两肩褐色，密杂以灰白色波状细斑，羽缘棕黄色；下背黑褐色，腰和尾上覆羽绒黑色，微具绿色光泽；下胸和两胁灰白色，杂以细密的暗褐色波状纹；腹部淡色，亦密布暗褐色波状细斑；尾下覆羽绒黑色。

绿头鸭

雌鸟头顶至枕部黑色，具棕黄色羽缘；头侧、后颈和颈侧浅棕黄色，杂有黑褐色细纹；贯眼纹黑褐色；上体亦为黑褐色；两翅似雄鸟，具紫蓝色翼镜；颏和前颈浅棕红色，其余下体浅棕色或棕白色，杂有暗褐色斑或纵纹。虹膜棕褐色。雄鸟嘴黄绿色或橄榄绿色，嘴甲黑色，跗跖红色；雌鸟嘴黑褐色，嘴端暗棕黄色，跗跖橙黄色。识别特征：雄鸟头、颈蓝绿色，颈部有一白环，黄嘴，红脚。

游禽，罕见。主要栖息于水生植物丰富的湖泊、河流、池塘、沼泽等水域中。主要以野生植物的叶、芽、茎、水藻和种子等植物性食物为食，也吃软体动物、甲壳类动物、水生昆虫等动物性食物。

冬候鸟，保护区11月至次年3月可见。列入"三有"名录，"中日候鸟保护协定"保护种，濒危等级LC。

5.骨顶鸡
Fulica atra

秧鸡科（Rallidae）骨顶属（*Fulica*）。

体长38～43 cm。雌雄同色。冬夏羽相同。头和颈纯黑色、辉亮，上体余部及两翅石板灰黑色，向体后渐沾褐色。初级飞羽黑褐色，第一枚初级飞羽外翈边缘白色，内侧飞羽羽端白色，形成明显的白色翼斑。下体浅石板灰黑色，胸、腹中央羽色较浅，羽端苍白色；尾下覆羽黑色。嘴长度适中，高而侧扁。头具额甲，白色，端部钝圆。虹膜红褐色。嘴端灰色，基部淡肉红色。腿、脚、趾及瓣蹼橄榄绿色，爪黑褐色。识别特征：头具白色额甲，嘴白色，全身羽毛黑色，瓣状蹼。

游禽，罕见。善游泳，能潜水捕食小鱼和水草，游泳时尾部下垂，头前后摆动，遇有敌害能较长时间潜水。杂食性，但主要以植物为食，其中以水生植物的嫩芽、叶、根、茎为主，也吃昆虫、蠕虫、软体动物等。

骨顶鸡

冬候鸟、旅鸟，保护区9月至次年4月可见。"中日候鸟保护协定"保护种，濒危等级LC。

6.黑水鸡
Gallinula chloropus

秧鸡科黑水鸡属（*Gallinula*）。

体长24～35 cm。雌雄同色。冬夏羽相同。嘴黄色，嘴基与额甲红色，通体黑褐色，两胁具宽阔的白色纵纹，尾下覆羽两侧亦为白色，中间黑色，黑白分明，甚为醒目。脚黄绿色，脚上部有一鲜红色环带，亦甚醒目。游泳时身体露出水面较高，尾向上翘，露出尾后两团白斑，很远即能看见。虹膜红色，爪黄褐色。

黑水鸡

识别特征：红色额甲非常显眼，全身大部黑色，尾后有两团白斑。

游禽，常见。栖息于有挺水植物的淡水湿地、沼泽、湖泊、水库、苇塘、水渠和水稻田中，也出现于林缘和路边水渠与疏林中的湖泊沼泽地带。常成对或成小群活动。善游泳和潜水，频频游泳和潜水于临近芦苇和水草边的开阔深水面上，遇人立刻游进苇丛或草丛。主要吃水生植物嫩叶、幼芽、根茎以及水生昆虫、蠕虫、蜘蛛、软体动物和昆虫幼虫等食物，其中以动物性食物为主。

留鸟，保护区全年可见。列入"三有"名录，"中日候鸟保护协定"保护种，濒危等级LC。

7.大杜鹃
Cuculus canorus

杜鹃科（Cuculidae）杜鹃属（*Cuculus*）。

体长24～35 cm。雌雄同色。冬夏羽相同。额浅灰褐色，头顶、枕部至后颈暗银灰色，背暗灰色，腰及尾上覆羽蓝灰色，中央尾羽黑褐色，末端具有白斑，下体颏、喉、前颈、上胸，以及头侧和颈侧淡灰色，其余下体白色，并杂以黑暗褐色细窄横斑。虹膜黄色；嘴黑褐色，下嘴基部近黄色；脚棕黄色。识别特征：主要依靠鸣叫识别，叫声为"kuwoo"。

大杜鹃

攀禽，常见。喜开阔的有林地带及大片芦苇地，有时停在电线上找寻大苇莺的巢。栖息于开阔林地，特别在近水的地方。常晨间鸣叫，连续鸣叫半小时方稍停息。性懦怯，常隐伏在树叶间。平时仅听到鸣声，很少见到。飞行急速，循直线前进，在停落前，常滑翔一段距离。取食鳞翅目幼虫、甲虫、蜘蛛、螺类等。食量大，对消除害虫起相当作用。

旅鸟，保护区4、5月和9、10月可见。列入"三有"名录，"中日候鸟保护协定"保护种，濒危等级LC。

8.噪鹃
Eudynamys scolopacea

杜鹃科噪鹃属（*Eudynamys*）。

体长37～43 cm。雌雄异色。冬夏羽相同。雄鸟通体蓝黑色，具蓝色光泽，下体沾绿。雌鸟上体暗褐色，略具金属绿色光泽，并满布整齐的白色小斑点，头部白色小斑点略沾皮黄色，且较细密，常呈纵纹头状排列。背、翅上覆羽及飞羽，以及尾羽常呈横斑状排列。颏至上胸黑色，密被粗的白色斑点。其余下体具黑色横斑。虹膜深红色，鸟喙白色至土黄色或浅绿色，基部较灰暗。脚蓝灰色。识别特征：体型较大，雌鸟全身密布白色杂斑；叫声似"苦哇""苦哇"。

攀禽，常见。栖息于山地、丘陵、山脚平原地带林木茂盛的地方、稠密的红树林、次生林、森林、园林及人工林中。一般多栖息在海拔1000 m以下，也常出现在村寨和耕地附近的高大树上。多单独活动。常隐蔽于大树顶层茂盛的枝叶丛中，一般仅能听见其声而不见

噪鹃

其影。若不鸣叫，很难发现。主要以榕树、芭蕉、无花果等植物的果实、种子和昆虫为食物。

旅鸟，保护区4、5月和10、11月可见。列入"三有"名录，濒危等级LC。

9.绿嘴地鹃

Phaenicophaeus tristis

杜鹃科地鹃属（*Phaenicophaeus*）。

体长44～60 cm。雌雄同色。冬夏羽相同。嘴粗厚而大，呈绿色，嘴峰甚弯曲，眼周裸露无羽呈红色。翅短圆，尾特长，凸尾。跗跖较粗长，善奔走，爪甚弯曲。头顶至上背淡绿灰色，头顶杂有黑色纵纹。眼先黑色；眼周裸区红色；额侧及鼻孔至耳后和眼下缀有白色。背中部、三级飞羽、翼上覆羽及尾上覆羽暗金

绿嘴地鹃

属绿色，其余上体、翅和尾暗蓝绿色或暗绿色。尾具白色端斑。颏至胸淡棕灰色，上胸以上具黑色羽干纹，下胸、腹和翅下覆羽暗灰棕色，腹以后灰色。识别特征：嘴绿色，眼周红色。

攀禽，罕见。喜栖于原始林、次生林及人工林中枝叶稠密和藤条缠结处。主要以象甲、金龟甲、蜻象、毛虫、蝗虫等鞘翅目昆虫和鳞翅目幼虫为食，也吃蜘蛛和其他小型无

脊椎动物，偶尔也吃植物果实和种子。

留鸟，保护区全年可见。列入"三有"名录，濒危等级NT（近危）。

10.褐翅鸦鹃
Centropus sinensis

杜鹃科鸦鹃属（Centropus）。

体长50～55 cm。雌雄同色。冬夏羽相同。黑色的嘴较为粗厚，尾羽呈长而宽的凸状。通体除翅和肩部外全为黑色，头、颈和胸部闪耀紫蓝色的光泽，胸、腹、尾部等逐渐转为绿色的光泽。两翅为栗褐色，肩和肩的内侧为栗色。识别特征：头黑色，翅膀棕栗色。

攀禽，常见。主要栖息于

褐翅鸦鹃

1000 m以下的低山丘陵和平原地区的林缘灌丛、稀树草坡、河谷灌丛、草丛和芦苇丛中，也出现于靠近水源的村边灌丛和竹丛等地方，但很少出现在开阔的地带。喜欢单个或成对活动，很少成群。平时多在地面活动，休息时也栖息于小树枝丫，或在芦苇顶上晒太阳，尤其在雨后。食性较杂，主要以毛虫、蝗虫、蚱蜢、象甲、蜚蠊、蚁和蜂等昆虫为食，也吃蜈蚣、蟹、螺、蚯蚓、甲壳类、软体动物等其他无脊椎动物，以及蛇、蜥蜴、鼠类和雏鸟等脊椎动物，有时还吃一些杂草种子和果实等植物性食物。

留鸟，保护区全年可见。列入"三有"名录，濒危等级LC。

11.黑脸琵鹭
Platalea minor

鹮科（Threskiornithidae）琵鹭属（*Platalea*）。

体长62～70 cm。雌雄同色。冬夏羽不同。通体白色，嘴基、额、脸、眼先、眼周往下一直到喉全裸露无羽，黑色。嘴长而直，上下扁平，先端扩大成匙状，黑色，且和头前部黑色连为一体。繁殖期间头后枕部有长而呈发丝状的金黄色冠羽，前颈下面和上胸有1条宽的黄色颈环；非繁殖期冠羽较短，不为黄色，前颈下部亦无黄色颈环。虹膜深红色或血红色，嘴和脚黑色。幼鸟似成鸟冬羽，但嘴为暗红褐色，初级飞羽外缘端部黑色。识别特征：嘴长而直，黑色，上下扁平，先端扩大成匙状；脚较长，黑色，胫下部裸出；额、喉、脸、眼周和眼先全为黑色，且与嘴的黑色融为一体；羽毛均为白色。

黑脸琵鹭

涉禽，罕见。用小铲子一样的长喙插进水中，半张着嘴，在浅水中一边涉水前进一边左右晃动头部扫荡，通过触觉捕捉到水底层的鱼、虾、蟹、软体动物、水生昆虫和水生植物等各种生物，捕到后就把长喙提到水面外边，将食物吞吃。

冬候鸟，保护区11月至次年3月可见。国家一级保护动物，"中日候鸟保护协定"保护种，濒危等级EN（濒危）。

12.池鹭
Ardeola bacchus

鹭科（Ardeidae）池鹭属（*Ardeola*）。

体长47～52 cm。雌雄同色。冬夏羽不同。夏羽头、头侧、长的羽冠、颈和前胸与胸侧栗红色，羽端呈分枝状；冠羽甚长，一直延伸到背部，背、肩部羽毛也甚长，呈披针形，蓝黑色，一直延伸到尾；尾短，圆形，白色。颏、喉白色，前颈有1条白线，从下嘴下面一直沿前颈向下延伸。下颈有长的栗褐色丝状羽悬垂于

池鹭

胸。腹、两胁、腋羽、翼下覆羽和尾下覆羽以及两翅全为白色。冬羽头顶白色而具密集的褐色条纹，颈淡皮黄白色而具厚密的褐色条纹，背和肩羽较夏羽为短，暗黄褐色，胸为淡皮黄白色而具密集粗壮的褐色条纹，其余似夏羽。虹膜黄色，嘴黄色，尖端黑色，基部蓝

色，脸和眼先裸露皮肤黄绿色，脚和趾暗黄色。识别特征：飞行时飞羽白色，其他部位栗色（夏季）或褐色（冬季）。

涉禽，常见。通常栖息于稻田、池塘、湖泊、水库和沼泽湿地等水域，有时也见于水域附近的竹林和树上，常单独或成小群活动，有时也集成多达数十只的大群，性较大胆。以动物性食物为主，包括鱼、虾、螺、蛙、泥鳅、水生昆虫、蝗虫等，兼食少量植物性食物。

留鸟，保护区全年可见。列入"三有"名录，"中日候鸟保护协定"保护种，濒危等级LC。

13.牛背鹭
Bubulcus ibis

鹭科牛背鹭属（*Bubulcus*）。

体长46～55 cm。雌雄同色。冬夏羽异色。夏季前颈基部和背中央具羽枝分散成发状的橙黄色长形饰羽，前颈饰羽长达胸部，背部饰羽向后长达尾部，尾羽和其余体羽白色。冬羽通体全白色，个别头顶缀有黄色，无发丝状饰羽。虹膜金黄色，嘴、眼先、眼周裸露皮肤黄色，跗跖和趾黑色。识别特征：夏季头部羽毛橙黄色，嘴黄色，腿黑色。

牛背鹭

涉禽，常见。常成对或结成3～5只的小群活动，有时亦单独活动或集成数十只的大群。休息时喜欢站在树梢上，颈缩成S形。常伴随牛活动，喜欢站在牛背上或跟随在耕田的牛后面啄食翻耕出来的昆虫和牛背上的寄生虫。性活跃而温驯，不甚怕人，活动时寂静无声。飞行时头缩到背上，颈向下突出像一个喉囊，飞行高度较低，通常呈直线飞行。主要以蝗虫、蚂蚱、蜚蠊、蟋蟀、蝼蛄、螽斯、牛虻、金龟子、地老虎等昆虫为食，也食蜘蛛、黄鳝、蚂蟥和蛙等其他动物性食物，其中主要食水牛及家畜从草地上引来的昆虫，兼食鱼、蛙。

留鸟，保护区全年可见。列入"三有"名录，"中日候鸟保护协定"和"中澳候鸟保护协定"保护种，濒危等级LC。

14.白鹭
Egretta garzetta

鹭科白鹭属（*Egretta*）。

体长52～67 cm。雌雄同色。冬夏羽不同。全身白色。繁殖期枕部着生两根狭长而软的矛状饰羽。背和前颈亦着生长的蓑羽。眼睑粉红色。冬羽全身为乳白色，但头部冠羽，肩、背和前颈的蓑羽或矛状饰羽均消失，仅个别前颈矛状饰羽还残留少许。虹膜黄色，嘴黑色，眼先裸出部分夏季粉红

白鹭

色，冬季黄绿色，胫和跗跖黑绿色，趾黄绿色，爪黑色。识别特征：全身羽毛白色，嘴黑色，脚趾黄色。

涉禽，常见。喜集群，常结成3～5只或10余只的小群活动于浅水处。常一脚站立于水中，另一脚曲缩于腹下，头缩至背上呈驼背状，长时间呆立不动。行走时步履轻盈、稳健，显得从容不迫。飞行时头往回缩至肩背处，两脚向后伸直，远远突出于尾后，两翅缓慢地鼓动飞翔。以各种小鱼、黄鳝、泥鳅、蛙、虾、水蛭、蜻蜓幼虫、蝼蛄、蟋蟀、蚂蚁、蛴螬、鞘翅目及鳞翅目幼虫、水生昆虫等动物性食物为食，也吃少量谷物等植物性食物。

留鸟，保护区全年可见。列入"三有"名录，"中日候鸟保护协定"保护种，濒危等级VU。

15.中白鹭
Egretta intermedia

鹭科白鹭属。

体长62～70 cm。雌雄同色。冬夏羽相同。全身白色，夏羽背部有一列长的蓑状饰羽，向后超过尾端，头后有不甚明显的冠羽，胸部亦有1簇长的羽枝分散的蓑状饰羽。冬羽无蓑状饰羽和冠羽。虹膜黄色，嘴黑色（冬季嘴黄色，嘴尖黑色），眼先裸露皮肤绿黄色；脚和趾黑色。识别特征：个体大小介于大白鹭和白鹭之间，略较白鹭为大；嘴和颈相对较白鹭短。夏季嘴全黑，眼先黄色，冬季嘴黄色，嘴尖黑色；脚和趾黑色。

涉禽，少见。栖息和活动于河流、湖泊、沼泽、河口、海边和水塘岸边浅水处及河滩上，也常在沼泽和水稻田中活动。以鱼、虾、蛙、蝗虫、蝼蛄等水生动物和陆生昆虫及其幼虫，以及其他小型无脊椎动物或小蛇、蜥蜴等为食。沿水边浅水处轻轻涉水觅食，或者静立于浅水中或水边等待猎物

中白鹭

到来，然后突然以快速而准确的动作捕食。吃饱后常在岸边或田埂上缩着颈、单脚伫立地休息。

留鸟，保护区全年可见。列入"三有"名录，"中日候鸟保护协定"和"中澳候鸟保护协定"保护种，濒危等级VU。

16.苍鹭
Ardea cinerea

鹭科鹭属（*Ardea*）。

体长85～100 cm。雌雄同色。冬夏羽相同。头顶中央和颈白色，头顶两侧和枕部黑色。羽冠由4根细长的羽毛形成，分为2条位于头顶和枕部两侧，状若辫子，黑色，前颈中部有2～3列纵行黑斑。上体自背至尾上覆羽苍灰色，尾羽暗灰色，两肩有长尖而下垂的苍灰色羽毛，羽端分散，呈白色或近白色。初级飞羽、初级覆羽、外侧次级飞羽黑

苍鹭

灰色，内侧次级飞羽灰色，大覆羽外侧浅灰色，内侧灰色；中覆羽、小覆羽浅灰色，三级飞羽暗灰色，亦具长尖而下垂的羽毛。颏、喉白色，颈的基部有呈披针形的灰白色长羽披散在胸前。胸、腹白色；前胸两侧各有1块大的紫黑色斑，沿胸、腹两侧向后延伸，在肛周

处汇合。两胁微缀苍灰色。腋羽及翼下覆羽灰色，腿部羽毛白色。识别特征：个体巨大，身体大部苍灰色。

涉禽，常见。栖息于江河、溪流、湖泊、水塘等水域岸边及其浅水处，也见于沼泽、稻田、山地、森林和平原荒漠上的水边浅水处。主要以小型鱼类、泥鳅、虾、蜻蜓幼虫和其他昆虫、蜥蜴、蛙等动物性食物为食。

留鸟，保护区全年可见。列入"三有"名录，"中日候鸟保护协定"和"中澳候鸟保护协定"保护种，濒危等级VU。

17.火斑鸠
Streptopelia tranquebarica

鸠鸽科（Columbidae）斑鸠属（*Streptopelia*）。

体长23 cm。雌雄异色。冬夏羽相同。雄鸟额、头顶至后颈蓝灰色，头侧和颈侧亦为蓝灰色，但稍淡。颏和喉上部白色或蓝灰白色，后颈有一黑色领环横跨在后颈基部，并延伸至颈两侧。背、肩、翅上覆羽和三级飞羽葡萄红色，腰、尾上覆羽和中央尾羽暗蓝灰色，其余尾羽灰黑色，具宽阔的白色端斑。最外侧尾羽外翈

火斑鸠

白色；飞羽暗褐色。喉至腹部淡葡萄红色，尾下覆羽白色。两胁、覆腿羽、肛周、翅下覆羽和腋羽均蓝灰色。雌鸟额和头顶淡褐色而沾灰色，后颈基处黑色领环较细窄，不如雄鸟明显，且黑色颈环外缘以白边。其余上体深土褐色，腰部缀有蓝灰色。下体浅土褐色，略带粉红色。颏和喉白色或近白色。下腹、肛周和尾下覆羽淡灰色或蓝白色。虹膜暗褐色，嘴黑色，基部较浅淡，脚褐红色，爪黑褐色。识别特征：雄鸟全身大部褐红色，头部青灰色，颈部有黑色横纹。

陆禽，常见。栖息于开阔的平原、田野、村庄、果园和山麓疏林及宅旁竹林地带，也出现于低山丘陵和林缘地带。主要以植物种子和果实为食，也吃稻谷、玉米、荞麦、小麦、高粱、油菜籽等农作物种子，有时也吃白蚁、蛹和其他昆虫等动物性食物。

冬候鸟，保护区10月至次年4月可见。列入"三有"名录，濒危等级LC。

18.山斑鸠
Streptopelia orientalis

鸠鸽科斑鸠属。

体长30～38 cm。雌雄同色。冬夏羽相同。雌雄相似。前额和头顶前部蓝灰色，头顶后部至后颈转为沾栗色的棕灰色，颈基两侧各有1块羽缘为蓝灰色的黑羽，形成显著黑灰色颈斑。上背褐色，各羽缘以红褐色；下背和腰蓝灰色，尾上覆羽和尾同为褐色，具蓝灰色羽端，愈向外侧蓝灰色羽端愈宽阔。最外侧尾羽外翈灰白

山斑鸠

色。肩和内侧飞羽黑褐色，具红褐色羽缘；外侧中覆羽和大覆羽深石板灰色，羽端较淡；飞羽黑褐色，羽缘较淡。下体为葡萄酒红褐色，颏、喉棕色沾染粉红色，胸沾灰色，腹淡灰色，两胁、腑羽及尾下覆羽蓝灰色。虹膜金黄色或橙色，嘴铅蓝色，脚洋红色，爪角褐色。识别特征：上体具显眼的黑色、棕色相间的花纹，颈部有黑灰色颈斑。

陆禽，常见。常成对或结成小群活动，在地面活动时十分活跃，常小步迅速前进，边走边觅食，头前后摆动。飞翔时两翅鼓动频繁，直而迅速。有时亦滑翔，特别是从树上往地面飞行时。鸣声低沉，其声似"ku-ku-ku"，重复多次。主要吃各种植物的果实、种子、嫩叶、幼芽，也吃农作物，如稻谷、玉米、高粱、小米、黄豆、绿豆、油菜籽等，有时也吃鳞翅目幼虫、甲虫等昆虫。觅食多在林下地上、林缘和农田耕地。

冬候鸟，保护区10月至次年3月可见。列入"三有"名录，"中日候鸟保护协定"保护种，濒危等级LC。

19.珠颈斑鸠
Spilopelia chinensis

鸠鸽科珠颈斑鸠属（*Spilopelia*）。

体长27～34 cm。雌雄同色。冬夏羽相同。前额淡蓝灰色，到头顶逐渐变为淡粉红灰色；枕部、头侧和颈粉红色，后颈有一大块黑色领斑，其上布满白色或黄白色珠状似的细小斑点，上体余部褐色，羽缘较淡。中央尾羽与背同色，但较深些；外侧尾羽黑色，具宽

阔的白色端斑。翼缘、外侧小覆羽和中覆羽蓝灰色，其余覆羽较背为淡。飞羽深褐色，羽缘较淡。颏白色，头侧、喉、胸及腹粉红色；两胁、翅下覆羽、腋羽和尾下覆羽灰色。雌鸟羽色和雄鸟相似，但不如雄鸟辉亮、较少光泽。虹膜褐色，嘴深角褐色，脚和趾紫红色，爪角褐色。识别特征：颈部有珍珠状白色斑点，因此得名。

珠颈斑鸠

陆禽，常见。栖息于有稀疏树木生长的平原、草地、低山丘陵和农田地带、杂木林、竹林及地边树上或住家附近。常成小群活动，有时也与其他斑鸠混群活动。常三三两两分散栖于相邻的树枝头。栖息环境较为固定，如无干扰，可以较长时间不变。觅食多在地上，受惊后立刻飞到附近树上。飞行快速，但不能持久。飞行时两翅扇动较快。鸣声响亮，鸣叫时作点头状，鸣声似"Ku-Ku-u-ou"，反复重复鸣叫。主要以植物种子为食。

留鸟，保护区全年可见。列入"三有"名录，"中日候鸟保护协定"保护种，濒危等级LC。

20.普通翠鸟
Alcedo atthis

翠鸟科（Alcedinidae）翠鸟属（*Alcedo*）。

体长16 cm。雌雄同色。冬夏羽相同。上体金属浅蓝绿色，体羽艳丽而具光辉，头顶布满暗蓝绿色和艳翠蓝色细斑。眼下和耳后颈侧白色，体背灰翠蓝色，肩和翅暗绿蓝色，翅上杂有翠蓝色斑。喉部白色，胸部以下呈鲜明的栗棕色。颈侧具白色点斑；下体橙棕色，颏白色。橘黄色条带横贯眼部及耳羽。雄鸟上嘴黑色，下嘴红色。虹膜褐

普通翠鸟

色，下颚橘黄色（雌鸟），脚红色。识别特征：体羽艳丽而具光辉，下体橙棕色。

攀禽，常见。栖息于有灌丛或疏林、水清澈而缓流的小河、溪涧、湖泊以及灌溉渠等水域。常单独活动，一般多停息在河边树桩和岩石上，有时也在临近河边小树的低枝上停息。经常长时间一动不动地注视着水面，一见水中鱼虾，立即以极为迅速而凶猛的姿势扎入水中用嘴捕取。有时亦鼓动两翼悬浮于空中，低头注视着水面，见有食物即刻直扎入水中，很快捕获而去。通常将猎物带回栖息地，在树枝上或石头上摔打，待猎物死后，再整个吞食。有时也沿水面低空直线飞行，飞行速度甚快，常边飞边叫。

留鸟，保护区全年可见。列入"三有"名录，濒危等级LC。

21.栗喉蜂虎
Merops philippinus

蜂虎科（Meropidae）蜂虎属（*Merops*）。

体长25～30 cm。雌雄异色。冬夏羽相同。眼先、覆耳羽黑色；其下以及一狭形眉纹淡蓝绿色；自额至背及翅表辉绿色；头顶至背草绿色沾黄色，宽阔的黑色贯眼纹由额经眼先和眼到耳覆羽，黑色贯眼纹上下又各有一窄的浅蓝色狭纹。腰和尾上覆羽鲜蓝色，尾蓝绿色，中央尾羽延长且较狭细，尖端突出38～45 cm，突出的尖

栗喉蜂虎

端部分为黑色。肩和两翅表面草绿色，翅上覆羽、初级飞羽和外侧次级飞羽铜绿色。内侧飞羽蓝色，尖端黑色，外侧飞羽亦具黑端。颏和上喉黄色，下喉和上胸栗色；下胸、腹草绿色，下腹至尾下覆羽蓝色，腋羽和翅下覆羽栗黄色。虹膜红色，嘴黑色，跗跖灰褐色，爪黑褐色。识别特征：背部绿色，喉部栗色，尾羽延长。

鸣禽，常见。多结成数只至数十只的群体活动，繁殖期间亦见有单独或成对活动的。动作灵敏，常在飞行时凌空捕捉猎物。结群聚于开阔地捕食。栖于裸露树枝或电线，以昆虫为食，喜欢开阔原野，在土崖挖穴为巢，常常成大群一起筑巢，形成壮观的群巢。较其他蜂虎类更喜在空中捕食。雄性从白天到晚上多在农田等开阔地上空飞翔捕食。有时可见一群蜂虎吱吱喳喳从头顶高飞而过。

夏候鸟，保护区4—11月可见。国家二级保护动物，列入"三有"名录，"中日候鸟保护协定"保护种，濒危等级VU。

22.蛇雕
Spilornis cheela

鹰科（Accipitridae）蛇雕属（*Spilornis*）。

体长67～73 cm。雌雄同色。冬夏羽相同。前额白色，头顶黑色，羽基白色；枕部有大而显著的黑色冠羽，其上有白色横斑。上体灰褐色至暗褐色，具窄的白色或淡棕黄色羽缘；尾上覆羽具白色尖端，尾黑色，具1条宽阔的白色或灰白色中央横带和窄的白色尖端；翅上小覆羽褐色或暗褐色，具白色斑点，飞羽黑色，具白色端斑和淡褐色横

蛇雕

斑。喉和胸灰褐色或黑色，具淡色或暗色虫蠹状斑；其余下体灰皮黄色或棕褐色，具丰富的白色圆形细斑。翼下覆羽和腋羽皮黄褐色，亦被白色圆形细斑。幼鸟头顶和羽冠白色，具黑色尖端，贯眼纹黑色，背暗褐色，杂有白色斑点。下体白色，喉和胸具暗色羽轴纹，覆腿羽具横斑，尾灰色，具2道宽阔的黑色横斑和黑色端斑。虹膜黄色，嘴蓝灰色，先端较暗，蜡膜铅灰色或黄色，跗跖裸出，被网状鳞，黄色，趾亦为黄色，爪黑色。识别特征：体型较大的老鹰，尾羽黑白黑相间，全身羽毛大部黑色，杂有白色点斑。

鸣禽，常见。蛇雕栖息和活动于山地森林及其林缘开阔地带，单独或成对活动。常在高空翱翔和盘旋，停飞时多栖息于较开阔地区的枯树顶端枝杈上。叫声凄凉。主要以各种蛇类为食，也吃蜥蜴、蛙、鼠类、鸟类和甲壳类动物。

留鸟，保护区全年可见。国家二级保护动物，濒危等级LC。

23.褐耳鹰
Accipiter badius

鹰科鹰属（*Accipiter*）。

体长31～44 cm。雌雄异色。冬夏羽相同。雄鸟上体浅蓝灰色，与黑色的初级飞羽成对比，喉白色并具浅灰色纵纹，胸及腹部具棕色及白色细横纹，后颈有1条红褐色的领圈，其余下体具淡红褐色和白色横斑；4枚中央尾羽为淡灰色，具黑色亚端斑和白色尖端，其余尾羽具灰色、黑色横斑和白色端斑。飞行时从上面看，黑色的初级飞羽与淡色的翅膀和体羽形成鲜明的对照；从下面看，淡红褐色的下体与白色的喉和黑色的翅尖也很醒目。雌鸟

似雄鸟，但背褐色，喉灰色较浓。虹膜金黄色；嘴石板蓝色，尖端黑色，基部较淡，嘴角黄色，蜡膜亮黄色至橙色；脚和趾黄色，爪黑色。识别特征：上体浅蓝灰色与黑色的初级飞羽成对比，喉白色并具浅灰色纵纹，胸及腹部具棕色及白色细横纹。雌鸟背褐色，喉灰色较浓。

猛禽，罕见。栖息于山地和平原森林中，以及有稀疏树木的农田、草地、草原和荒漠地带，常在林中或林缘河流、湖泊等水边地带活动。主要以小鸟、蛙、蜥蜴、鼠类和大的昆虫等动物性食物为食。多在林缘和农田边缘上面的低空飞行，发现地面上的猎物后马上俯冲下来捕食，但很少追捕飞行中的鸟类。

留鸟，保护区全年可见。国家二级保护动物，濒危等级LC。

褐耳鹰

24.日本松雀鹰
Accipiter gularis

鹰科鹰属。

体长23～33 cm。冬夏羽相同。雌性体型略大。整个头顶至后颈石板黑色，头顶缀有棕褐色；眼先白色；头侧、颈侧和其余上体暗灰褐色；颈项和后颈基部羽毛白色；肩和三级飞羽基部有白斑，其中以三级飞羽基部白斑较大；尾和尾上覆羽灰褐色，尾具4道黑褐色横斑。额和喉白色，具1条宽阔的黑褐色中央纵纹；胸和两胁白色，具宽而粗著的灰栗色横斑；腹白色，具灰褐色横斑；覆腿羽白色，亦具灰褐色横斑。尾下覆羽白色，具少许断裂的暗灰褐色横斑。识别特征：体型细小的老鹰，与鸽子体型相近。雄性尾部往往有缺刻。

日本松雀鹰

猛禽，常见。主要栖息于山地针叶林和混交林中，也出现在林缘和疏林地带，是典型的森林猛禽。白天活动，喜欢出入林中溪流和沟谷地带。

旅鸟，保护区9—11月可见。国家二级保护动物，"中日候鸟保护协定"保护种，濒危等级LC。

25.松雀鹰
Accipiter virgatus

鹰科鹰属。

体长28～38 cm。冬夏羽相同。整个头顶至后颈石板黑色，头顶缀有棕褐色；眼先白色；头侧、颈侧和其余上体暗灰褐色；颈项和后颈基部羽毛白色；肩和三级飞羽基部有白斑，尾和尾上覆羽灰褐色，尾具4道黑褐色横斑。颏和喉白色，具1条宽阔的黑褐色中央纵纹；胸和两胁白色，具宽而粗著的灰栗色横斑；腹白色，

松雀鹰

具灰褐色横斑；覆腿羽白色，亦具灰褐色横斑。尾下覆羽白色，具少许断裂的暗灰褐色横斑。虹膜、蜡膜和脚黄色，嘴基部铅蓝色，尖端黑色。识别特征：雄性腹部具棕红色横纹，尾部具黑白相间横斑。

猛禽，罕见。常单独或成对在林缘和丛林边等较为空旷处活动和觅食。性机警。常站在林缘高大的枯树顶枝上，等待和偷袭过往小鸟，并不时发出尖利的叫声，飞行迅速，亦善于滑翔。以各种小鸟为食，也吃蜥蜴，蝗虫、蚱蜢、甲虫及其他昆虫和小型鼠类，有时甚至捕杀鹌鹑和鸠鸽类中的小型鸟类。

留鸟，保护区全年可见。国家二级保护动物，濒危等级LC。

26.黑鸢
Milvus migrans

鹰科鸢属（Milvus）。

体长54～69 cm。雌雄同色。冬夏羽相同。前额基部和眼先灰白色，耳羽黑褐色，头顶至后颈棕褐色，具黑褐色羽干纹。上体暗褐色，微具紫色光泽和不甚明显的暗色细横纹和

淡色端缘，尾棕褐色，呈浅叉状，其上具宽度相等、呈相间排列的黑色和褐色横带，尾端具淡棕白色羽缘；翅上中覆羽和小覆羽淡褐色，具黑褐色羽干纹；初级覆羽和大覆羽黑褐色，初级飞羽黑褐色，外侧飞羽内蹼基部白色，形成翼下一大型白色斑，飞翔时极为醒目。次级飞羽暗褐色，具不甚明显的暗色横斑；下体颏、颊和喉灰白色，具细的暗褐色羽干纹；胸、腹及两胁暗

黑鸢

棕褐色，具粗著的黑褐色羽干纹，下腹至肛部羽毛稍浅淡，呈棕黄色，几无羽干纹或羽干纹较细，尾下覆羽灰褐色，翅上覆羽棕褐色。幼鸟全身大都栗褐色，头、颈大多具棕白色羽干纹；胸、腹具宽阔的棕白色纵纹，翅上覆羽具白色端斑，尾上横斑不明显，其余似成鸟。虹膜暗褐色；嘴黑色，蜡膜和下嘴基部黄绿色；脚和趾黄色或黄绿色，爪黑色。识别特征：尾巴内凹，飞行时翼下有明显白色区域。

猛禽，罕见。栖息于开阔平原、草地、荒原和低山丘陵地带，也常在城郊、村屯、田野、港湾、湖泊上空活动，偶尔出现在海拔2000 m以上的高山森林和林缘地带。主要以小鸟、鼠类、蛇、蛙、鱼、野兔、蜥蜴和昆虫等动物性食物为食，偶尔也吃家禽和腐尸。觅食主要通过敏锐的视觉，通常通过在空中盘旋来观察和觅找食物，当发现地面猎物时，即刻迅速俯冲直下，扑向猎物，用利爪抓劫而去，飞至树上或岩石上啄食。

旅鸟，保护区4、5月和9、10月可见。国家二级保护动物，濒危等级LC。

27.褐冠鹃隼
Aviceda jerdoni

鹰科鹃隼属（*Aviceda*）。

体长46～48 cm。雌雄同色。冬夏羽相同。头顶红褐色且具黑色纵条纹。头顶有由2～3枚羽毛构成的长黑色冠羽，常常垂直地竖立于头上，尖端为白色，特点非常鲜明。眼先、头侧灰色。上体褐色，喉部白色，中央具黑色纵纹，其余下体棕褐色，具宽阔的白色和红褐色横斑。飞羽上具宽阔的暗灰色和黑色横带。尾羽灰褐色，具2～3道宽阔的暗色横斑和宽的暗色亚端斑。识别特征：翅膀宽、大，腹部有规则的褐白相间横纹，黑色喉中线。

猛禽，罕见。栖息于山地森林和林缘地区，通常单独活动，主要在白天活动，尤以早

晨和黄昏较为频繁，常出没于茂密的森林中。在天空中翱翔，飞速缓慢。叫声低沉。主要以蜥蜴、蛙、蝙蝠、昆虫等小型动物为食。

旅鸟，保护区4、5月和10、11月可见。国家二级保护动物，"中日候鸟保护协定"保护种，濒危等级VU。

褐冠鹃隼

28.灰脸𫛪鹰
Butastur indicus

鹰科𫛪鹰属（*Butastur*）。

体长39～46 cm。雌雄同色。冬夏羽相同。上体暗棕褐色，翅上的覆羽也是棕褐色；尾羽为灰褐色，与其他2种𫛪鹰的棕色尾羽不同，而且上面具有3道宽的黑褐色横斑；脸颊和耳区灰色，眼先和喉部均白色，较为明显，喉部还具有宽的黑褐色中央纵纹；胸部以下白色，具有较密的棕褐色横斑。嘴黑色，嘴基部和蜡膜橙黄色；

灰脸𫛪鹰

跗跖和趾黄色，爪角黑色。识别特征：飞行时翅膀前缘和后缘均平直，5翼指，喉中线明显，尾部具3道宽阔黑色横纹。

猛禽，常见。迁徙期间成大群，有时数量可达上百只。白天在森林的上空盘旋、在低空飞行，或者呈圆圈状翱翔，有时也栖止于沼泽地中枯死的大树顶端或空旷地的孤立枯树枝上，或者在地面上活动。性情较为胆大，叫声响亮，有时也飞到城镇和村屯内捕食。主要以小型蛇类、蛙、蜥蜴、鼠类、松鼠、野兔、狐狸和小鸟等动物性食物为食，有时也吃大的昆虫和动物尸体。觅食主要在早晨和黄昏。觅食方法主要是栖于空旷地的孤立树梢上，两眼注视着地面，发现猎物时才突然冲下来扑向猎物。有时也在低空飞翔捕食，或在地上徘徊觅找和捕猎食物。

旅鸟，保护区9—11月可见。国家二级保护动物，濒危等级VU。

29.凤头蜂鹰
Pernis ptilorhynchus

鹰科蜂鹰属（*Pernis*）。

体长50～60 cm。雌雄同色。冬夏羽相同。头顶暗褐色至黑褐色，头侧具短而硬的鳞片状羽毛，而且较为厚密，是其特征之一。头的后枕部通常具短的黑色羽冠，显得与众不同。虹膜金黄色或橙红色，非常美丽。嘴黑色，脚和趾为黄色，爪黑色。上体通常为黑褐色，头侧灰色，喉部白色，具黑色的中央斑纹；其余下体棕褐色或栗

凤头蜂鹰

褐色，具有淡红褐色和白色相间排列的横带和粗著的黑色中央纹。初级飞羽暗灰色，尖端黑色，翼下飞羽白色或灰色，具黑色横带，尾羽灰色或暗褐色，具3～5条暗色宽带斑及灰白色的波状横斑。凤头蜂鹰的体色变化较大，但通过头侧短而硬的鳞片状羽和尾羽的数条暗色宽带斑，可以同其他猛禽相区别。它的羽冠看上去像在头顶戴了一尊"凤冠"，凤头蜂鹰之名就是由此而来的。识别特征：翅膀宽、大，飞行时呈长方形，6翼指，头细小，与肥壮的身材对比明显。

猛禽，常见。栖息于森林地带。飞行具特色，振翼几次后便做长时间滑翔，两翼平伸翱翔高空。有偷袭蜜蜂巢及黄蜂巢的怪习。嗜食蜂蜜、蜂蛹，也捕食小型鼠类、小型爬行类动物及昆虫等。常单独活动于森林边缘，到村庄农田、果园等处觅食。

旅鸟，保护区9—11月可见。国家二级保护动物，"中日候鸟保护协定"保护种，濒危等级LC。

30.普通鵟
Buteo buteo

鹰科鵟属（*Buteo*）。

体长50～60 cm。雌雄同色。冬夏羽相同。上体多呈灰褐色，羽缘白色，微缀紫色光泽；头具窄的暗色羽缘；尾羽暗灰褐色，具数道不清晰的黑褐色横斑和灰白色端斑，羽基白色而沾棕色。外侧初级飞羽黑褐色，内翈基部和羽缘污白色或乳黄白色，并缀有赭色斑；内侧飞羽黑褐色，内翈基部和羽缘白色，展翅时形成显著的翼下大型白斑，飞羽内外

翈均具暗色或棕褐色横斑；翅上覆羽通常为浅黑褐色，羽缘灰褐色。下体乳黄白色，颏和喉部具淡褐色纵纹，胸和两胁具粗的棕褐色横斑和斑纹，腹近乳白色，有的被细的淡褐色斑纹，腿覆羽黄褐色，缀暗褐色斑纹，肛区和尾下覆羽乳黄白色而微具褐色横斑。识别形态：头短圆，翼下大部白色，有显眼的黑色腕斑。

普通鵟

　　猛禽，罕见。常见在开阔平原、荒漠、旷野、开垦的耕作区、林缘草地和村庄上空盘旋翱翔。多单独活动，有时亦见2～4只在天空盘旋。主要在白天活动。主要以各种鼠类为食。

　　旅鸟，保护区4、5月和10、11月可见。国家二级保护动物，"中日候鸟保护协定"保护种，濒危等级LC。

31.白腹鹞
Circus spilonotus

鹰科鹞属（*Circus*）。

体长50～60 cm。雌雄异色。冬夏羽相同。雄鸟头顶至上背白色，具宽阔的黑褐色纵纹。上体黑褐色，具污灰白色斑点，外侧覆羽和飞羽银灰色，初级飞羽黑色，尾上覆羽白色，尾银灰色，外侧尾羽内翈白色。下体近白色，微缀皮黄色，喉和胸具黑褐色纵纹。雌鸟暗褐色，头顶至后颈皮黄白色，具锈色纵纹；飞

白腹鹞

羽暗褐色，尾羽黑褐色，外侧尾羽内翈肉桂色。幼鸟暗褐色，头顶和喉皮黄白色。识别特征：翼窄长，飞行时常上扬呈V字形。雄鸟头黑腹白，雌鸟腹部深棕色。

猛禽，少见。喜好沼泽、芦苇塘、江河与湖泊沿岸等较潮湿而开阔的地方。白天活动，性机警而孤独，常单独或成对活动。多见于沼泽和芦苇上空低空飞行，两翅向上举成浅V字形，缓慢而长时间地滑翔，偶尔扇动几下翅膀。栖息时多在地上或低的土堆上，主要以小型鸟类、啮齿类动物、蛙、蜥蜴、小型蛇类和大的昆虫为食，有时也在水面捕食各种中小型水鸟，如䴙䴘、野鸭，以及地上的雉类、鹑类和野兔等动物。

旅鸟，保护区9—11月可见。国家二级保护动物，濒危等级LC。

32.燕隼
Falco subbuteo

隼科（Falconidae）隼属（*Falco*）。

体长28～35 cm。冬夏羽相同。上体暗蓝灰色，有1条细细的白色眉纹，颊部有1条垂直向下的黑色髭纹，颈部的侧面、喉部、胸部和腹部均为白色，胸部和腹还有黑色的纵纹，下腹部至尾下覆羽和覆腿羽棕栗色。尾羽灰色或石板褐色，除中央尾羽外，所有尾羽的内翈均具皮黄色、棕色或黑褐色的横斑和淡棕黄色的羽端。飞翔时翅膀狭长而尖，像镰刀一样，翼下

燕隼

为白色，密布黑褐色的横斑。翅膀折合时，翅尖几乎到达尾羽的端部，看上去很像燕子，因而得名。虹膜黑褐色，眼周和蜡膜黄色，嘴蓝灰色，尖端黑色，脚、趾黄色，爪黑色。识别特征：翅膀窄、长，呈三角形；下体大部黑色，杂有白色斑块，尾下覆羽栗色，脸部髭纹粗长明显。

猛禽，常见。栖息于有稀疏树木生长的开阔平原、旷野、耕地、海岸、疏林和林缘地带，栖息地高可至海拔2000 m。有时也到村庄附近，但却很少在浓密的森林和没有树木的裸露荒原出现。常单独或成对活动，飞行快速而敏捷，如同闪电一般，在短暂的鼓翼飞翔后又接着滑翔，并能在空中做短暂停留。停息时大多在高大的树上或电线杆的顶上。叫声尖锐。主要以麻雀、山雀等雀形目小鸟为食，偶尔捕捉蝙蝠，大量捕食蜻蜓、蟋蟀、蝗虫、天牛、金电子等昆虫，其中大多为害虫。

留鸟，保护区全年可见。国家二级保护动物，列入"三有"名录，"中日候鸟保护协定"保护种，濒危等级VU。

33.红脚隼
Falco amurensis

隼科隼属（*Falco*）。

体长26～30 cm。雌雄异色。冬夏羽相同。雄鸟上体大都为石板黑色；颏、喉、颈、侧、胸、腹部淡石板灰色，胸具橇细的黑褐色羽干纹；肛周、尾下覆羽、覆腿羽棕红色。雌鸟上体大致为石板灰色，具黑褐色羽干纹，下背、肩具黑褐色横斑；颏、喉、颈侧乳白色，其余下体淡黄白色或棕白色，胸部具黑褐色纵纹，腹中部具点状或矢状

红脚隼

斑，腹两侧和两胁具黑色横斑。虹膜暗褐色；嘴黄色，先端石板灰色；跗和趾橘红色。识别特征：翅膀长、尖，呈三角形。雄鸟羽色灰、黑、红三色，对比明显；雌鸟腹部、翅下大部白色，有黑色斑点或纵纹。脚、嘴上蜡膜红色。

猛禽，常见。栖息于低山疏林、林缘、山脚平原和丘陵地区的沼泽、草地、荒野、河流、山谷及农田耕地等开阔地区，特别是有稀疏树木的平原和低山、丘陵等地区较为常见。通常单独活动，飞翔时两翅快速扇动，间或进行一阵滑翔，也能通过两翅的快速扇动在空中做短暂的停留。多见于有少量树木覆盖的开阔平原。主要以蝗虫、蚱蜢、蝼蛄、螽斯、金龟子、蟋蟀、叩头虫等昆虫为食，也吃小鸟、蜥蜴、石龙子、蛙和鼠类等小型脊椎动物，其中害虫占其食物的90%以上，在消灭害虫方面功绩卓著。觅食方式主要通过在空中飞翔搜觅地面食物，发现后则冲下捕食，也在空中追捕猎物。

旅鸟，保护区9—11月可见。国家二级保护动物，"中日候鸟保护协定"保护种，濒危等级LC。

34.红隼
Falco tinnunculus

隼科隼属。

体长31～36 cm。雌雄异色。冬夏羽相同。雄鸟头顶、头侧、后颈、颈侧蓝灰色，具纤细的黑色羽干纹；前额、眼先和细窄的眉纹棕白色。背、肩和翅上覆羽砖红色，具近似三角形的黑色斑点；腰和尾上覆羽蓝灰色，具纤细的暗灰褐色羽干纹。尾蓝灰色，具宽阔

的黑色次端斑和窄的白色端斑；翅
初级覆羽和飞羽黑褐色，具淡灰褐
色端缘；眼下有一宽的黑色纵纹，
沿口角垂直向下。颏、喉乳白色或
棕白色，胸、腹和两胁棕黄色或乳
黄色，胸和上腹缀黑褐色细纵纹，
下腹和两胁具黑褐色矢状斑或滴状
斑，覆腿羽和尾下覆羽浅棕色或棕
白色，尾羽下面银灰色，翅下覆羽
和腋羽皮黄白色或淡黄褐色，具褐

红隼

色点状横斑，飞羽下面白色，密被黑色横斑。雌鸟体型略大；上体全褐色，比雄鸟少赤褐
色而多粗横斑。虹膜褐色；嘴灰而端黑，蜡膜黄色；脚黄色。识别特征：翅三角形，背部
红色，飞行时可见尾羽末端黑斑。

　　猛禽，常见。栖息于山地森林、森林苔原、低山丘陵、草原、森林平原、山区植物
稀疏的混合林、开垦耕地、旷野灌丛草地、林缘、林间空地、疏林和有稀疏树木生长的旷
野、河谷和农田地区。经常在空中盘旋，搜寻地面上的老鼠、雀形目鸟类、蛙、蜥蜴、松
鼠、蛇等小型脊椎动物，也吃蝗虫、蚱蜢、蟋蟀等昆虫。

　　留鸟，保护区全年可见。国家二级保护动物，濒危等级LC。

35.斑头鸺鹠
Glaucidium cuculoides

　　鸱鸮科（Strigidae）鸺鹠属（*Glaucidium*）。

　　体长20～26 cm。雌雄同色。冬
夏羽相同。面盘不明显，头侧无直
立的簇状耳羽。头、胸和整个背面
几乎均为暗褐色，头部和全身的羽
毛均具细的白色横斑，腹部白色，
下腹部和肛周具宽阔的褐色纵纹，
喉部还有2个显著的白色斑。尾羽上
有6道鲜明的白色横纹，端部白缘。
虹膜黄色；嘴黄绿色，基部较暗，
蜡膜暗褐色；趾黄绿色，具刚毛状

斑头鸺鹠

羽，爪近黑色。识别特征：虹膜黄色，头部无耸立耳羽。

猛禽，罕见。栖息于从平原、低山丘陵到海拔2000 m左右的中山地带的阔叶林、混交林、次生林和林缘灌丛中，也出现于村寨和农田附近的疏林和树上。大多单独或成对活动。大多在白天活动和觅食，能像鹰一样在空中捕捉小鸟和大型昆虫，也在晚上活动。主要以蝗虫、甲虫、螳螂、蝉、蟋蟀、蚂蚁、蜻蜓、毛虫等各种昆虫及其幼虫为食，也吃鼠类、小鸟、蚯蚓、蛙和蜥蜴等动物。

留鸟，保护区全年可见。国家二级保护动物，濒危等级LC。

36.黑翅长脚鹬
Himantopus himantopus

反嘴鹬科（Recurvirostridae）长脚鹬属（*Himantopus*）。

体长35～40 cm。雌雄异色。冬夏羽同色。雄鸟夏羽额白色，头顶至后颈黑色，或白色而杂以黑色。肩、背和翅上覆羽也为黑色，且富有绿色金属光泽。初级飞羽、次级飞羽和三级飞羽黑色，微具绿色金属光泽，飞羽内侧黑褐色。腰和尾上覆羽白色。有的尾上覆羽沾有污灰色。尾羽

黑翅长脚鹬

淡灰色或灰白色，外侧尾羽近白色。额、前头、两颊自眼下缘、前颈、颈侧、胸和其余下体概为白色。腋羽也为白色，但飞羽下面为黑色。雌鸟和雄鸟基本相似，但整个头、颈全为白色。上背、肩和三级飞羽褐色。雄鸟冬羽和雌鸟夏羽相似，头颈均为白色，头顶至后颈有时缀有灰色。虹膜红色；嘴细而尖，黑色；脚艳红色。识别特征：脚细长，艳红色，背部黑色，其他部位均为白色。

涉禽，常见。常单独、成对或成小群在浅水中或沼泽地上活动，有时也进到齐腹深的水中觅食。行走缓慢，步履稳健、轻盈，姿态优美，但奔跑和在有风时显得笨拙。主要以软体动物、虾、甲壳类、环节动物、昆虫及其幼虫，以及小鱼和蝌蚪等动物性食物为食。常在水边浅水处、小水塘和沼泽地带，以及水边泥地上觅食。

繁殖鸟、夏候鸟。保护区3—10月可见。列入"三有"名录，"中日候鸟保护协定"保护种，濒危等级VU。

37.扇尾沙锥
Capella gallinago

鹬科（Scolopacidae）沙锥属（*Capella*）。

体长24～27 cm。雌雄同色。冬夏羽相同。头顶黑褐色，后颈棕红褐色，具黑色羽干纹。头顶中央有一棕红色或淡皮黄色中央冠纹自额基至后枕。两侧各有1条白色或淡黄白色眉纹自嘴基至眼后。眼先淡黄白色或白色，有一黑褐色纵纹从嘴基到眼，并延伸至眼后。在嘴基此眼纹的宽度明显较白色眉纹宽。两颊具不甚明显的黑褐色纵

扇尾沙锥

纹。背、肩、三级飞羽绒黑色，具红栗色和淡棕红色斑纹及羽缘。其中，肩羽外侧具较宽的棕红色或淡棕红白色羽缘，因而在背部形成4道宽阔的纵带。大覆羽、初级覆羽、初级飞羽和次级飞羽黑褐色。外侧尾羽不变窄，宽度为7～12 mm。最外侧两枚尾羽外侧白色，杂以灰色斑，内侧近端淡黄褐色，缀黑褐色斑纹。颏灰白色，前颈和胸棕黄色或皮黄褐色，具黑褐色纵纹；下胸和腹纯白色，两胁也为白色，密被黑褐色横斑。腋羽和翅下覆羽白色，微缀灰黑色斑纹。虹膜褐色；嘴褐色；脚橄榄色。识别特征：嘴极长，约为头长的2.5倍，性隐匿，常活动于沼泽、水田中。

涉禽，常见。扇尾沙锥常单独或结成3～5只的小群活动。迁徙期间有时也集成40多只的大群。多在晚上、黎明与黄昏时候活动，白天多隐藏在植物丛中；在干扰小而又有隐蔽的地方，有时白天也活动。当有干扰时，常就地蹲下不动，或疾速跑至附近草丛中隐蔽，头颈紧缩，长嘴紧贴胸前，直到危险临近时才突然冲出，并伴随"嘎——"的一声鸣叫而飞逃，飞行敏捷而疾速。主要以蚂蚁、鞘翅目昆虫及其幼虫、蠕虫、蜘蛛、蚯蚓和软体动物为食，偶尔也吃小鱼和杂草种子。多在夜间和黄昏觅食。觅食时常将嘴垂直地插入泥中，有节律地探觅食物。

冬候鸟，保护区10月至次年4月可见。列入"三有"名录，"中日候鸟保护协定"保护种，濒危等级VU。

38.翻石鹬
Arenaria interpres

鹬科翻石鹬属（*Arenaria*）。

体长23 cm。雌雄同色。冬夏羽不同。夏羽头颈白色，头顶与枕部具细的黑色纵纹；前额白色，有一黑色横带横跨于两眼之间，并经两眼垂直向下，与黑色颚纹相交。眼先、耳覆羽和喉白色，胸和前颈黑色，两端分别向颈侧延伸，形成2条带斑；前端与黑色颚纹相连，使喉仅中部为白色。背部整体栗色，具黑色、白色斑，其余下体纯白色。

翻石鹬

冬季羽毛栗色部位被灰褐色取代。识别特征：身体矮胖，嘴长约等于头长，粗壮尖锐，全身羽毛栗色、黑色、白色三色，脚红色。

涉禽，少见。常单独或成小群活动。迁徙期间也常集成大群。行走时步态有点蹒跚，但奔跑能力很好，飞行有力，通常不高飞。觅食时常用微向上翘的嘴翻开海草或小圆石觅找下面隐藏的食物。主要啄食甲壳类动物、软体动物、蜘蛛、蚯蚓、昆虫及其幼虫，也吃部分禾本科植物的种子和浆果，有时也吃动物尸体。

旅鸟，保护区4、5月和9、10月可见。国家二级保护动物，列入"三有"名录，"中日候鸟保护协定"保护种，濒危等级LC。

39.流苏鹬
Philomachus pugnax

鹬科流苏鹬属（*Philomachus*）。

体长28～30 cm。雌雄异色。冬夏羽不同。羽色多变，繁殖期与非繁殖期羽色亦不相同。繁殖期雄鸟面部有裸区，呈黄色、橘红色或红色，并有细疣斑和褶皱。头两侧耳状簇羽如扇子般伸展至枕侧，在颈侧和胸部有十分夸张的流苏状饰羽。个体间的饰羽颜色变化很大，有栗褐色、栗红色、灰白色、白色、浅黄色、黑色泛紫色光泽等。雌鸟个体小于雄鸟，面部无裸区，头和颈无饰羽；上体黑褐色，羽缘黄色或白色；颈和胸多黑褐色斑，腹部白色，两胁有褐斑。虹膜暗褐色。嘴黑色；雄性嘴在繁殖期为黄色、橘黄色或粉红色。腿红色或橘黄色，也有灰绿色。识别特征：嘴长略大于头长，脚灰绿色。

涉禽，罕见。主要栖息于草地、稻田、耕地、河流、湖泊、河口、水塘、沼泽，以及海岸、水塘附近湿地上，很少到海边潮间地带活动。迁徙时常单只活动，除繁殖期外常成群活动和栖息。有时与其他涉禽混合成较大的群。它们涉入水中啄取食物时，整个嘴深入水里，甚至把头也浸在水里。主要捕食软体动物、昆虫、甲壳类动物等，也食水草、杂草籽、水稻和浆果。常边走边啄食。

流苏鹬

旅鸟，保护区4、5月和9、10月可见。列入"三有"名录，"中日候鸟保护协定"保护种，濒危等级LC。

40.矶鹬

Actitis hypoleucos

鹬科矶鹬属（*Actitis*）。

体长16～22 cm。雌雄同色。冬夏羽相同。头、颈、背、翅覆羽和肩羽橄榄绿褐色，具绿灰色光泽。各羽均具细而闪亮的黑褐色羽干纹和端斑，其中尤以翅覆羽、三级飞羽、肩羽、下背和尾上覆羽最为明显。飞羽黑褐色，除第一枚初级飞羽外，其他飞羽包括次级飞羽内翈均具白色斑，且

矶鹬

越往里白色斑越大，到最后2枚次级飞羽几乎全为白色。翼缘、大覆羽和初级覆羽尖端亦缀有少许白色。中央尾羽橄榄褐色，端部具不甚明显的黑褐色横斑，外侧尾羽灰褐色，具白色端斑和白色与黑褐色横斑。眉纹白色，眼先黑褐色。头侧灰白色，具细的黑褐色纵纹。颏、喉白色，颈和胸侧灰褐色，前胸微具褐色纵纹，下体余部纯白色。识别特征：嘴长略大于头长，翼前角白色，常边行走边上下摆动尾巴。

涉禽，常见。栖息于低山丘陵和山脚平原一带的江河沿岸、湖泊、水库、水塘岸边，也出现于海岸、河口和附近沼泽湿地，特别是迁徙季节和冬季，夏季亦常沿林中溪流进到高山森林地带。常单独或成对活动，非繁殖期亦成小群。常活动在多沙石的浅水河滩和水中沙滩或江心小岛上，停息时多栖于水边岩石、河中石头和其他突出物上，有时也栖于水边树上，停息时尾不断上下摆动。主要以鞘翅目、直翅目、夜蛾等昆虫为食，也吃螺、蠕虫等无脊椎动物和小鱼，以及蝌蚪等小型脊椎动物。常在湖泊、水塘及河边浅水处觅食，有时亦见在草地和路边觅食。

冬候鸟，保护区9月至次年4月可见。列入"三有"名录，"中日候鸟保护协定"保护种，濒危等级LC。

41.青脚鹬
Tringa nebularia

鹬科鹬属（*Tringa*）。

体长30～35 cm。雌雄同色。冬夏羽相同。眼先、颊、颈侧和上胸白色而缀有黑褐色羽干纹。背、肩灰褐色或黑褐色，具黑色羽干纹和窄的白色羽缘，下背、腰及尾上覆羽白色，长的尾上覆羽具少量灰褐色横斑；尾白色，具细窄的灰褐色横斑；下胸、腹和尾下覆羽白色。腋羽和翼下覆羽也是白色，具黑褐色斑点。虹膜黑褐色。嘴

青脚鹬

较长，基部较粗，往尖端逐渐变细和向上倾斜，基部蓝灰色或绿灰色，尖端黑色。脚淡灰绿色。识别特征：嘴长约为头长的1.5倍，略微上翘，脚灰绿色，飞行时可见背部三角形白斑。

鸣禽，常见。栖息于沿海和内陆的沼泽地带及大河流的泥滩。在浅水中寻食，有时也进到齐腹深的水中，通常单独或两三成群活动，进食时嘴在水里左右甩动寻找食物。能通过突然急速奔跑冲向鱼群的方式巧妙地追捕鱼群，也善于成群围捕鱼群。特别喜欢在有稀疏树木的湖泊和沼泽地带活动，也出入于无树高原的水域和附近湿地上。非繁殖期主要栖息于河口和海岸地带，也到内陆淡水或盐水湖泊和沼泽地带活动。主要以虾、蟹、小鱼、螺、水生昆虫及其幼虫为食。

冬候鸟，保护区10月至次年4月可见。列入"三有"名录，"中日候鸟保护协定"和"中澳候鸟保护协定"保护种，濒危等级VU。

42.林鹬
Tringa glareola

鹬科鹬属。

林鹬

体长20～22 cm。雌雄同色。冬夏羽不同。体型略小，纤细。夏羽上体灰褐色而具斑点；眉纹长，白色；尾白色而具褐色横斑。飞行时尾部的横斑、白色的腰部及下翼与翼上无横纹为其特征。颏、喉白色。前颈和上胸灰白色而杂以黑褐色纵纹。其余下体白色，两胁和尾下覆羽具黑褐色横斑。腋羽和翼下覆羽白色，微具褐色横斑。冬羽和夏羽相似，但上体灰褐色更深，具白色斑点；胸缀有灰褐色，具不清晰的褐色纵纹；两胁横斑多消失或不明显。虹膜暗褐色。嘴较短而直，尖端黑色，基部橄榄绿色或黄绿色。脚橄榄绿色、黄褐色、暗黄色或绿黑色。识别特征：白眉纹，嘴长约等于头长，背部具黑白相间斑纹。

涉禽，常见。常单独或成小群活动，迁徙期也集成大群。常出入于水边浅滩和沙石地上。活动时常沿水边边走边觅食，时而在水边疾走，时而站立于水边不动，或缓步边觅食边前进。性胆怯而机警，遇到危险立即起飞，边飞边叫，叫声似"皮啼—皮啼"。常栖息于灌丛或树上，降落时两翅上举。主要以直翅目和鳞翅目昆虫及其幼虫、蠕虫、虾、蜘蛛、软体动物和甲壳类动物等小型无脊椎动物为食，偶尔也吃少量植物种子。觅食方式通常为将嘴插入泥中探觅或在水中左右来回扫，也在地面和植物上直接啄食。

冬候鸟，保护区9月至次年5月可见。列入"三有"名录，"中日候鸟保护协定"保护种，濒危等级LC。

43.鹤鹬
Tringa erythropus

鹬科鹬属。

体长26～32 cm。雌雄同色。冬夏羽不同。夏季头、颈和整个下体黑色，眼周有一窄的白色眼圈。尾下覆羽具暗灰色和白色横斑。有的胸侧、两胁和腹具白色羽缘。下背和上腰白色，下腰和尾上覆羽具黑灰色和白色相间横斑。尾暗灰色，具窄的白色横斑。腋羽和翅下覆羽白色。冬季前额、头顶

鹤鹬

至后颈灰褐色，上背也是灰褐色，羽缘白色。自嘴基起有一长的白色眉纹经眼上到眼后，白色眉纹下有一黑褐色纹自嘴基到眼。下背和腰白色。肩、飞羽和翅上覆羽黑褐色。除初级飞羽外，均具白色横斑。尾上覆羽白色，具较密的黑褐色横斑。中央尾羽灰褐色，具黑褐色横斑；外侧尾羽具黑白相间横斑。颏、喉和整个下体白色，前颈下部和胸微缀灰色斑点。胸侧和两胁具灰褐色横斑，有的胸腹也具横斑。腋羽、翼下覆羽白色。尾下覆羽白色，具褐色横斑。识别特征：夏羽全身大部黑色，点缀白色斑点，脚红色，上喙黑色，下喙半黑半红。飞行时可见背部三角形白斑。

涉禽，少见。常单独或成分散的小群活动。多在水边沙滩、泥地、浅水处和海边潮涧地带边走边啄食，有时甚至进到齐腹深的水中从水底啄取食物。主要以甲壳类动物、软体动物、蠕形动物、水生昆虫和昆虫幼虫为食。

冬候鸟，保护区9月至次年5月可见。列入"三有"名录，濒危等级LC。

44.红脚鹬
Tringa totanus

鹬科鹬属。

体长26～28 cm。雌雄同色。冬夏羽不同。季节换羽。夏羽头及上体灰褐色，具黑褐色羽干纹，后头沾棕色。背和两翅覆羽具黑色斑点和横斑。下背和腰白色。尾上覆羽和尾也是白色，但具窄的黑褐色横斑。冬羽头与上体灰褐色，黑色羽干纹消失，头侧、颈侧与胸

红脚鹬

侧具淡褐色羽干纹，下体白色，其余似夏羽。嘴基部红色，前段黑色；脚橘红色。识别特征：嘴长约为头长的1.5倍，脚红色。飞行时背、腰、尾白色，翅膀末端亦为白色。

涉禽，少见。主要在沿海沙滩和附近盐碱沼泽地带活动，少量在内陆湖泊、河流、沼泽与湿草地上活动和觅食。常单独或成小群活动，休息时则成群。性机警，飞翔力强，受惊后立刻冲起，从低至高成弧状飞行，边飞边叫。主要以螺、甲壳类动物、软体动物、环节动物、昆虫及其幼虫等各种小型陆栖和水生无脊椎动物为食。

冬候鸟，保护区10月至次年5月可见。列入"三有"名录，"中日候鸟保护协定"保护种，濒危等级VU。

45.泽鹬
Tringa stagnatilis

鹬科鹬属。

泽鹬

体长23～25 cm。雌雄同色。冬夏羽不同。夏羽头顶、后颈淡灰白色，具暗色纵纹，上背沙灰色或沙褐色，具浓著的黑色中央纹。肩和三级飞羽灰褐色，微缀皮黄色，具黑色斑纹或横斑，下背和腰纯白色，尾上覆羽白色，具黑褐色斑纹或横斑。中央尾羽灰褐色，具黑褐色横斑，外侧尾羽纯白色或具黑褐色横斑。翅上覆羽灰褐色，大覆羽和中覆羽具灰白色羽缘。飞羽淡黑褐色，第一枚初级飞羽羽轴白色，次级飞羽羽端近白色。眼先、颊、眼后和颈侧灰白色，具暗色纵纹或矢状斑，贯眼纹暗褐色。颏、喉白色。前颈和胸也是白色，具暗色纵纹。其余下体包括腋羽白色。两胁具黑褐色横斑或矢状斑。冬羽头顶和上体淡灰褐色或沙灰色，具暗色纵纹和白色羽缘，小翅覆羽较暗灰色。额、眼先和眉纹白色，下体白色，颈侧和胸侧微具黑褐色条纹，腋羽也是白色，其余似夏羽。虹膜褐色；嘴黑色；脚黄绿色。识别特征：嘴细长，长度约为头长的1.5倍，脚黄绿色。

涉禽，常见。喜湖泊、盐田、沼泽地、池塘并偶尔至沿海滩涂。通常单只或两三成群活动，但冬季可结成大群。主要以水生昆虫、昆虫幼虫、蠕虫、软体动物和甲壳类动物为食，也吃小鱼和鱼苗。常单独觅食，主要在水表面或地表面啄食，也常将嘴插入泥或沙中探觅和啄取食物，有时也通过嘴在水中前后晃动取食，特别是在富有浮游动物的地方。

冬候鸟，保护区10月至次年4月可见。列入"三有"名录，"中日候鸟保护协定"保护种，濒危等级LC。

46.中杓鹬
Numenius phaeopus

鹬科杓鹬属（*Numenius*）。

体长40～43 cm。雌雄同色。冬夏羽相同。头顶暗褐色。中央冠纹和眉纹白色。贯眼纹黑褐色。上背、肩、背暗褐色，羽缘淡色，具细窄的黑色中央纹；下背和腰白色，微缀有黑色横斑；尾上覆羽和尾灰色，具黑色横斑；飞羽黑色，初级飞羽内侧具锯齿状白色横斑；外侧3枚初级飞羽羽

中杓鹬

轴白色。内侧初级飞羽与次级飞羽具白色横斑。颏、喉白色。颈和胸灰白色，具黑褐色纵纹。身体两侧和尾下覆羽白色，具黑褐色横斑。腹中部白色。识别特征：体型较大，嘴长约为头长2倍，下弯明显。

涉禽，常见。常单独或成小群活动，但迁徙时和在栖息地时则集成大群。行走时步履轻盈，步伐大而缓慢，也常在树上栖息，特别是在无适当的栖息位置时。飞行时两翅扇动较快，飞行有力。主要以昆虫及其幼虫、螺、甲壳类动物和软体动物等小型无脊椎动物为食。常分散单独觅食，个体间有保卫觅食地的行为。通常直接啄食，有时也边走边将弯嘴插入泥中探觅食物。

冬候鸟，保护区10月至次年5月可见。列入"三有"名录，"中日候鸟保护协定"保护

种，濒危等级LC。

47.三趾滨鹬
Calidris alba

鹬科滨鹬属（*Calidris*）。

体长20 cm。雌雄同色。
冬夏羽不同。夏羽额基、颊
和喉白色，头的余部、颈和
上胸深栗红色，具黑褐色纵
纹。下胸、腹和翅下覆羽白
色。翕、肩和三级飞羽主
要为黑色，具棕色和灰色
羽缘、白色V形斑、白色尖
端。中覆羽和大覆羽灰色，
具淡灰色或白色羽缘。小覆
羽和初级覆羽黑色。飞羽黑

三趾滨鹬

色，其上有宽阔的白色翼带。内侧初级飞羽外侧具白色羽缘。腰和尾上覆羽两侧白色，中
央黑色。中央尾羽黑褐色，两侧淡灰色。冬羽头顶、枕部、翕、肩和三级飞羽淡灰白色。
前额和眼先白色。下体白色，胸侧缀有灰色。翅上小覆羽黑色，形成显著的黑色纵纹。识
别特征：嘴长约等于头长，脚黑色，腹部全白无杂斑。

涉禽，少见。常成群活动和觅食，有时也与其他鹬类混群。喜欢在海边沙滩上活动，
主要以甲壳类动物、软体动物、蚊类和其他昆虫幼虫、蜘蛛等小型无脊椎动物为食，有时
也吃少量植物种子。觅食方式常为沿水边疾速奔跑啄食，有时也将嘴插入泥中探觅食物。

冬候鸟，保护区9月至次年3月可见。列入"三有"名录，"中日候鸟保护协定"保护
种，濒危等级LC。

48.青脚滨鹬
Calidris temminckii

鹬科滨鹬属。

体长14～15 cm。雌雄同色。冬夏羽相同。体小而矮壮，腿短，灰色，嘴尖细长。冬
季上体全暗灰色；下体胸灰色，渐变为近白色的腹部，尾长于拢翼。头顶至颈后灰褐色，
染栗黄色，有暗色条纹。眼先暗褐色，眉纹不明显。多数羽毛有栗色羽缘和黑色纤细羽干

纹。翼上大覆羽具白色端斑，形
成白色翼斑。腰部暗灰褐色，羽
缘略沾灰色；中央尾羽暗褐色，
外侧尾羽灰白色，最外侧2～3对
尾羽纯白色，飞行时显露。颈、
上胸淡褐色，有暗色斑纹。颏、
喉白色。腋羽、翼下覆羽白色。
虹膜褐色；嘴黑色；腿及脚偏绿
色或近黄色。识别特征：跗跖黄
绿色，嘴长约等于头长，略下弯，腹部纯白无杂色。

青脚滨鹬

　　涉禽，常见。迁徙季节多结群栖息于内陆淡水湖泊浅滩、水田、河流附近的沼泽地和
沙洲，在浅水中或草地上觅食。以昆虫、小甲壳动物、蠕虫为食。同其他滨鹬，喜沿海滩
涂及沼泽地带，成小群或大群活动。被赶时猛地跃起，飞行快速，紧密成群做盘旋飞行；
站姿较平。

　　冬候鸟，保护区10月至次年3月可见。列入"三有"名录，"中日候鸟保护协定"保护
种，濒危等级LC。

49.红颈滨鹬
Calidris ruficollis

鹬科滨鹬属。

　　体长15～17 cm。雌雄同色。冬
夏羽不同。夏羽头、颈、背、肩红褐
色。头顶和后颈具黑褐色细纵纹；
黑褐色贯眼纹不甚明显。眉纹、脸、
颊、颈和上胸红褐色。嘴基和颏白
色。背和肩具黑褐色中央斑与灰白色
羽缘；翼上覆羽黑褐色，具红褐色羽
缘和白色端斑。翅上大覆羽和内侧初
级覆羽具较宽的白色端斑；飞羽黑褐

红颈滨鹬

色。内侧初级飞羽基部白色，和大覆羽、初级覆羽的白色端斑共同形成翅上显著的白斑。
腰中部、尾上覆羽和尾羽黑褐色，尾上覆羽两侧白色，两侧尾羽淡灰色。下胸至尾下覆羽
白色。胸和胸侧微缀少许褐色斑。冬羽红褐色消失。上体灰褐色，下体白色。胸两侧微具

灰色纵纹，眉纹白色。虹膜暗褐色，嘴黑色，脚黑色。识别特征：嘴黑色，嘴长约等于头长，繁殖期间脸颊、喉、前胸均为红褐色，腹部白色，跗跖黑色。

涉禽，常见。常集群觅食，喜欢在水边浅水处和海边潮涧地带活动和觅食。行动敏捷迅速。常边走边啄食。主要以昆虫及其幼虫、蠕虫、甲壳类动物和软体动物为食。

冬候鸟，保护区10月至次年4月可见。列入"三有"名录，濒危等级LC。

50.黑腹滨鹬
Calidris alpina

鹬科滨鹬属。

体长19～22 cm。雌雄同色。冬夏羽不同。夏羽头顶棕栗色，具黑褐色纵纹，眉纹白色，眼先暗褐色，耳覆羽淡白色，微具暗色纵纹。后颈灰色或淡褐色，具黑褐色纵纹。背、肩、三级飞羽黑色，具宽的栗色羽缘，使背、肩部呈明显的栗色，有时在栗色羽缘外还缀有

黑腹滨鹬

窄的灰色或白色边缘和尖端。翅上覆羽灰褐色，具淡灰色或白色羽缘。大覆羽和初级覆羽具白色尖端。飞羽黑色。内侧初级飞羽和次级飞羽基部白色，与翅上大覆羽和内侧初级飞羽的白色尖端共同组成翅上白色带斑。腰和尾上覆羽中间黑褐色，两边白色。中央尾羽黑褐色。两侧尾羽灰色。颏、喉白色。前颈白色，微具黑褐色纵纹，到胸和胸侧纵纹更为显著。腹也为白色，腹中央有一大的黑色斑。肛区、尾下覆羽、腋羽和翅下覆羽也为白色。冬羽上体灰褐色，下体白色，腰和尾两侧为白色。识别特征：嘴黑色，嘴长大于头长，略下弯，脚黑色。迁徙期间部分个体腹部黑斑明显。

鸣禽，少见。栖息于冻原、高原和平原地区的湖泊、河流、水塘、河口等水域岸边和附近沼泽与草地上。常成群活动于水边沙滩、泥地或水边浅水处，有时也见单独活动。性活跃，善奔跑。主要以甲壳类动物、软体动物、蠕虫、昆虫及其幼虫等各种小型无脊椎动物为食。主要在水边草地、泥地、沙滩和浅水处边走边觅食。行动快速，常跑跑停停，边跑边啄食，有时也将嘴插入泥地和沙土中探觅食物。

冬候鸟、旅鸟，保护区4、5月和10、11月可见。列入"三有"名录，"中日候鸟保护

协定"保护种，濒危等级VU。

51.环颈鸻
Charadrius alexandrinus

鸻科（Charadriidae）鸻属
（*Charadrius*）。

体长17～20 cm。雌雄同
色。额前和眉纹白色；头顶前部
具黑色斑，且不与穿眼黑褐纹相
连。头顶后部、枕部至后颈沙棕
色或灰褐色，后颈具1条白色领
圈。上体余部，包括背、肩、翅
上覆羽、腰、尾上覆羽灰褐色，
腰的两侧白色。飞羽黑褐色，羽

环颈鸻

干白色；内侧的初级飞羽外翈基部白色，与次级飞羽的白色末梢一起构成白色翅斑（飞行
时可见）。两侧尾羽白色，中央尾羽黑褐色，向端部渐黑。下体包括颏、喉、前颈、胸、
腹部白色，只在胸部两侧有独特的黑色斑块。翼下覆羽和腋羽白色。虹膜暗褐色；嘴黑
色；跗跖稍黑，有时为淡褐色或者黄褐色；爪黑褐色。识别特征：嘴长小于头长，头部与
背部有一完整的白环，下体全白，脚深色。

涉禽，常见。栖息于河岸沙滩、沼泽草地上，通常单独或3～5只集群活动于海边潮间
带、河口三角洲、泥地、盐田、沿海沼泽和水田；在内陆的河岸沙滩、沼泽草地、湖滨、
盐碱滩和近水的荒地中亦比较常见。以蠕虫、昆虫、软体动物和小型甲壳类动物为食，兼
食植物种子、植物碎片。

留鸟，保护区全年可见。列入"三有"名录，"中日候鸟保护协定"保护种，濒危等
级LC。

52.蒙古沙鸻
Charadrius mongolus

鸻科鸻属。

体长18～20 cm。雌雄同色。冬夏羽不同。夏羽头顶部灰褐色沾棕色，额部颜色为白
色、黑色或仅具白斑。头顶前部具一黑色横带，连于两眼之间，将白色额部和头顶分开。
眼先、贯眼纹和耳羽黑色，其上后方有一白色眉斑。后颈棕红色，向两侧延伸至上胸与胸部棕红色相连，形成一完整的棕红色颈环。背和其余上体灰褐色或沙褐色。腰两侧白色，尾灰褐色，外侧两对尾羽外翈白色；其余尾羽具黑褐色亚端斑和窄的白色尖端。颏、喉白色。其余下体包括翼下覆羽和腋羽白色。冬羽和夏羽相似，但所有的黑色和栗红色均变为褐色。前额白色向后扩展，与白色眉纹紧相连。眼先

蒙古沙鸻

淡灰褐色，头顶、后颈和上体灰褐色，翅覆羽具窄的暗白色羽缘，下体白色，上胸具断裂开的灰褐色胸带或仅为上胸两侧的一大块灰褐色斑。虹膜黑褐色，嘴黑色，脚灰黑色。识别特征：嘴长略短于头长；夏季胸部棕红色，腹部白色；脚灰黑色。

涉禽，常见。栖息于海边沙滩、河口三角洲、水田、盐田，繁殖季节见于内陆高原的河流、沼泽、湖泊附近的耕地、沙滩、戈壁和草原等。主要取食昆虫、软体动物、蠕虫、螺等小型动物。

冬候鸟，保护区9月至次年4月可见。列入"三有"名录，"中日候鸟保护协定"和"中澳候鸟保护协定"保护种，濒危等级LC。

53.铁嘴沙鸻
Charadrius leschenaultii

鸻科鸻属。

体长22～24 cm。雌雄同色。冬夏羽不同。冬羽前头和眉斑白色；头顶和后头灰褐色，羽轴黑褐色，边缘浅灰。上体余部灰褐色，羽干黑褐色，羽缘浅灰。尾上覆羽灰色较浅，羽缘白色；尾羽暗褐色，末端白色，外侧尾羽全白。飞羽黑褐色，羽干白色，内侧初级飞羽外翈多少有些白

铁嘴沙鸻

斑。三级飞羽同上体；大覆羽黑褐色，边缘白色。眼先、眼下、耳羽和上胸两侧灰褐色；下体余部白色。夏羽眼先和前头上方黑色，黑色向后延伸至头侧。胸带棕栗色，头上、头后和颈侧略沾染棕色。虹膜暗褐色；嘴黑色；腿和脚灰色，或常带有肉色或淡绿色。识别特征：脚灰色，夏羽胸部有棕色横带。

涉禽，常见。栖息于沿海泥滩及沙滩，与其他涉禽尤其是蒙古沙鸻混群。常成2～3只的小群活动，偶尔也集成大群。多喜欢在水边沙滩或泥泞地上边跑边觅食，特别喜欢海岸沙滩，有时也出现在荒漠和盐碱草原地区以及山脚岩石平原一带。喜欢在地上奔跑，且奔跑迅速，常跑跑停停，行动极为谨慎小心。以软体动物、小虾、昆虫、淡水螺类、杂草等为食。

冬候鸟，保护区9月至次年4月可见。列入"三有"名录，"中日候鸟保护协定"和"中澳候鸟保护协定"保护种，濒危等级LC。

54.金鸻
Pluvialis dominica

鸻科斑鸻属（*Pluvialis*）。

体长25 cm。雌雄同色。冬夏羽不同。繁殖羽额基棕白色，向两侧与白色眉纹相连；头、后颈、背至尾上覆羽黑褐色，满布金黄色和浅棕白色点斑，尤以金黄色点斑为浓著；尾羽具黑褐色与淡棕白色相间的横斑；初级和次级飞羽黑褐色；翅上大覆羽黑褐色，羽端缀白色；翅上小覆羽和三级飞羽与背

金鸻

同色；颈侧的白色与眉纹贯通，并向下延伸至胸侧；颊、颏、喉至下胸和腹部中央黑色；两胁、肛周羽和尾下覆羽淡棕白色，具黑色及灰褐色杂斑；腋羽褐灰色，羽端缀白色；翼下覆羽浅褐色。非繁殖羽与繁殖羽相似，但颊侧和喉、胸黄色，杂有浅灰褐色斑纹，下胸和腹部中央变成灰黄色，不呈黑色。虹膜褐色，嘴黑色，脚黑色。识别特征：嘴长短于头长，上体密布金黄色斑点，眉纹延伸至两胁。

涉禽，少见。栖息于海滨、湖泊、河流、水塘岸边及其附近沼泽、草地、农田和耕地

上。常单独或成小群活动。飞行快速，活动时常不断地站立和抬头观望，行动极为谨慎小心。主要以鞘翅目、鳞翅目和直翅目昆虫，以及蠕虫、软体动物、甲壳类动物等为食。

旅鸟，保护区3—5月、9—11月可见。列入"三有"名录，"中日候鸟保护协定"保护种，濒危等级VU。

55.灰鸻
Pluvialis squatarola

鸻科斑鸻属。

灰鸻

体长27～30 cm。雌雄同色。冬夏羽相同。额灰白色；头顶淡黑褐色至黑褐色，羽端浅白色；后颈灰褐色；背、腰浅黑褐色至黑褐色，羽端白色；尾上覆羽和尾羽白色具黑褐色横斑；尾上覆羽横斑较疏，尾羽横斑较密，眉纹灰白色；颏、喉白色，下喉、胸部密布浅褐色斑点和纵纹；下胸、腹、两胁和尾下覆羽纯白色。腋羽黑色。嘴黑色，嘴长度与头等长，端部稍微隆起。脚黑色，后趾细小或缺如。跗跖修长，胫下部亦裸出。识别特征：嘴长约等于头长，背部白灰相间。

涉禽，常见。栖息于海滨、岛屿、河滩、湖泊、池塘、沼泽、水田、盐湖等地，主要捕食昆虫、小鱼、虾、蟹、牡蛎及其他软体动物。觅食时重复"快跑—停顿—搜索—吞食"的模式，在食物丰富的情况下，每次移动2～3步，停顿2～4秒，如果遇到大的猎物可能会大步追赶并延长停顿的时间。

冬候鸟，保护区10月至次年4月可见。列入"三有"名录，"中日候鸟保护协定"保护种，濒危等级VU。

56.红嘴鸥
Chroicocephalus ridibundus

鸥科（Laridae）彩头鸥属（*Chroicocephalus*）。

体长37～43 cm。雌雄同色。头至颈上部咖啡褐色，羽缘微沾黑色，眼后缘有一星月形白斑。颏中央白色。颈下部、上背、肩、尾上覆羽和尾白色，下背、腰及翅上覆羽淡灰色。翅前缘、后缘和初级飞羽白色。第一枚初级飞羽外侧黑色，至近端转白色，内侧灰白色而具灰色羽缘，先端转黑色。第二至第四枚初级飞羽外侧白色，内侧灰白色，具黑色端斑，其余飞羽灰色，具白色先端。嘴暗红色，先端黑色。识别特征：嘴红色，身体大部白色，成鸟冬季头部有2个黑点。

红嘴鸥

游禽，少见。栖息于平原和低山丘陵地带的湖泊、河流、水库、河口、鱼塘、海滨和沿海沼泽地带，也出现于森林和荒漠与半荒漠中的河流、湖泊等水域，有时也出现在城市公园湖泊中。常成小群活动。冬季在越冬的湖面上常集成近百只的大群。或在水面上空振翅飞翔，或荡漾于水面。休息时多站在水边岩石或沙滩上，或飘浮于水面。主要以小鱼、虾、水生昆虫、甲壳类动物、软体动物等为食，也吃蝇、鼠类、蜥蜴等小型陆栖动物和死鱼，以及其他小型动物尸体。

冬候鸟，保护区9月至次年3月可见。列入"三有"名录，"中日候鸟保护协定"保护种，濒危等级LC。

57.西伯利亚银鸥
Larus Simithsonianus

鸥科鸥属（*Larus*）。

体长64～66 cm。雌雄同色。冬夏羽不同。繁殖羽腿淡粉红色，上体浅灰。外形厚重，胸深，嘴厚，前额长缓而下，头顶平坦，外貌看似凶狠。飞行时初级飞羽外侧羽上具小块翼镜。翼合拢时至少可见6枚白色羽尖。第四年成鸟羽衣长成。非繁殖羽（冬羽）：冬鸟头及颈具纵纹，眼区和耳覆羽为黑色，其余部分和夏羽非常相似。三级飞羽

西伯利亚银鸥

的白色月牙形宽，但肩部月牙形较窄。虹膜褐色；嘴深黄色，上具红点；脚红色。识别特征：体型巨大，嘴深黄色且嘴端红色。

鸣禽，常见。常几十只或成百只一起活动，喜跟随来往的船舶，索食船中的遗弃物。以动物性食物为主，其中有水里的鱼、虾、海星和陆地上的蝗虫、螽斯及鼠类等。

冬候鸟，保护区11月至次年2月可见。列入"三有"名录，"中日候鸟保护协定"保护种，濒危等级VU。

58.鸥嘴噪鸥
Gelochelidon nilotica

鸥科噪鸥属（*Gelochelidon*）。

体长31～39 cm。雌雄同色。冬夏羽不同。夏羽额、头顶、枕部和头的两侧从眼和耳羽以上为黑色。背、肩、腰和翅上覆羽珠灰色。后颈、尾上覆羽和尾白色，中央1对尾羽珠灰色。尾呈深叉状。初级飞羽银灰色，羽轴白色，内侧沿着羽轴为暗灰色，尖端较暗。次级飞羽灰色，尖端白色。眼先和眼以下的头侧和下体白色。冬羽头白色，头顶和枕部缀有灰色，并具不明显的灰褐色纵

鸥嘴噪鸥

纹。眼前有一小的黑色条纹；耳区有一烟灰色黑斑。后颈白色。背和内侧飞羽淡灰色，几近白色，外侧飞羽黑色，中央尾羽与背同色，外侧尾羽和整个下体白色。虹膜暗褐色，嘴和脚黑色。识别特征：嘴黑色，剪尾，嘴较其他燕鸥粗壮，脚黑色。

游禽，少见。单独或成小群活动。常出入于海滨、河口及湖边沙滩和泥地，不喜欢植物茂密的水体。飞行轻快而灵敏，两翅振动缓慢。频繁地在水面低空飞翔，发现水中食物时则突然垂直插入水中捕食，而后又直线升起。主要以昆虫及其幼虫、蜥蜴和小鱼为食，也吃甲壳类动物和软体动物。

旅鸟，保护区3—5月、9—11月可见。列入"三有"名录。

59.白额燕鸥
Sterna albifrons

鸥科燕鸥属（*Sterna*）。

体长25～28 cm。雌雄同色。冬夏羽相同。上嘴基沿眼先上方达眼和头顶前部的额为白色，头顶至枕部及后颈均为黑色；背、肩、腰淡灰色，尾上覆羽和尾羽白色；眼先及穿眼纹黑色，在眼后与头及枕部的黑色相连；眼以下头侧、颈侧为白色；翼上覆羽灰色，与背

同色。虹膜褐色；夏季嘴黄色，尖端黑
色，冬季嘴黑色，基部黄色；夏季脚橙黄
色，冬季脚黄褐色或暗红色。识别特征：
嘴黑色，额白色。

白额燕鸥

　　游禽，常见。栖居于海边沙滩、湖
泊、河流、水库、水塘、沼泽等内陆水域
附近的草丛、芦苇丛及灌木丛中，以及海
岸、岛屿、河口和沿海沼泽与水塘等咸、
淡水水体中，或近海无人岛礁等处。常成
群结队活动，与其他燕鸥混群。振翼快速，常做徘徊飞行，潜水方式独特，入水快，飞升
也快。飞翔时嘴垂直朝下，头不断地左右摆动。当发现猎物时，则停于原位频繁地鼓动两
翼，待找准机会后，立刻垂直下降到水面捕捉，或潜入水中追捕，直到捕到鱼类后，才从
水中垂直上升入空中。

　　夏候鸟，保护区5—10月可见。列入"三有"名录，"中日候鸟保护协定"保护种，濒
危等级VU。

60.红尾伯劳
Lanius cristatus

伯劳科（Laniidae）伯劳属（*Lanius*）。
体长18～21 cm。雌雄同色。冬夏羽相
同。头顶至后颈红棕色。上背、肩暗灰褐
色，下背、腰棕褐色。尾上覆羽棕红色，尾
羽棕褐色具隐约可见不甚明显的暗褐色横
斑。两翅黑褐色，内侧覆羽暗灰褐色，外侧
覆羽黑褐色，中覆羽、大覆羽和内侧飞羽外
翈具棕白色羽缘和先端。翅缘白色，眼先、
眼周至耳区黑色，联结成一粗著的黑色贯眼
纹从嘴基经眼直到耳后。眼上方至耳羽上方
有一窄的白色眉纹。颏、喉和颊白色，其余

红尾伯劳

下体棕白色，两胁较多棕色。虹膜暗褐色，嘴黑色，脚铅灰色。识别特征：黑色贯眼纹醒
目，腹部淡棕色，喜站立于灌丛、矮树的突出部。

　　鸣禽，常见。栖息于低山丘陵和山脚平原地带的灌丛、疏林和林缘地带，尤其在有稀

矮树木和灌丛生长的开阔旷野、河谷、湖畔、路旁及田边地头较常见。单独或成对活动，性活泼，常在枝头跳跃或飞上飞下。有时亦高高地站立在小树顶端或电线上静静地注视着四周，待有猎物出现时，才突然飞去捕猎，然后再飞回原处栖息。

冬候鸟，保护区9月至次年4月可见。列入"三有"名录，"中日候鸟保护协定"保护种，濒危等级LC。

61.棕背伯劳
Lanius schach

伯劳科伯劳属。

体长23～28 cm。雌雄同色。冬夏羽相同。头顶至枕部、颈部灰褐色，背部棕红色，尾黑色，外侧尾羽皮黄褐色。两翅黑色，具白色翼斑；额、头顶至后颈黑色或灰色，具黑色贯眼纹。下体颏、喉白色，其余下体棕白色。喙粗壮而侧扁，先端具利钩和齿突，嘴须发达；尾长，圆形或楔形；跗跖强健，趾具钩爪。识别特征：具显眼的黑色贯眼纹，背部棕红色，腹部白色，叫声嘈杂。

棕背伯劳

鸣禽，常见。除繁殖期成对活动外，多单独活动。常见在林旁、农田、果园、河谷、路旁和林缘地带的乔木树上与灌丛中活动，有时也见在田间和路边的电线上东张西望，一旦发现猎物，立刻飞去追捕，然后返回原处吞吃。性凶猛，不仅善于捕食昆虫，也能捕杀小鸟、蛙和啮齿类动物。领域性甚强，特别是繁殖期间，常常为保卫自己的领域而驱赶入侵者，当见人或情绪激动时，尾常向两边不停地摆动。

留鸟，保护区全年可见。列入"三有"名录，濒危等级LC。

62.暗灰鹃鵙
Coracina melaschistos

山椒鸟科（Campephagidae）鹃鵙属（*Coracina*）。

体长20～24 cm。雌雄异色。冬夏羽相同。雄鸟上体青灰色，两翼亮黑色，尾下覆羽白色，尾羽黑色，3枚外侧尾羽的羽尖为白色。下体颜色略淡。雌鸟似雄鸟，但色浅，下体及耳羽具白色横斑，白色眼圈不完整，翼下通常具一小块白斑。识别特征：全身羽毛大部灰色，尾巴具有鲜艳白色斑块。

暗灰鹃鵙

鸣禽，常见。主要生活于平原、山区，栖于以栎树为主的落叶混交林、阔叶林缘、松林、热带雨林、针竹混交林以及山坡灌木丛、开阔的林地和竹林。冬季从山区森林下移越冬。罕见至地区性常见于低地及高至海拔2000 m的山区。杂食性，主食鞘翅目和直翅目昆虫及蝼象、蝉等昆虫，也吃蜘蛛、蜗牛和少量植物种子。

旅鸟，保护区4、5月和10、11月可见。列入"三有"名录，"中日候鸟保护协定"保护种，濒危等级VU。

63.灰山椒鸟
Pericrocotus divaricatus

山椒鸟科山椒鸟属（*Pericrocotus*）。

体长18～20 cm。雌雄同色。冬夏羽相同。额和头顶前部白色。鼻羽、嘴基处额羽、眼先、头顶后部、枕部、耳羽亮黑色，后颈、背、腰至尾上覆羽等整个上体石板灰色。翅内侧覆羽与背同色，下体自颏至尾下覆羽，包括颈侧及耳羽前部概为白色，胸侧和两胁略呈灰白色，翼下覆羽白色杂以黑斑，腋羽黑色而具白色端斑。虹膜暗褐色，嘴、脚、爪均为黑色。识别特征：上体铅灰色，下体纯白色，嘴宽厚。

灰山椒鸟

鸣禽，少见。繁殖季节主要栖息于茂密的原始落叶阔叶林和红松阔叶混交林中，非繁殖期也出现在次生林、河岸林林缘，甚至庭院和村落附近的疏林和高大树木上。常成群在树冠层上空飞翔，边飞边叫，鸣声清脆，停留时常单独或成对栖于大树顶层侧枝或枯枝上。飞翔时呈波状前进。迁徙期间有时集成数十只的大群，但多呈松散的队形，边飞边鸣叫或分散在树上活动和捕食，常缓慢地向前飞行，有时亦在村落中少有的几棵孤立大树上停息。

旅鸟，保护区3、4月和10、11月可见。列入"三有"名录，"中日候鸟保护协定"保护种，濒危等级VU。

64.灰卷尾
Dicrurus leucophaeus

卷尾科（Dicruridae）卷尾属（*Dicrurus*）。

体长25～32 cm。雌雄同色。冬夏羽相同。全身羽色呈浅灰色；鼻须及前额基部绒黑色；眼先、眼周、脸颊部及耳羽区连成界限清晰的纯白块斑，并稍向后上方伸延到上颈侧部；上体自头顶、背部、腰部至尾上覆羽均呈法兰绒浅灰色；尾羽淡灰色，并具隐约不显的浅灰褐色横斑，端稍向外卷曲，外翈窄狭，稍缀褐灰色；双翅表面浅灰色，飞羽轴灰褐色，初级飞羽端尖灰褐色；翅下覆羽及腋羽淡灰白色。下体颏部灰褐色；喉胸部淡灰色；腹部转为浅淡灰

灰卷尾

色；下腹至尾下覆羽近灰白色。虹膜橙红色；嘴、跗跖与趾、爪均黑色。识别特征：尾巴内凹呈剪尾，全身大部浅灰色。

鸣禽，常见。常立于林间空地的裸露树枝或藤条，捕食过往昆虫，攀高捕捉飞蛾或俯冲捕捉飞行中的猎物。飞行时结小群或成对，翻腾于追捕空中飞行的昆虫，飞行时时而展翅升空，时而闭合双翅，做波浪式滑翔。主要捕食昆虫，其中有鞘翅类、膜翅类、鳞翅类的蛹及幼虫和成虫，这些多是对树木、苗圃、果园、农作物为害甚大的有害昆虫。

旅鸟，保护区4、5月和9、10月可见。列入"三有"名录，濒危等级LC。

65.黑卷尾
Dicrurus macrocercus

卷尾科卷尾属。

体长25～30 cm。雌雄同色。冬夏羽相同。全身羽毛呈灰黑色；前额、眼先羽绒黑色（在个别标本的嘴角处具一污白斑点，但不甚明显）。上体自头部、背部至腰部及尾上覆羽概深黑色，缀铜绿色金属闪光；尾羽深黑色，羽表面沾铜绿色光泽；中央一对尾羽最短，向外侧依次顺序增长，最外侧一对最长，其末端向外上方卷曲，尾羽末端呈深叉状；翅黑褐色，飞羽外翈及翅上覆羽具铜绿色金

黑卷尾

属光泽。下体自颏、喉至尾下覆羽均呈黑褐色，仅在胸部铜绿色金属光泽较显著；翅下覆羽及腋羽黑褐色。识别特征：剪尾，全身羽毛黑色。

鸣禽，常见。平时栖息在山麓或沿溪的树顶上，或竖立于田野间的电线杆上，一见下面有虫时，往往由栖枝直降至地面或其附近处捕取为食，随后复向高处直飞，形成U字状的飞行路线。它还常落在草场上放牧的家畜背上，啄食被家畜惊起的虫类。性喜结群、鸣闹、咬架，是好斗的鸟类，习性凶猛。食物以昆虫为主，如蝗虫，胡蜂、金花虫、瓢虫、蝉、天社蛾幼虫、蟓象等膜翅目、鞘翅目及鳞翅目的昆虫和蜻蜓。

冬候鸟，保护区9月至次年4月可见。列入"三有"名录，"中日候鸟保护协定"保护种，濒危等级LC。

66.黄眉姬鹟
Ficedula narcissina

鹟科（Muscicapidae）姬鹟属（*Ficedula*）。

体长13 cm。冬夏羽相同。额、头顶、枕部至上背均为黑色，黄色眉纹自额嘴基至枕部，非常显眼。腰黄色，飞羽亦为黑色，翅上有一白色综斑，尾羽黑色。颏、喉、胸部艳黄色，下腹至尾下覆羽白色。虹膜深褐色，嘴蓝黑色，脚铅蓝色。识别特征：黄色眉纹，白色翅斑，下体大部分为艳黄色。

鸣禽，常见。繁殖于西伯利亚及日本；迁徙经中国东部和南部地区及台湾，至菲律

宾；部分鸟在海南岛越冬，迁徙时见于公园、农村风水林、次生林林缘地带。具鹟类的典型特性，从树的顶层及树间捕食昆虫。

旅鸟，保护区3—5月、9—11月可见。列入"三有"名录，"中日候鸟保护协定"保护种，濒危等级VU。

黄眉姬鹟

67.乌鹟
Muscicapa sibirica

鹟科鹟属（*Muscicapa*）。

体长13 cm。雌雄同色。冬夏羽相同。上体深灰色，翼上具不明显皮黄色斑纹，下体白色，两胁深色具烟灰色杂斑，上胸具灰褐色模糊带斑；白色眼圈明显，喉白色，通常具白色的半颈环；下脸颊具黑色细纹，翼长至尾的2/3。亚成鸟脸及背部具白色点斑。虹膜深褐色，嘴黑色，脚黑色。识别特征：背部深灰色，腹部有烟灰色纵纹。

乌鹟

鸣禽，常见。栖于山区或山麓森林的林下植被层及林间。常站立于裸露树枝，冲出捕捉过往昆虫。

旅鸟，保护区4、5月和9、10月可见。列入"三有"名录，"中日候鸟保护协定"保护种，濒危等级LC。

68.北灰鹟
Muscicapa dauurica

鹟科鹟属。

体长19～21 cm。雌雄同色。冬夏羽相同。体型小，跟麻雀差不多大。上体大部灰褐色，眼周羽毛白色，形成白色眼眶，眼先白色，翅上覆羽黑色，羽缘白色，颌、喉部污白色，下体大部近白色。脚细弱，嘴宽阔而扁，呈三角形。虹膜暗褐色；嘴黑色，下嘴基黄色；脚黑色。识别特征：嘴宽短，眼先白色，腹部灰白，无黑色纵纹或斑点。

鸣禽，常见。迁徙时见于次生林、公园、农村风水林等各种生境；常站立在突出的树枝上，以出击的方式捕食经过的昆虫。主要以鳞翅目、半翅目、膜翅目的昆虫为食。

旅鸟，保护区4、5月和9—11月可见。列入"三有"名录，"中日候鸟保护协定"保护种，濒危等级LC。

北灰鹟

69.方尾鹟
Culicicapa ceylonensis

鹟科方尾鹟属（*Culicicapa*）。

体长13 cm。雌雄同色。冬夏羽相同。额、头顶、枕部、颈及喉部均为青灰色，背部、腰、翅上覆羽及飞羽均为橄榄绿色，胸部、腹部均为艳黄色。虹膜褐色；上嘴黑色，下嘴角质色；脚黄褐色。识别特征：头青灰色，腹部黄色。

鸣禽，少见。性喧闹活跃，在树枝间跳跃，不停捕食和追逐过往昆虫。多栖于森林的底层或中层。常与其他鸟混群。

方尾鹟

旅鸟，保护区4、5月和9、10月可见。列入"三有"名录，"中日候鸟保护协定"保护种，濒危等级VU。

70.红胁蓝尾鸲
Tarsiger cyanurus

鸫科（Turdidae）鸲属（*Tarsiger*）。

体长13～15 cm。雌雄异色。冬夏羽相同。雄鸟上体从头顶至尾上覆羽，包括两翅内侧覆羽表面概灰蓝色，头顶两侧、翅上小覆羽和尾上覆羽特别鲜亮，呈辉蓝色。尾主要为黑褐色，中央一对尾羽具蓝色羽缘，外侧尾羽仅外翈羽缘稍沾蓝色，愈向外侧蓝色愈淡。翅上小覆羽和中覆羽辉蓝色，其余覆羽暗褐色，羽缘沾灰蓝色。飞羽暗褐色或黑褐色，最内侧第二、第三枚飞羽外翈沾蓝色，其余飞羽具暗棕色或淡黄褐色狭缘。眉纹白色沾棕色，自前额向后延伸至眼上方的前部转为蓝色，眼先、颊黑色，耳羽暗灰褐色或黑褐

红胁蓝尾鸲

色，杂以淡褐色斑纹。下体颏、喉、胸棕白色，腹至尾下覆羽白色，胸侧灰蓝色，两胁橙红色或橙棕色。雌鸟上体橄榄褐色，腰和尾上覆羽灰蓝色，尾黑褐色，外表亦沾灰蓝色。前额、眼先、眼周淡棕色或棕白色，其余头侧橄榄褐色，耳羽杂有棕白色羽缘。下体和雄鸟相似，但胸沾橄榄褐色，胸侧无灰蓝色，其余似雄鸟。虹膜褐色或暗褐色，嘴黑色，脚淡红褐色或淡紫褐色。识别特征：两胁棕红色，尾羽蓝色。

鸣禽，常见。迁徙季节和冬季见于低山丘陵和山脚平原地带的次生林、林缘疏林、道旁和溪边疏林灌丛中，有时甚至出现于果园和村寨附近的疏林、灌丛和草坡。繁殖期间主要以甲虫、小蠹虫、天牛、蚂蚁、泡沫蝉、尺蠖、金花虫、蛾类幼虫、金龟子、蚊、蜂等昆虫为食。迁徙期间除吃昆虫外，也吃少量植物果实与种子等植物性食物。喜站立于农作物、低矮灌丛枝头。

冬候鸟，保护区10月至次年4月可见。列入"三有"名录，"中日候鸟保护协定"保护种，濒危等级VU。

71.鹊鸲
Copsychus saularis

鹟科鹊鸲属（*Copsychus*）。

体长19～22 cm。雌雄异色。冬夏羽相同。雄鸟头顶至尾上覆羽黑色，略带蓝色金属光泽；飞羽和大覆羽黑褐色，内侧次级飞羽外翈大部和次级覆羽均为白色，构成明显的白色翼斑，其他覆羽与背部同色；中央2对尾羽全黑，外侧第四对尾羽仅内翈边缘黑色，余部均为白色，其余尾羽都为白色；从颏到上胸部分及脸侧均与头顶同色；下胸至尾下覆羽纯白色。雌鸟与雄鸟相似，但雌鸟黑色部分被灰色或褐色替代；飞羽和尾羽的黑色较雄鸟浅淡；下体及尾下覆羽的白色略沾棕色。识别特征：上体全黑，胸白腹黑，翅上有一显眼白色纵纹。

鸣禽，常见。主要栖息于低山、丘陵和山脚平原地带的次生林、竹林、林缘疏林灌丛和小块丛林等开阔地方，尤喜欢村寨和居民点附近的小块丛林、灌丛、果园以及耕地、路边和房前屋后的树林与竹林，甚至出现于城市公园和庭院树上。主要以昆虫为食，常见种类有金龟甲、瓢甲、锹形甲、步行虫、蝼蛄、蟋蟀、浮尘子、蚂蚁、蝇、蜂、蛹

鹊鸲

等鞘翅目、鳞翅目、直翅目、膜翅目、双翅目、同翅目、异翅目的昆虫及其幼虫。此外，也吃蜘蛛、小螺、蜈蚣等其他小型无脊椎动物，偶尔也吃小蛙等小型脊椎动物和植物果实与种子。

留鸟，保护区全年可见。列入"三有"名录，濒危等级LC。

72.黑喉石䳭
Saxicola maurus

鹟科石䳭属（*Saxicola*）。

体长14 cm。雌雄异色。冬夏羽不同。雄鸟前额、头顶、头侧、背、肩和上腰黑色，各羽均具棕色羽缘，下腰和尾上覆羽白色，羽缘微沾棕色，尾羽黑色，羽基白色。外侧翅上覆羽黑褐色，内侧上覆羽白色，颏、喉黑色，颈侧和上胸两侧白色，形成半领状，胸栗棕色，腹和两胁淡棕色，腹中部和尾下覆

黑喉石䳭

羽白色或棕白色，腋羽和翅下覆羽黑色，羽端微缀白色。雌鸟上体黑褐色，具宽阔的灰棕色端斑和羽缘，尾上覆羽淡棕色，飞羽和尾羽黑褐色，羽缘均缀有棕色，内侧翅上覆羽白色，形成翅上白色翅斑。下体颊、喉淡棕色或棕黄白色，羽基黑色，胸棕色，腹至尾下覆羽棕白色，翼下覆羽和腋羽黑灰色，羽缘棕色。虹膜褐色或暗褐色，嘴、脚黑色。识别特征：体型细小，喉部黑色，喜欢站立于灌丛、草丛突出部，以出击的方式捕食。

鸣禽，常见。主要栖息于低山、丘陵、平原、草地、沼泽、田间灌丛、旷野，以及湖泊与河流沿岸附近灌丛草地。从海拔几百米到4000 m以上的高原河谷和山坡灌丛草地均有

分布，是一种分布广、适应性强的灌丛草地鸟类。不进入茂密的森林，但频繁见于林缘灌丛和疏林草地，以及林间沼泽、塔头草甸、低洼潮湿的道旁灌丛与地边草地上。栖于突出的低树枝以跃下地面捕食猎物。主要以昆虫为食，主要有蝗虫、蚱蜢、甲虫、金针虫、叶甲、金龟子、象甲、吉丁虫、螟蛾、叶丝虫、弄蝶科幼虫、舟蛾科幼虫、蜂、蚂蚁等，也吃蚯蚓、蜘蛛等其他无脊椎动物，以及少量植物果实和种子。

冬候鸟，保护区10月至次年5月可见。列入"三有"名录，"中日候鸟保护协定"保护种，濒危等级LC。

73.乌鸫
Turdus merula

鸫科（Turdidae）鸫属（*Turdus*）。

体长23～29 cm。雌雄同色。冬夏羽相同。全身大致黑色、黑褐色或乌褐色，有的沾锈色或灰色。上体包括两翅和尾羽黑色。下体黑褐色，色稍淡，颏缀以棕色羽缘，喉亦微染棕色而微具黑褐色纵纹。嘴黄色，眼珠呈橘黄色，脚近黑色。嘴及眼周橙黄色。雌鸟较雄鸟色淡，喉、胸有暗色纵纹。虹膜褐色，嘴橙黄色或黄色，脚黑色。识别特征：全身羽毛黑色，嘴黄色。

乌鸫

鸣禽，常见。主要栖息于次生林、阔叶林、针阔叶混交林和针叶林等各种不同类型的森林中，尤其喜欢栖息在林区外围、林缘疏林、农田旁树林、果园和村镇边缘、平原草地或园圃间。主要以昆虫为食。所吃食物有鳞翅目幼虫、尺蠖蛾科幼虫、蜉科幼虫、蝗虫、金龟子、甲虫、步行虫等双翅目、鞘翅目、直翅目昆虫和幼虫，也吃樟籽、榕果等果实，以及杂草种子等。

留鸟，保护区全年可见。列入"三有"名录，濒危等级LC。

74.丝光椋鸟
Spodiopsar sericeus

椋鸟科（Sturnidae）丝光椋鸟属（*Spodiopsar*）。

体长20～23 cm。雌雄异色。冬夏羽相同。整个头和颈白色微缀有灰色，有时还沾有皮黄色，这些羽毛狭窄而尖长呈矛状，披散至上颈，悬垂于上胸。背灰色，颈基处颜色较暗，往后逐渐变浅，到腰和尾上覆羽为淡灰色。肩外缘白色。两翅和尾黑色，具蓝绿色金属光泽，小覆羽具宽的灰色羽缘，初级飞羽基部有显著白斑，外侧大覆羽具白色羽缘。头侧、额、喉和颈侧白色，上胸暗

丝光椋鸟

灰色，有的向颈侧延伸至后颈，形成1个不甚明显的暗灰色环。下胸和两胁灰色，腹至尾下覆羽白色，腋羽和翅下覆羽亦为白色。虹膜黑色；嘴朱红色，尖端黑色；脚橘黄色。识别特征：嘴半黑半红，脚橘红色。飞行时可见翅膀有一显眼白斑。

鸣禽，常见。喜结群于地面觅食，取食植物果实、种子和昆虫，爱栖息于电线、丛林、果园及农耕区，筑巢于洞穴中。冬季聚大群活动，夏季数量少，迁徙时成大群。繁殖方式为卵生。食性主要以昆虫为食，尤其喜食地老虎、甲虫、蝗虫等农林业害虫，也吃桑葚、榕果等植物果实与种子。

冬候鸟，保护区10月至次年3月可见。列入"三有"名录，"中日候鸟保护协定"保护种，濒危等级VU。

75.灰椋鸟
Spodiopsar cineraceus

椋鸟科丝光椋鸟属。

体长19～24 cm。雌雄异色。冬夏羽相同。雄鸟额、头顶、头侧、后颈和颈侧均为黑色，微具光泽，额和头顶前部杂有白色，眼先和眼周灰白色杂有黑色，颊和耳羽白色亦杂有黑色。背、肩、腰和翅上覆羽灰褐色，小翼羽和大覆羽黑褐色，飞羽黑褐色，初级飞羽外翈具狭窄的灰白色羽缘，次级飞羽和三级飞羽外翈白色羽缘变宽。尾上覆羽白色，中央尾羽灰褐色，外侧尾羽黑褐色，内翈先端白色。颏白色，喉、前颈和上胸灰黑色，具不甚明显的灰白色矛状条纹。下胸、两胁和腹淡灰褐色，腹中部和尾下覆羽白色。翼下覆羽白

色，腋羽灰黑色杂有白色羽端。雌鸟和雄鸟大致相似，但仅前额杂有白色，头顶至后颈黑褐色。额、喉淡棕灰色，上胸黑褐色具棕褐色羽干纹。识别特征：嘴黄色，脸颊白色。

灰椋鸟

鸣禽，少见。主要栖息于低山丘陵和开阔平原地带的疏林草甸、河谷阔叶林，散生有老林树的林缘灌丛和次生阔叶林，也栖息于农田、路边和居民点附近的小块丛林中。主要取食动物性食物，食谱以昆虫为主，包括蝗虫、蟋蟀、叶甲、蝉等；冬春季昆虫较不活跃的时候，主要取食各种植物的种子和果实。

旅鸟，保护区3—5月、9—11月可见。列入"三有"名录，濒危等级LC。

76.灰背椋鸟
Sturnus sinensis

椋鸟科椋鸟属（*Sturnus*）。

体长17～19 cm。雌雄异色。冬夏羽相同。额和头顶污白色，全身羽毛大致为灰色，翅膀黑色，肩羽处有醒目白斑，尾巴黑色但末端为白色，嘴、脚亦呈灰色。雄鸟体色较淡，头部颜色亦较白，翼上白斑范围较大；雌鸟体色为偏暗的灰褐色，翼上白斑较小。虹膜乳白色，脚黑色。识别特

灰背椋鸟

征：全身大体白色，翅上有一醒目白斑，虹膜乳白色。

鸣禽，常见。主要栖息于低山、平原及丘陵的开阔地带，尤其喜好附近有树林的旱田环境，亦出现在农田、村镇、耕地和住家的周边活动。多半在地面觅食，也到树上采食浆果，杂食性。群聚性强，活泼好动，常与其他椋鸟、八哥混群，并在傍晚前聚集于树枝、屋顶或电线等明显目标上，然后进入树林一起夜栖。

留鸟，保护区全年可见。列入"三有"名录，濒危等级LC。

77.黑领椋鸟
Gracupica nigricollis

椋鸟科斑椋鸟属（*Gracupica*）。

体长28 cm。雌雄同色。冬夏羽相同。头白色，颈的黑色与下喉和上胸的黑色相连，形成一宽阔的黑色领环，领后颈黑色领环后有一窄的白环。背和尾上覆羽黑褐色或褐色，具灰色或白色尖端，但此白色尖端常常被磨损而不显或缺失。腰白色。尾黑褐色具白色端斑，且越往外侧尾羽白色端斑越大。两翅黑色，初级覆羽白色，中覆羽和大覆羽具白色尖端，初

黑领椋鸟

级飞羽黑色，先端微白色，次级飞羽和三级飞羽黑褐色具白色端斑。眼周裸皮黄色。下体白色，下喉至上胸黑色，向两侧延伸与后颈的黑环相连，形成一宽阔的黑色领环。虹膜乳灰色或黄色，眼周裸皮黄色，嘴黑色，脚绿黄色或褐黄色。识别特征：头白色，颈的黑色与下喉和上胸的黑色相连，形成一宽阔的黑色领环，眼周裸皮黄色；背部黑褐色，腹部灰白色。

鸣禽，罕见。常成对或成小群活动，有时也见和八哥混群。鸣声单调、嘈杂，常且飞且鸣。觅食多在地上，主要以昆虫和植物种子为食。

留鸟，保护区全年可见。列入"三有"名录，"中日候鸟保护协定"保护种，濒危等级VU。

78.八哥
Acridotheres cristatellus

椋鸟科八哥属（*Acridotheres*）。

体长23～28 cm。雌雄同色。冬夏羽相同。通体乌黑色，矛状额羽延长成簇状耸立于嘴基，形如冠状，头顶至后颈、头侧、颊和耳羽呈矛状，绒黑色具蓝绿色金属光泽，其余上体缀有淡紫褐色，不如头部黑而辉亮。两翅与背同色，初级覆羽先端和初级飞羽基部白色，形成宽阔的白色翅斑，飞翔时尤为明显。尾羽绒黑色，除中央一对尾羽外，均具白色端斑。下体暗灰黑色，肛周和尾下覆羽具白色端斑。虹膜橙黄色，嘴乳黄色，脚黄色。识别特征：全身羽毛大部黑色，嘴象牙白色。飞行时翅膀上白斑明显。

鸣禽，常见。性活泼，喜结群，成群活动，常立于水牛背上，或集结于大树上，或

成行站在屋脊上，每至暮时常成大群翔舞空中，噪鸣片刻后栖息。夜宿于竹林、大树或芦苇丛，并与其他椋鸟混群栖息。夜栖地点较为固定，常在附近地上活动和觅食，待至黄昏才陆续飞至夜栖地。善鸣叫，尤其在傍晚时甚为喧闹。食性杂，主要以蝗虫、蚱蜢、金龟子、蛇、毛虫、地老虎、蝇、虱等昆虫及其幼虫为食，也吃谷

八哥

粒、植物果实和种子等植物性食物。常在翻耕过的农地觅食，或站在牛、猪等家畜背上啄食寄生虫。

留鸟，保护区全年可见。列入"三有"名录，"中日候鸟保护协定"保护种，濒危等级LC。

79.大山雀
Parus major

山雀科（Paridae）山雀属（*Parus*）。

体长14 cm。雌雄同色。冬夏羽相同。前额、眼先、头顶、枕部和后颈上部辉蓝黑色，眼以下整个脸颊、耳羽和颈侧白色，呈一近似三角形的白斑。后颈上部黑色沿白斑向左右颈侧延伸，形成1条黑带，与颏、喉和前胸的黑色相连。上背和两肩黄绿色，在上背黄绿色和后颈的黑色之间有一细窄的白色横带；下背至尾上覆羽蓝灰色，下体白色，中部有一宽阔

大山雀

的黑色纵带，前端与前胸黑色相连，往后延伸至尾下覆羽，有时在尾覆羽下还扩大成三角形；腋羽白色，虹膜褐色或暗褐色，嘴黑褐色或黑色，脚暗褐色或紫褐色。识别特征：头黑色，两颊白色，腹部白色，中间有1条宽阔的黑色纵纹。

鸣禽，常见。栖息于低山和山麓地带的次生阔叶林、阔叶林和针阔叶混交林中，也出入于人工林和针叶林中，有时进到果园、道旁和地边树丛、房前屋后和庭院中的树上。性较活泼而大胆，不甚畏人。行动敏捷，常在树枝间穿梭跳跃，主要以各种昆虫为食。此

外，也吃少量蜘蛛、蜗牛、草籽、花等其他小型无脊椎动物和植物性食物。

留鸟，保护区全年可见。列入"三有"名录，濒危等级LC。

80.家燕
Hirundo rustica

燕科（Hirundinidae）燕属（*Hirundo*）。

体长13～18 cm。雌雄同色。冬夏羽相同。前额深栗色，上体从头顶一直到尾上覆羽均为蓝黑色而富有金属光泽。两翼小覆羽、内侧覆羽和内侧飞羽亦为蓝黑色而富有金属光泽。初级飞羽、次级飞羽和尾羽黑褐色，微具蓝色光泽，飞羽狭长。尾长，呈深叉状。最外侧一对尾羽特形延长，其余尾羽由两侧向中央依次递减，除中央一对尾羽

家燕

外，所有尾羽内翈均具一大型白斑，飞行时尾平展，其内翈上的白斑相互连成V字形。颏、喉和上胸栗色或棕栗色，其后有一黑色环带，有的黑环在中段被侵入的栗色中断，下胸、腹和尾下覆羽白色或棕白色，也有呈淡棕色和淡赭桂色的，随亚种而有不同，但均无斑纹。 虹膜暗褐色，嘴黑褐色，跗跖和趾黑色。识别特征：注意与金腰燕的区别，家燕腰部黑色，腹部无黑色纵纹。

鸣禽，常见。善飞行，大多数时间都成群地在村庄及其附近的田野上空不停地飞翔。飞行迅速敏捷，有时飞得很高，像鹰一样在空中翱翔，有时又紧贴水面一闪而过，时东时西，忽上忽下，没有固定飞行方向，有时还不停地发出尖锐而急促的叫声。主要以昆虫为食，食物种类常见有蚊、蝇、蛾、蚁、蜂、叶蝉、象甲、金龟甲、叩头甲、蜻蜓等双翅目、鳞翅目、膜翅目、鞘翅目、同翅目、蜻蜓目的昆虫。

留鸟，保护区全年可见。列入"三有"名录，"中日候鸟保护协定"保护种，濒危等级VU。

81.金腰燕
Cecropis daurica

燕科斑燕属（*Cecropis*）。

体长16～18 cm。雌雄同色。冬夏羽相同。额、头顶、枕部辉蓝色，眉纹棕红色，延伸至颈后部，背部淡蓝色，腰部栗黄色。飞羽黑色。喉、胸、腹部白色，杂有黑色短纵纹。两胁栗黄色，喙短而宽扁，基部宽大，呈倒三角形，上喙近先端有一缺刻；口裂极深，嘴须不发达。翅狭长而尖，尾呈叉状，形成"燕尾"，脚短而细弱，黑

金腰燕

色。识别特征：显眼的栗黄色"腰带"，腹部与家燕相比有黑色纵纹。

　　鸣禽，常见。生活习性与家燕相似，栖息于低山及平原的居民点附近，以昆虫为食。生活于山脚坡地、草坪，也围绕树林附近有轮廓的平房、高大建筑物、工厂飞翔，栖在空旷地区的树上，尤喜栖在无叶的枝条或枯枝。通常出现于平地至低海拔地区的空中或电线上。结小群活动，飞行时振翼较缓慢且比其他燕更喜高空翱翔。善飞行，飞行迅速敏捷。主要以昆虫为食，食物种类常见有双翅目、鳞翅目、膜翅目、鞘翅目、同翅目、蜻蜓目的昆虫。

　　留鸟，保护区全年可见。列入"三有"名录，"中日候鸟保护协定"保护种，濒危等级LC。

82.红耳鹎
Pycnonotus jocosus

鹎科（Pycnonotidae）鹎属（*Pycnonotus*）。

体长16～18 cm。雌雄异色。冬夏羽相同。前额至头顶黑色，头顶具高耸的黑色羽冠，眼后下方有一深红色羽簇，形成一红斑；耳羽和颊白色，紧连于红斑下方。后颈、背至尾上覆羽等其余上体棕褐色或土褐色，有的标本具棕红色羽缘。尾暗褐色或黑褐色，两翅覆羽与背同色，飞羽暗褐色或黑褐色，外翈略缀土黄色或淡土褐色。颊、喉白色，且和颊部白色之间有一黑色细线，从嘴基沿颊部白斑一直延伸到耳羽后侧。其余下体白色或近白色，两胁沾浅褐色或淡烟棕色，胸两侧各有一较宽的暗褐色或黑色横带，自下颈开始经胸

侧向胸中部延伸，且形渐细狭，最后中断于胸部中央，形成不完整的胸带，尾下覆羽鲜红色或橙红色。虹膜棕色、褐色、棕红色或深棕色，嘴、脚黑色。识别特征：头顶有耸立的黑色羽冠，眼下后方有一鲜红色斑，背部褐色，腹部灰白色，尾下覆羽红色。

红耳鹎

鸣禽，常见。性活泼，常呈10多只的小群活动于村落、农田附近的树林、灌丛，城镇的公园。通常一边跳跃活动觅食，一边鸣叫。杂食性，但以植物性食物为主。常见啄食树木种子、果实、花和草籽，尤其是榕树、棠李、石楠、蓝靛等的果实。动物性食物主要为鞘翅目、鳞翅目、直翅目和膜翅目等的昆虫及其幼虫。

留鸟，保护区全年可见。列入"三有"名录，濒危等级LC。

83.白喉红臀鹎
Pycnonotus aurigaster

鹎科鹎属。

体长19～22 cm。雌雄同色。冬夏羽相同。前额、头顶、枕部黑色而富有光泽，眼先、眼周、嘴基亦为黑色，耳羽银灰色或灰白色，有的沾灰褐色或棕褐色。背、肩褐色或灰褐色，具宽的灰色或灰白色羽缘，腰灰褐色。尾上覆羽灰白色，尾羽黑褐色，先端白色，中央尾羽微具白端。两翅暗褐色，下体颏及上喉黑色，下喉白色，其余下体污

白喉红臀鹎

白色或灰白色，有的微沾灰色。尾下覆羽血红色。虹膜棕褐色，嘴、脚黑色。识别特征：头部有亮黑色短冠，上体灰褐色，飞行时腰部白色明显，腹部灰白色，尾下覆羽艳红色。

鸣禽，常见。栖息在低山丘陵和平原地带的次生阔叶林、竹林、灌丛，以及村寨、地边和路旁树上或小块丛林中，也见于沟谷、林缘、季雨林和雨林，主要生活于森林、竹林以及开阔的乡间。杂食性，但以植物性食物为主。常以3～5只或10多只的小群活动。

留鸟，保护区全年可见。列入"三有"名录，"中日候鸟保护协定"保护种，濒危等级LC。

84.白头鹎
Pycnonotus sinensis

鹎科鹎属。

体长19～21 cm。雌雄同色。冬夏羽相同。额至头顶纯黑色而富有光泽，耳羽后部有一白斑，此白斑在黑色的头部极为醒目。背和腰羽大部为橄榄绿色，翼和尾部稍带黄绿色，颏、喉部白色，胸灰褐色，形成不明显的宽阔胸带，腹部白色或灰白色，杂以黄绿色条纹，上体褐灰色或橄榄灰色，具黄绿色羽

白头鹎

缘，使上体形成不明显的暗色纵纹。尾和两翅暗褐色具黄绿色羽缘。虹膜褐色，嘴、脚黑色。幼鸟头灰褐色，背橄榄色，胸部浅灰褐色，腹部及尾下覆羽灰白色。识别特征：头部黑色，耳后有一白斑，背部橄榄绿色。

鸣禽，常见。性活泼，不甚畏人。结群于果树上活动，多活动于丘陵或平原的灌丛中，也见于针叶林里。杂食性，以果树的浆果和种子为主食。

留鸟，保护区全年可见。列入"三有"名录，濒危等级LC。

85.暗绿绣眼鸟
Zosterops japonicus

绣眼鸟科（Zosteropidae）绣眼鸟属（*Zosterops*）。

体长9～11 cm。雌雄同色。冬夏羽相同。从额基至尾上覆羽概为草绿色或暗黄绿色，前额沾有较多黄色且更为鲜亮，眼周有一圈白色绒状短羽，眼先和眼圈下方有一细的黑色纹，耳羽、脸颊黄绿色。翅上内侧覆羽与背同色，外侧覆羽和飞羽暗褐色或黑褐色，尾暗褐色，外翈羽缘草绿色或黄绿色。颏、喉、上胸和颈侧鲜柠檬黄色，下胸和两胁苍白色，

腹中央近白色，尾下覆羽淡柠檬黄色，腋羽和翅下覆羽白色，有时腋羽微沾淡黄色。嘴黑色，脚暗铅色或灰黑色。识别特征：眼周有显眼的白色眼眶。

暗绿绣眼鸟

　　鸣禽，常见。主要栖息于阔叶林和以阔叶树为主的针阔叶混交林、竹林、次生林等各种类型森林中，也栖息于果园、林缘以及村寨和地边高大的树上。常成小群活动，所吃昆虫主要有鳞翅目成虫和幼虫，以及金龟甲、金花甲、象甲、叶甲、叩头虫、蝗虫、蝽象、蚜虫、瓢虫、螳螂、蚂蚁等半翅目、膜翅目、直翅目、鞘翅目的昆虫，也吃蜘蛛、小螺等一些小型无脊椎动物，或者一些植物的花粉、花蜜和果实。

　　留鸟，保护区全年可见。列入"三有"名录，濒危等级LC。

86.棕扇尾莺
Cisticola juncidis

　　扇尾莺科（Cisticolidae）扇尾莺属（*Cisticola*）。

　　体长9～11 cm。雌雄同色。冬夏羽相同。额栗棕色，具黑褐色羽干纹，头顶和枕部黑褐色，具宽的皮黄色或栗棕色羽缘，在头顶和枕部形成黑褐色纵纹；眉纹淡棕色或棕白色，眼先棕白色，颊和耳羽淡棕色或栗色，头侧、后颈淡栗棕色，后颈具或微具淡的褐色羽干纹。上背和肩黑色，上背羽缘栗棕色，尾

棕扇尾莺

呈凸状，下体白色或乳白色。虹膜红褐色；上嘴红褐色，下嘴粉红色；脚肉色或肉红色。识别特征：体型细小，头部黑褐相间，脚肉红色。

鸣禽，常见。主要栖息于丘陵和平原低地灌<u>丛</u>与草<u>丛</u>中，也出入于农田、草地、灌<u>丛</u>、沼泽、低矮的芦苇塘以及地边灌<u>丛</u>与草<u>丛</u>中。主要以昆虫及其幼虫为食，也吃蜘蛛等其他小的无脊椎动物和杂草种子等植物性食物。

留鸟，保护区全年可见。列入"三有"名录，濒危等级LC。

87.黄眉柳莺
Phylloscopus inornatus

莺科（Sylviidae）柳莺属（_Phylloscopus_）。

体长11 cm。雌雄同色。冬夏羽相同。上体橄榄绿色；眉纹淡黄绿色；翅具2道浅黄绿色翼斑；下体为沾绿黄的白色。上体包括两翅的内侧覆羽概呈橄榄绿色，头部色泽较深，在头顶的中央贯以1条若隐若现的黄绿色纵纹。眉纹淡黄绿色。自眼先有1条暗褐色的纵纹，穿过眼睛，直达枕部；头的余部为黄色与绿褐色相混杂；翼上覆羽与

黄眉柳莺

飞羽黑褐色；飞羽外翈狭缘以黄绿色，且除最外侧几枚飞羽外，余者羽端均缀以白色；大覆羽和中覆羽尖端淡黄白色，形成翅上的2道翼斑；尾羽黑褐色，各翅外缘以橄榄绿色狭缘，内缘以白色。下体白色，胸、胁、尾下覆羽均稍沾绿黄色，腋羽亦然。识别特征：体型细小，具2道翅斑，飞羽边缘白色。

鸣禽，常见。常在枝尖不停地穿飞捕虫，有时飞离枝头扇翅，将昆虫哄赶起来，再追上去啄食，在枝间跳跃时，不时地发出一声声细尖而清脆的"仔儿"声，遍布于各地的山林、园圃以及城市公园等地的林木中。

冬候鸟，保护区9月至次年5月可见。列入"三有"名录，"中日候鸟保护协定"保护种，濒危等级LC。

88.长尾缝叶莺
Orthotomus sutorius

莺科缝叶莺属（_Orthotomus_）。

体长12～13 cm。雌雄同色。冬夏羽相同。额及前顶冠棕色，眼先及头侧近白色，后顶

冠及颈背偏褐色；背、两翼及尾橄榄绿色，下体白色而两胁灰色。虹膜浅皮黄色；上嘴黑色，下嘴偏粉色；脚粉红色。识别特征：额头棕红色，背部浅绿色，腹部灰白色。

长尾缝叶莺

鸣禽，常见。繁殖期雄鸟的中央尾羽由于换羽而更显延长。歌声比较单调，尾巴喜欢上扬，多见于稀疏林、次生林及林园。性活泼，不停地运动或发出刺耳尖叫声。常隐匿于林下层且多在浓密枝叶覆盖之下。

留鸟，保护区全年可见。列入"三有"名录，濒危等级LC。

89.麻雀
Passer montanus

雀科（Passeridae）雀属（*Passer*）。

体长13～15 cm。雌雄同色。冬夏羽相同。从额至后颈肝褐色；上体砂褐色，背部具黑色纵纹，并缀以棕褐色；尾暗褐色，羽缘较浅淡；翅小覆羽栗色，中覆羽的基部呈灰黑色，具白色沾黄色的羽端，大

麻雀

覆羽大都黑褐色，外翈具棕褐色边缘，外侧初级飞羽的缘纹，除第一枚外，在羽基和近端处形稍扩大，互相骈缀，略成2道横斑状，内侧次级飞羽的羽缘较阔，棕色亦较浓著；眼的下缘、眼先、额和喉的中部均为黑色；颊、耳羽和颈侧概白色，耳羽后各具一黑色块斑；胸和腹淡灰色近白色，沾有褐色，两胁转为淡黄褐色，尾下覆羽与之相同，但色更淡，各羽具宽的较深色的轴纹，腋羽色同胁部。识别特征：两颊白色，耳羽具一黑色斑点。

鸣禽，常见。树麻雀是世界分布广、数量多和最为常见的一种小鸟，无论山地、平

原、丘陵、草原、沼泽和农田，还是城镇和乡村，在有人类集居的地方多有分布。麻雀栖息环境很杂，但一般总是多栖息在居民点或其附近的田野。大多在固定的地方觅食，在固定的地方休息；白天活动的范围大都在2 km～3 km之内，晚上匿藏于屋檐洞穴中或附近的土洞、岩穴内以及村旁的树林中。食性较杂，主要以谷粒、草籽、种子、果实等植物性食物为食，繁殖期间也吃大量昆虫，特别是雏鸟，几全以昆虫及其幼虫为食。

留鸟，保护区全年可见。列入"三有"名录，"中日候鸟保护协定"保护种，濒危等级LC。

90.白鹡鸰
Motacilla alba

鹡鸰科（Motacillidae）鹡鸰属（*Motacilla*）。

体长16～19 cm。雌雄同色。冬夏羽相同。额头顶前部和脸白色，头顶后部、枕部和后颈黑色。背、肩黑色或灰色，飞羽黑色。翅上小覆羽灰色或黑色，中覆羽、大覆羽白色或尖端白色，在翅上形成明显的白色翅斑。尾长而窄，尾羽黑色，最外两对尾羽主要为白色。颏、喉白色或黑色，胸黑色，其余下体白色。虹膜黑褐色，嘴和跗跖黑色。识别特征：背部灰色，下体白色，行走时常上下摆动尾巴。

白鹡鸰

鸣禽，常见。主要栖息于河流、湖泊、水库、水塘等水域岸边，也栖息于农田、湿草原、沼泽等湿地，有时还栖于水域附近的居民点和公园。主要以昆虫为食，主要为鞘翅目、双翅目、鳞翅目、膜翅目、直翅目的昆虫。

留鸟，保护区全年可见。列入"三有"名录，"中日候鸟保护协定"和"中澳候鸟保护协定"保护种，濒危等级LC。

91.灰鹡鸰
Motacilla cinerea

鹡鸰科鹡鸰属。

体长17～19 cm。雌雄异色。冬夏羽不同。雄鸟前额、头顶、枕部和后颈灰色或深灰

色；肩、背、腰灰色沾暗绿褐色
或暗灰褐色。尾上覆羽鲜黄色，
部分沾有褐色，中央尾羽黑色或
黑褐色，具黄绿色羽缘，眉纹白
色，眼先、耳羽灰黑色。颏、喉
夏季为黑色，冬季为白色，其余
下体鲜黄色。雌鸟和雄鸟相似，
但雌鸟上体较绿灰，颏、喉白
色，不为黑色。虹膜褐色，嘴黑
褐色或黑色，跗跖和趾粉红色。

灰鹡鸰

识别特征：上体灰色，腹部淡黄色，臀部鲜黄色，脚粉红色。尾常上下摆动。

　　鸣禽，常见。单独或成对活动，有时也集成小群或与白鹡鸰混群。飞行时两翅一展一收，呈波浪式前进，并不断发出 "ja-ja-ja-ja……" 的鸣叫声。常停栖于水边、岩石、电线杆、屋顶等突出物体上，有时也栖于小树顶端枝头和水中露出水面的石头上，尾不断地上下摆动。被惊动后则沿着河谷上下飞行，并不停地鸣叫。常沿河边或道路行走捕食。主要以昆虫为食。其中，雏鸟主要以石蛾、石蝇等水生昆虫为食，也吃少量鞘翅目昆虫；成鸟主要以石蚕、蝇、甲虫、蚂蚁、蝗虫、蝼蛄、蚱蜢、蜂、蜻象、毛虫等鞘翅目、鳞翅目、直翅目、半翅目、双翅目、膜翅目的昆虫及其幼虫为食。

　　冬候鸟，保护区10月至次年4月可见。列入"三有"名录，"中日候鸟保护协定"保护种，濒危等级LC。

92.黄鹡鸰
Motacilla tschutschensis

鹡鸰科鹡鸰属。

　　体长15～19 cm。雌雄同色。冬夏羽相同。黄鹡鸰亚种较多，各亚种羽色虽有不同程度的差异，但上体主要为橄榄绿色或草绿色，有的较灰。头顶和后颈多为灰色、蓝灰色、暗灰色或绿色，额稍淡，眉纹白色、黄色或无眉纹。有的腰部较黄，翅上覆羽具淡色羽缘。尾较长，主要为黑色，外侧两对尾羽主要为白色。下体鲜黄色，胸侧和两胁有的沾橄榄绿色，有的颏为白色。两翅黑褐色，中覆羽和大覆羽具黄白色端斑，在翅上形成2道翅斑。识别特征：背部绿色，腹部黄色，脚黑色。

　　鸣禽，常见。常在林缘、林中溪流、平原河谷、村野、沼泽湿地、水田、湖畔和居民点附近活动，多成对或成3～5只的小群，迁徙期亦见数十只的大群活动。停歇时尾不停地上下摆动。有时也沿着水边来回不停地走动。飞行时两翅一收一伸，呈波浪式前进。常常边飞边叫，鸣声"唧—唧"。

冬候鸟，保护区10月至次年3月可见。列入"三有"名录，"中日候鸟保护协定"保护种，濒危等级VU。

黄鹡鸰

93.红喉鹨
Anthus cervinus

鹡鸰科鹨属（*Anthus*）。

体长14～17 cm。雌雄同色。冬夏羽不同。夏羽上体灰褐色或橄榄灰褐色，具黑褐色羽干纹，尤以头顶和背部黑褐色羽干纹较粗著，腰和尾上覆羽稍窄。尾暗褐色，羽缘淡灰褐色，中央尾羽黑褐色，具橄榄灰褐色羽缘，最外侧一对尾羽端部具大型灰白色楔状斑，次一对外侧尾羽仅具白色端斑。

红喉鹨

翅上覆羽暗褐色，翅上小覆羽具灰褐色羽缘，中覆羽和大覆羽具宽阔的乳白色羽缘。飞羽黑褐色，外侧具窄的橄榄灰褐色羽缘，内侧飞羽具橄榄淡黄褐色羽缘。耳羽棕褐色或暗黄褐色。下体颈、喉、胸棕红色，其余下体淡棕黄色或黄褐色，下胸、腹和两肋具黑褐色纵纹。冬羽上体主要为黄褐色或棕褐色，具黑色羽干纹。虹膜褐色或暗褐色；嘴黑色，基部肉色或角褐色；脚淡褐色或黑褐色。识别特征：喉、胸棕红色，下体具黑褐色纵纹，脚淡褐色。

鸣禽，常见。主要栖息于灌丛、草甸地带、开阔平原和低山山脚地带，有时出现在林缘、林中草地、河滩、沼泽、草地、林间空地及居民点附近。多成对活动，在地上觅食，受惊动即飞向树枝或岩石。食物主要为昆虫，多为鞘翅目、膜翅目、双翅目的昆虫及其幼虫，食物缺乏时也吃少量植物性食物。

冬候鸟，保护区10月至次年4月可见。列入"三有"名录，"中日候鸟保护协定"保护种，濒危等级VU。

94.黄腹鹨
Anthus rubescens

鹡鸰科鹨属。

体长14～17 cm。雌雄同色。冬夏羽相同。头顶具细密的黑褐色纵纹，往后到背部纵纹逐渐不明显。眼先黄白色或棕色，眉纹自嘴基起棕黄色，后转为白色或棕白色，具黑褐色贯眼纹。下背、腰至尾上覆羽几纯褐色、无纵纹或纵纹极不明显。两翅黑褐色，具橄榄黄

黄腹鹨

绿色羽缘，中覆羽和大覆羽具白色或棕白色端斑，初级飞羽及次级飞羽羽缘白色。尾羽黑褐色，具橄榄绿色羽缘，最外侧一对尾羽具大型楔状白斑，次一对外侧尾羽仅尖端白色。颏、喉白色或棕白色，喉侧有黑褐色颧纹，胸皮黄白色或棕白色，其余下体白色。虹膜褐色；上嘴角质色，下嘴偏粉色；脚偏粉色。识别特征：非繁殖期耳后无白斑，脚偏粉色，前胸纵纹浓密但两胁纵纹稀疏。

鸣禽，少见。主要栖息于阔叶林、混交林和针叶林等山地森林中，亦在高山矮曲林和疏林灌丛栖息。迁徙期间和冬季，则多栖于低山丘陵和山脚平原草地。常活动在林缘、路边、河谷、林间空地、高山苔原、草地等各类生境，有时也出现在居民区。多成对或成10几只小群活动，性活跃，不停地在地上或灌丛中觅食。食物主要为有鞘翅目、膜翅目昆虫及鳞翅目幼虫，兼食一些植物性种子。冬季喜沿溪流的湿润多草地区及稻田活动。飞行叫声为偏高的"jeet-eet"声。

冬候鸟，保护区11月至次年3月可见。列入"三有"名录，濒危等级LC。

95. 田鹨
Anthus richardi

鹡鸰科鹨属。

体长17~19 cm。雌雄同色。冬夏羽相同。上体主要为黄褐色或棕黄色，头顶、两肩和背具暗褐色纵纹，后颈和腰纵纹不显著或无纵纹。尾上覆羽较棕，无纵纹，尾羽暗褐色，具沙黄色或黄褐色羽缘，眉纹黄白色或沙黄色。颏、喉白色沾棕色，喉两侧有一暗色纵纹。胸和两胁皮黄色或棕黄色，胸具暗褐色纵纹，下

田鹨

胸和腹皮黄白色或白色沾棕色。虹膜褐色，嘴角褐色，上嘴基部和下嘴色较淡黄；脚角褐色，甚长，后爪亦甚长，长于后趾。识别特征：主要在地面活动，全身羽毛黄褐色或淡褐色。

鸣禽，常见。栖息于灌丛、草甸地带、开阔平原和低山山脚地带，有时出现在林缘、林中草地、河滩、沼泽、草地、林间空地及居民点附近。多成对活动，在地上沿枝节走动觅食，受惊动即飞向树枝或岩石。杂食性，主要捕食昆虫，食物匮乏时也食植物性食物。

留鸟，保护区全年可见。列入"三有"名录，濒危等级LC。

96. 树鹨
Anthus hodgsoni

鹡鸰科鹨属。

体长14~17 cm。雌雄同色。冬夏羽相同。上体橄榄绿色或绿褐色，头顶具细密的黑褐色纵纹，往后到背部纵纹逐渐不明显。眼先黄白色或棕色，眉纹自嘴基起棕黄色，后转为白色或棕白色，具黑褐色贯眼纹。下背、腰至尾上覆羽几纯橄榄绿色，无纵纹或纵纹极不明显。两翅黑褐色，具橄榄黄绿色羽缘，中覆羽和大覆羽具白色或棕白色端斑。尾羽黑褐色，具橄榄绿色羽缘，最外侧一对尾羽具大型楔状白斑，次一对外侧尾羽仅尖端白色。颏、喉白色或棕白色，喉侧有黑褐色颧纹，胸皮黄白色或棕白色，其余下体白色，胸和两

胁具粗著的黑色纵纹。虹膜红褐色；上嘴黑色，下嘴肉黄色；跗跖和趾肉色或肉褐色。识别特征：上体橄榄绿色，具黑褐色纵纹，耳后有一白斑；下体具黑色纵纹，脚红色。尾常上下摆动。

树鹨

鸣禽，常见。主要栖息在阔叶林、混交林和针叶林等山地森林中。常成对或成3～5只的小群活动，性机警，受惊后立刻飞到附近树上，主要以昆虫及其幼虫为食物，在冬季兼吃些杂草种子等植物性食物。

冬候鸟，保护区10月至次年3月可见。列入"三有"名录，"中日候鸟保护协定"保护种，濒危等级LC。

97.厚嘴苇莺
Arundinax aedon

苇莺科（Aerocephalidae）苇莺属（*Arundinax*）。

体长20 cm。雌雄同色。冬夏羽相同。自头顶至背、肩部均呈橄榄棕褐色；腰和尾上覆羽转为鲜亮棕褐色；眼先、眼周皮黄色；颊部和耳羽淡橄榄褐色，耳羽区杂以淡皮黄色纤细羽轴纹；尾羽棕褐色，缀以不明显的暗褐色横斑纹，羽缘淡棕色；翅飞羽和覆羽均黑褐色，飞羽外侧羽缘淡棕色；

厚嘴苇莺

翅上覆羽羽缘棕褐色。下体颏、喉部和腹部中央均为白色，并微沾棕黄色；胸部和两胁、尾下覆羽均呈淡棕色；翅下覆羽和腋羽均淡棕黄褐色。识别特征：嘴宽厚，腹灰白色，背部棕褐色。

鸣禽，常见。主要栖息于低海拔（海拔800 m以下）的低山丘陵和山脚平原地带，喜欢在河谷两岸的小片丛林、灌丛和草丛中活动，尤其在山区较为开阔的河谷灌木丛和草丛中较易遇见，在散生有高大树木的疏林灌丛、采伐迹地以及丛林和草地灌丛中也常出入，但不喜欢稠密的大森林。主要食物有鳞翅目、鞘翅目、直翅目、半翅目等的昆虫。

旅鸟，保护区10月至次年3月可见。列入"三有"名录，"中日候鸟保护协定"保护种，濒危等级LC。

98.小鹀
Emberiza pusilla

鹀科（Emberizidae）鹀属（*Emberiza*）。

体长13 cm。雌雄同色。冬夏羽相同。头顶、头侧、眼先和颊侧均赤栗色，头顶两侧各具一黑色宽带；眉纹红褐色；耳羽暗栗色，后缘沾黑色；颈灰褐色而沾土黄色；肩、背砂褐色，有黑褐色羽干纹；腰和尾上覆羽灰褐色；小覆羽土黄褐

小鹀

色；中覆羽和大覆羽黑褐，前者羽尖土黄色，后者沾赤褐色，羽端土黄色；小翼羽和初级覆羽暗褐色，而羽缘浅灰色。翅上覆羽黑褐色而缘以赭黄色，初级覆羽羽缘较淡；飞羽暗褐色，内侧者缘以赭黄色，外侧者外缘转为土白色；尾羽褐色，具不明显的土白色羽缘；最外侧一对尾羽有一白色楔状斑，从内翈羽尖直插到外翈基部；次一对尾羽仅在羽轴处有一白色窄纹；喉侧、胸、胁均土黄色，具黑色条纹；下体余部白色；翼下覆羽和腋羽也白色，后者中央发黑。虹膜褐色；上嘴近黑色，下嘴灰褐；脚肉褐色。识别特征：两颊棕红色，腹部具黑色纵纹。

鸣禽，常见。在平原、丘陵、山谷和高山都能见到，栖息于灌木丛、小乔木、村边树林与草地、苗圃、麦地和稻田中。多结群生活，春季多为十数只的小群，秋季一般结为大群，冬季多分散或单个活动。性颇怯疑，虽在迁徙途中也静寂地隐藏于麦田、灌丛或草棵中。主要以草籽、种子、果实等植物性食物为食，也吃鞘翅目、膜翅目、半翅目、鳞翅目的昆虫及其幼虫和卵等动物性食物。

冬候鸟，保护区10月至次年3月可见。列入"三有"名录，"中日候鸟保护协定"保护种，濒危等级LC。

99.黑枕黄鹂
Oriolus chinenswis

黄鹂科（Oriolidae）黄鹂属（*Oriolus*）。

体长26～29 cm。雌雄异色。冬夏羽相同。雄鸟头和上下体羽大都金黄色。下背稍沾绿色，呈绿黄色，腰和尾上覆羽柠檬黄色。额基、眼先黑色并穿过眼经耳羽向后枕延伸，两侧在后枕相连形成1条围绕头顶的黑色宽带，尤以枕部较宽。两翅黑色，翅上大覆羽外翈和

黑枕黄鹂

羽端黄色，内翈大都黑色，小翼羽黑色，初级覆羽黑色，羽端黄色，其余翅上覆羽外翈金黄色，内翈黑色。初级飞羽黑色，除第一枚初级飞羽外，其余初级飞羽外翈均具黄白色或黄色羽缘和尖端，次级飞羽黑色，外翈具宽的黄色羽缘，三级飞羽外翈几全为黄色。尾黑色，除中央一对尾羽外，其余尾羽均具宽阔的黄色端斑，且愈向外侧尾羽黄色端斑愈大。雌鸟和雄鸟羽色大致相近，但色彩不及雄鸟鲜亮，羽色较暗淡，背面较绿，呈黄绿色。幼鸟与雌鸟相似，上体黄绿色，下体淡绿黄色，下胸、腹中央黄白色，整个下体均具黑色羽干纹。识别特征：全身羽毛大部金黄色，枕部黑色。

鸣禽，常见。常单独或成对活动，有时也见3～5只的松散群。主要在高大乔木的树冠层活动，很少下到地面。繁殖期间喜欢隐藏在树冠层枝叶丛中鸣叫，鸣声清脆婉转，富有弹音，并且能变换腔调和模仿其他鸟的鸣叫，清晨鸣叫最为频繁，有时边飞边鸣，飞行呈波浪式。主要食物有鞘翅目昆虫及尺蠖蛾科幼虫、螽斯科、蝗科、夜蛾科幼虫、枯叶蛾科幼虫、斑蛾科幼虫、蝶类幼虫、毛虫、蟋蟀、螳螂等昆虫及其幼虫，也吃少量植物果实。

旅鸟，保护区10月至次年3月可见。列入"三有"名录，"中日候鸟保护协定"保护种，濒危等级LC。

参考文献

［1］何斌源，范航清，王瑁，等.中国红树林湿地物种多样性及其形成［J］.生态学报，2007（11）：4859-4870.

［2］王文卿，王瑁.中国红树林［M］.北京：科学出版社，2007.

［3］王文卿，陈琼.南方滨海耐盐植物资源［M］.厦门：厦门大学出版社，2013.

［4］陈坚，范航清，陈成英.广西英罗港红树林区水体浮游植物种类组成和数量分布的初步研究［J］.广西科学院学报，1993（2）：31-36.

［5］高宇，林光辉.典型红树林生态系统藻类多样性及其在生态过程中的作用［J］.生物多样性，2018（11）：1223-1235.

［6］赵雅慧，张舒琳，吴家法，等.山口红树林根际土壤可培养细菌多样性及其活性筛选［J］.海洋学报，2018（8）：138-151.

［7］张琳琳.我国北部湾典型红树林生态系统中微塑料的污染特征［D］.南宁：广西大学，2020.

［8］刘瑞玉.中国海洋生物名录［M］.北京：科学出版社，2008.

［9］戴爱云，杨思谅，宋玉枝，等.中国海洋蟹类［M］.北京：海洋出版社，1986.

［10］徐凤山，张素萍.中国海产双壳类图志［M］.北京：科学出版社，2008.

［11］张素萍，张均龙，陈志云，等.黄渤海软体动物图志［M］.北京：科学出版社，2016.

［12］王海燕，张涛，马培振，等.中国北部湾潮间带现生贝类图鉴［M］.北京：科学出版社，2016.

［13］范航清，刘文爱，曹庆先.广西红树林害虫生物生态特性与综合防治技术研究［M］.北京：科学出版社，2012.

［14］蒋国芳，洪芳.山口红树林自然保护区昆虫的初步调查［J］.广西科学院学报，1993（2）：63-66.

［15］甄文全，薛云红，刘文爱，等.广西山口红树林保护区昆虫调查［J］.广西科学，2019（4）：430-443.

［16］黄复生.海南森林昆虫［M］.北京：科学出版社，2002.

［17］颜增光，蒋国芳，张永强.广西英罗港红树林蜘蛛群落初步调查［J］.广西科学院学报，1998（4）：6-8.

［18］周放.中国红树林鸟类区鸟类［M］.北京：科学出版社，2010.

［19］周放，房慧伶，张红星.山口红树林鸟类多样性初步研究［J］.广西科学，2000（2）：154-157.

［20］韩小静.广西山口红树林区鸟类群落的研究［D］.南宁：广西大学，2006.

［21］韦江玲，孙仁杰，刘文爱，等.广西山口红树林湿地鸟类多样性研究［J］.亚热带资源与环境学报，2020（1）：1-10.

［22］余辰星，杨岗，陆舟，等.迁徙季节水鸟对滨海不同类型湿地的利用：以广西山口红树林自然保护区为例［J］.海洋与湖沼，2014（3）：513-521.

［23］余桂东.广西山口国家级红树林自然保护区冬季鸟类对沿海植被的利用［D］.南宁：广西大学，2015.

［24］许亮，周放，蒋光伟，等.广西山口红树林保护区海陆交错带夏季鸟类多样性调查［J］.四川动物，2012（4）：655-659.

［25］许亮.山口红树林区鸟类群落的多样性及滨海生境的利用［D］.南宁：广西大学，2012.

附录1 山口红树林保护区维管束植物名录 （滨海500 m范围内）

1. 本名录的排列先后顺序，蕨类植物按秦仁昌1978年系统，裸子植物按郑万钧系统，被子植物按哈钦松1926年系统，属和种皆按拉丁学名字母顺序排列。带"*"者为栽培种，带"□"者为外来种、入侵种或逃逸种。

2. 拉丁学名参考网络版《中国植物志》http：//www.iplant.cn/frps2019/。

1. 蕨纲 Filicopsida

1.1 里白科 Gleicheniaceae
（1）铁芒萁 *Dicranopteris dichotoma*

1.2 海金沙科 Lygodiaceae
（2）海金沙 *Lygodium japonicum*

1.3 凤尾蕨科 Pteridaceae
（3）蜈蚣草 *Pteris vittata*

1.4 卤蕨科 Acrostichaceae
（4）卤蕨 *Acrostichum aureum*

1.5 铁线蕨科 Adiantaceae
（5）铁线蕨 *Adiantum capillusveneris*

1.6 乌毛蕨科 Blechnaceae
（6）东方乌毛蕨 *Blechnum orientale*

1.7 肾蕨科 Nephrolepidaceae
（7）肾蕨 *Nephrolepis cordifolia*

2. 松杉纲 Coniferopsida

2.1 罗汉松科 Podocarpaceae
（8）*罗汉松 *Podocarpus* sp.

3. 双子叶植物纲 Dicotylodoneae

3.1 番荔枝科 Annonaceae
（9）喙果皂帽花 *Dasymaschalon rostratum*
（10）假鹰爪 *Desmos chinensis*
（11）细基丸 *Polyalthia cerasoides*
（12）暗罗 *P. suberosa*

3.2 樟科 Lauraceae

（13）阴香 *Cinnamomum burmannii*
（14）无根藤 *Cassytha filiformis*
（15）潺槁树 *Litsea glutinosa*
（16）假柿木姜子 *L. monopetala*
（17）绒毛润楠 *Machilus velutina*

3.3 防己科 Menispermaceae
（18）木防己 *Cocculus orbiculatus*
（19）细圆藤 *Pericampylus glaucus*

3.4 胡椒科 Piperaceae
（20）假蒟 *Piper sarmentosum*

3.5 山柑科 Capparaceae
（21）槌果藤 *Capparis zeylanica*
（22）曲枝槌果藤 *C. sepiaria*

3.6 十字花科 Cruciferae
（23）*芥菜 *Brassica juncea*
（24）*萝卜 *Raphanus sativus*
（25）*蔊菜 *Rorippa indica*

3.7 番杏科 Aizoaceae
（26）海马齿 *Sesuvium portulacastrum*

3.8 马齿苋科 Portulacaceae
（27）马齿苋 *Portulaca oleracea*

3.9 蓼科 Polygonaceae
（28）火炭母 *Polygonum chinense*
（29）光蓼 *P. glabrum*
（30）水蓼 *P. hydropiper*

3.10 **藜科** Chenopodiaceae
  （31）土荆芥 *Chenopodium ambrosioides*
  （32）南方碱蓬 *Suaeda australis*

3.11 **苋科** Amaranthaceae
  （33）土牛膝 *Achyranthes aspera*
  （34）□空心莲子草 *Alternanthera philoxeroides*
  （35）刺苋 *Amaranthus spinosus*
  （36）野苋 *A. viridis*

3.12 **酢浆草科** Oxalidaceae
  （37）阳桃 *Averrhoa carambola*
  （38）酢浆草 *Oxalis corniculata*
  （39）□红花酢浆草 *O. corymbosa*

3.13 **千屈菜科** Lythraceae
  （40）*紫薇 *Lagerstroemia indica*

3.14 **海桑科** Sonneratiaceae
  （41）□无瓣海桑 *Sonneratia apetala*

3.15 **瑞香科** Thymelaeaceae
  （42）了哥王 *Wikstroemia indica*

3.16 **紫茉莉科** Nyctaginaceae
  （43）*三角花 *Bougainvillea glabra*

3.17 **海桐花科** Pittosporaceae
  （44）*海桐 *Pittosporum tobira*

3.18 **大风子科** Flacourtiaceae
  （45）箣柊 *Scolopia chinensis*

3.19 **西番莲科** Passifloraceae
  （46）*鸡蛋果 *Passiflora edulis*

3.20 **葫芦科** Cucurbitaceae
  （47）*黄瓜 *Cucumis sativus*
  （48）*南瓜 *Cucurbita moschata*
  （49）*丝瓜 *Luffa acutangula*
  （50）*水瓜 *L.* sp.
  （51）*苦瓜 *Momordica charantia*

3.21 **番木瓜科** Caricaceae
  （52）*番木瓜 *Carica papaya*

3.22 **仙人掌科** Cactaceae
  （53）□仙人掌 *Opuntia dillenii*

3.23 **桃金娘科** Myrtaceae
  （54）岗松 *Baeckea frutescens*
  （55）*柠檬桉 *Eucalyptus citriodora*
  （56）*窿缘桉 *E. exserta*
  （57）*大叶桉 *E. robusta*
  （58）*桉树 *E.* sp.
  （59）*尾叶桉 *E. urophylla*
  （60）□番石榴 *Psidium guajava*
  （61）桃金娘 *Rhodomyrtus tomentosa*
  （62）黑嘴蒲桃 *Syzygium bullockii*
  （63）蒲桃 *S. jambos*

3.24 **野牡丹科** Melastomaceae
  （64）野牡丹 *Melastoma candidum*
  （65）地菍 *M. dodecandrum*
  （66）细叶谷木 *M. scutellatum*

3.25 **使君子科** Combretaceae
  （67）榄李 *Lumnitzera racemosa*
  （68）*榄仁树 *Terminalia catappa*

3.26 **红树科** Rhizophoraceae
  （69）木榄 *Bruguiera gymnorrhiza*
  （70）竹节树 *Carallia brachiata*
  （71）秋茄 *Kandelia obovata*
  （72）红海榄 *Rhizophora stylosa*

3.27 **藤黄科** Guttiferae
  （73）黄牛木 *Cratoxylum cochinchinense*
  （74）岭南山竹子 *Garcinia oblongifolia*

3.28 **椴树科** Tiliaceae
  （75）破布叶 *Microcos paniculata*
  （76）刺蒴麻 *Triumfetta rhomboidea*

3.29 **梧桐科** Sterculiaceae
  （77）山芝麻 *Helicteres angustifolia*
  （78）假苹婆 *Sterculia lanceolata*
  （79）*苹婆 *S. nobilis*

3.30 **木棉科** Bombacaceae
  （80）*美丽异木棉 *Ceiba speciosa*

3.31 **锦葵科** Malvaceae
  （81）磨盘草 *Abutilon indicum*
  （82）黄槿 *Hibiscus tiliaceus*
  （83）赛葵 *Malvastrum coromandelianum*
  （84）黄花棯 *Sida acuta*
  （85）拔毒散 *S. szechuensis*
  （86）杨叶肖槿 *Thespesia populnea*
  （87）地桃花 *Urena lobata*
  （88）梵天花 *U. procumbens*

3.32 **大戟科** Euphorbiaceae
  （89）山麻杆 *Alchornea rugosa*
  （90）红背山麻杆 *A. trewioides*
  （91）方叶五月茶 *Antidesma ghaesembilla*
  （92）银柴 *Aporusa dioica*
  （93）秋枫 *Bischofia javanica*
  （94）黑面神 *Breynia fruticosa*
  （95）土蜜树 *Bridelia tomentosa*
  （96）飞杨草 *Euphorbia hirta*
  （97）通奶草 *E. hypericifolia*
  （98）海漆 *Excoecaria agallocha*
  （99）白饭树 *Flueggea virosa*

（100）白树　*Suregada multiflora*

（101）毛果算盘子　*Glochidion eriocarpum*

（102）算盘子　*G. puberum*

（103）□麻风树　*Jatropha curcas*

（104）□棉叶珊瑚花　*J. gossypiifolia*

（105）*木薯　*Manihot esculenta*

（106）白背桐　*Mallotus apelta*

（107）粗糠柴　*M. philippensis*

（108）石岩枫　*M. repandus*

（109）越南叶下珠　*Phyllanthus cochinchinensis*

（110）□蓖麻　*Ricinus communis*

（111）山乌桕　*Sapium discolor*

（112）乌桕　*S. sebiferum*

3.33 蔷薇科　Rosaceae

（113）*桃　*Amygdalus persica*

（114）*枇杷　*Eriobotrya japonica*

（115）春花木　*Rhaphiolepis indica*

（116）越南悬钩子　*Rubus cochinchinensis*

（117）茅莓　*R. parvifolius*

3.34 含羞草科　Mimosaceae

（118）天香藤　*Albizia corniculata*

（119）*台湾相思　*Acacia confusa*

（120）□银合欢　*Leucaena leucocephala*

（121）□簕仔树　*Mimosa sepiaria*

（122）含羞草　*M. pudica*

3.35 苏木科　Caesalpiniaceae

（123）*羊蹄甲　*Bauhinia purpurea*

（124）刺果苏木　*Caesalpinia bonduc*

（125）□含羞草决明　*Cassia mimosoides*

（126）□决明　*C. tora*

（127）□望江南　*C. occidentalis*

3.36 蝶形花科　Papilionaceae

（128）相思藤　*Abrus precatorius*

（129）链荚豆　*Alysicarpus vaginalis*

（130）*花生　*Arachis hypogaea*

（131）蔓草虫豆　*Cajanus scarabaeoides*

（132）小刀豆　*Canavalia cathartica*

（133）海刀豆　*C. maritima*

（134）鱼藤　*Derris trifoliata*

（135）长柄野扁豆　*Dunbaria podocarpa*

（136）*刺桐　*Erythrina varieegata*

（137）黄豆　*Glycine max*

（138）硬毛木蓝　*Indigofera hirsuta*

（139）排钱草　*Phyllodium pulchellum*

（140）水黄皮　*Pongamia pinnata*

（141）山葛藤　*Pueraria lobata*

（142）鹿藿　*Rhynchosia volubilis*

（143）□田菁　*Sesbania cannabina*

（144）*绿豆　*Vigna radiata*

（145）*豆角　*V. unguiculata*

（146）藤黄檀　*Dalbergia hancei*

3.37 木麻黄科　Casuarinaceae

（147）*木麻黄　*Casuarina equisetifolia*

3.38 榆科　Ulmaceae

（148）紫弹树　*Celtis biondii*

（149）朴树　*C. sinensis*

3.39 桑科　Moraceae

（150）见血封喉　*Antiaris toxicaria*

（151）*木菠萝　*Artocarpus heterophyllus*

（152）构树　*Broussonetia papyrifera*

（153）构棘　*Cudrania cochinchinensis*

（154）高山榕　*Ficus altissima*

（155）垂叶榕　*F. benjamina*

（156）*印度榕　*F. elastica*

（157）对叶榕　*F. hispida*

（158）榕树　*F. microcarpa*

（159）斜叶榕　*F. tinctoria*

（160）*桑树　*Morus alba*

（161）鹊肾树　*Streblus asper*

3.40 卫矛科　Celastraceae

（162）青江藤　*Celastrus hindsii*

（163）变叶裸实　*Maytenus diversifolius*

3.41 鼠李科　Rhamnaceae

（164）铁包金　*Berchemia lineata*

（165）蛇藤　*Colubrina asiatica*

（166）*马甲子　*Paliurus ramosissimus*

（167）雀梅藤　*Sageretia thea*

3.42 葡萄科　Vitaceae

（168）蛇葡萄　*Ampelopsis glandulosa*

（169）*葡萄　*Vitis vinifera*

3.43 芸香科　Rutaceae

（170）酒饼簕　*Atalantia buxifolia*

（171）广东酒饼簕　*A. kwangtungensis*

（172）*柚　*Citrus maxima*

（173）*黄皮　*Clausena lansium*

（174）三桠苦　*Evodia lepta*

（175）山小橘　*Glycosmis parviflora*

（176）大管　*Micromelum falcatum*

（177）簕欓花椒　*Zanthoxylum avicennae*

（178）两面针　*Z. nitidum*

3.44 苦木科　Simaroubaceae

（179）鸦胆子　*Brucea javanica*

3.45　楝科　Meliaceae
（180）苦楝　*Melia azedarach*
（181）山楝　*Aphanamixis polystachya*

3.46　无患子科　Sapindaceae
（182）滨木患　*Arytera littoralis*
（183）酸枣　*Choerospondias axillaris*
（184）*龙眼　*Dimocarpus longan*
（185）*荔枝　*Litchi chinensis*

3.47　漆树科　Anacardiaceae
（186）厚皮树　*Lannea coromandelica*
（187）*杧果　*Mangifera indica*
（188）盐肤木　*Rhus chinensis*
（189）野漆　*Toxicodendron succedaneum*

3.48　八角枫科　Alangiaceae
（190）土坛树　*Alangium salviifolium*

3.49　五加科　Araliaceae
（191）三叶五加　*Acanthopanax trifoliatus*
（192）幌伞枫　*Heteropanax fragrans*
（193）鸭脚木　*Schefflera octophylla*

3.50　伞形科　Umbelliferae
（194）积雪草　*Centella asiatica*
（195）破铜钱　*Hydrocotyle sibthorpioides*

3.51　柿树科　Ebenaceae
（196）光叶柿　*Diospyros diversilimba*

3.52　紫金牛科　Myrsinaceae
（197）桐花树　*Aegiceras corniculatum*
（198）雪下红　*Ardisia villosa*
（199）酸藤子　*Embelia laeta*
（200）杜茎山　*Maesa japonica*
（201）打铁树　*Rapanea linearis*
（202）密花树　*R. neriifolia*

3.53　木犀科　Oleaceae
（203）扭肚藤　*Jasminum elongatum*
（204）青藤仔　*J. nervosum*
（205）凹叶女贞　*Ligustrum retusum*

3.54　夹竹桃科　Apocynaceae
（206）*糖胶树　*Alstonia scholaris*
（207）海杧果　*Cerbera manghas*
（208）*夹竹桃　*Nerium indicum*
（209）羊角拗　*Strophanthus divaricatus*
（210）*黄花夹竹桃　*Thevetia peruviana*
（211）络石　*Trachelospermum jasminoides*
（212）倒吊笔　*Wrightia pubescens*

3.55　萝藦科　Asclepiadaceae
（213）球兰　*Hoya carnosa*
（214）马连鞍　*Streptocaulon griffithii*

3.56　茜草科　Rubiaceae
（215）□阔叶丰花草　*Borreria latifolia*
（216）鱼骨木　*Canthium dicoccum*
（217）猪肚木　*C. horridum*
（218）栀子　*Gardenia jasminoides*
（219）细叶耳草　*Hedyotis auricularia*
（220）牛白藤　*H. hedyotidea*
（221）龙船花　*Ixora chinensis*
（222）鸡眼藤　*Morinda parvifolia*
（223）玉叶金花　*Mussaenda pubescens*
（224）鸡矢藤　*Paederia scandens*
（225）南山花　*Prismatomeris tetrandra*
（226）九节　*Psychotria rubra*
（227）蔓九节　*P. serpens*
（228）山石榴　*Catunaregam spinosa*

3.57　菊科　Compositae
（229）□胜红蓟　*Ageratum conyzoides*
（230）茵陈蒿　*Artemisia capillaris*
（231）野艾　*A. vulgaris*
（232）白花鬼针草　*Bidens pilosa*
（233）□小飞蓬　*Conyza canadensis*
（234）□旱莲草　*Eclipta prostrata*
（235）地胆草　*Elephantopus scaber*
（236）一点红　*Emilia sonchifolia*
（237）□飞机草　*Eupatorium odoratum*
（238）野茼蒿　*Crassocephalum crepidioides*
（239）白子菜　*G. divaricata*
（240）□微甘菊　*Mikania micrantha*
（241）阔苞菊　*Pluchea indica*
（242）□假臭草　*Praxelis clematidea*
（243）翅果菊　*Pterocypsela indica*
（244）豨莶　*Siegesbeckia orientalis*
（245）孪花蟛蜞菊　*Wedelia biflora*
（246）□南美蟛蜞菊　*W. trilobata*

3.58　白花丹科　Plumbaginaceae
（247）中华补血草　*Limonium sinense*
（248）白花丹　*Plumbago zeylanica*

3.59　车前草科　Plantaginaceae
（249）车前　*Plantago asiatica*

3.60　草海桐科　Goodeniaceae
（250）海南草海桐　*Scaevola hainanensis*
（251）草海桐　*S. sericea*

3.61　紫草科　Boraginaceae
（252）基及树　*Carmona microphylla*

3.62　茄科　Solanaceae
（253）□白花曼陀罗　*Datura metel*

（254）酸浆　*Physalis alkekengi*

（255）灯笼泡　*P. angulata*

（256）少花龙葵　*Solanum americanum*

（257）海南茄　*S. procumbens*

3.63 旋花科　Convolvulaceae

（258）白鹤藤　*Argyreia acuta*

（259）南方菟丝子　*Cuscuta australis*

（260）*蕹菜　*Ipomoea aquatica*

（261）*红薯　*I. batatas*

（262）□五爪金龙　*I. cairica*

（263）厚藤　*I. pes-caprae*

3.64 紫葳科　Bignoniaceae

（264）猫尾木　*Dolichandrone caudafelina*

3.65 爵床科　Acanthaceae

（265）老鼠簕　*Acanthus ilicifolius*

（266）假杜鹃　*Barleria cristata*

3.66 苦槛蓝科　Myoporaceae

（267）苦槛蓝　*Myoporum bontioides*

3.67 马鞭草科　Verbenaceae

（268）白骨壤　*Avicennia marina*

（269）裸花紫珠　*Callicarpa nudiflora*

（270）大青　*Clerodendrum cyrtophyllum*

（271）苦郎树　*C. inerme*

（272）赪桐　*C. japonicum*

（273）臭牡丹　*C. bungei*

（274）□五色梅　*Lantana camara*

（275）钝叶臭黄荆　*Premna obtusifolia*

（276）单叶蔓荆　*Vitex trifolia*

4. 单子叶植物纲　Monocotyledoneae

4.1 鳗草科　Zosteraceae

（277）日本鳗草　*Zostera japonica*

4.2 丝粉草科　Cymodoceaceae

（278）单脉二药草　*Halodule uninervis*

4.3 水鳖科　Hydrocharitaceae

（279）贝克喜盐草　*Halophila beccarii*

（280）卵叶喜盐草　*H. ovalis*

4.4 鸭跖草科　Commelinaceae

（281）鸭跖草　*Commelina communis*

4.5 芭蕉科　Musaceae

（282）*香蕉　*Musa nana*

（283）*芭蕉　*M. basjoo*

4.6 姜科　Zingiberaceae

（284）闭鞘姜　*Costus speciosus*

（285）*姜　*Zingiber officinale*

4.7 美人蕉科　Cannaceae

（286）*芭蕉芋　*Canna edulis*

（287）*柔瓣美人蕉　*C. flaccida*

（288）*美人蕉　*C. indica*

4.8 百合科　Liliaceae

（289）*葱　*Allium fistulosum*

（290）*蒜　*A. sativum*

（291）*韭菜　*A. tuberosum*

（292）*芦荟　*Aloe vera*

（293）山菅兰　*Dianella ensifolia*

（294）*黄花菜　*Hemerocallis fulva*

（295）沿阶草　*Ophiopogon stenophyllus*

（296）麦冬　*O. japonicus*

4.9 菝葜科　Smilacaceae

（297）菝葜　*Smilax china*

4.10 天南星科　Araceae

（298）海芋　*Alocasia macrorrhiza*

（299）*芋　*Colocasia eseulenta*

4.11 石蒜科　Amaryllidaceae

（300）文殊兰　*Crinum asiaticum*

4.12 龙舌兰科　Agavaceae

（301）*龙舌兰　*Agave americana*

（302）*剑麻　*A. sisalana*

（303）*朱蕉　*Cordyline fruticosa*

（304）*虎尾兰　*Sansevieria trifasciata*

（305）*金边虎尾兰　*S. trifasciata*

4.13 棕榈科　Palmae

（306）*鱼尾葵　*Caryota ochlandra*

（307）*蒲葵　*Livistona chinensis*

（308）*棕榈　*Trachycarpus fortunei*

4.14 露兜树科　Pandanaceae

（309）露兜树　*Pandanus tectorius*

4.15 莎草科　Cyaeraceae

（310）扁穗莎草　*Cyperus compressus*

（311）短叶茳芏　*C. malaccensis* var. *brevifolius*

（312）香附子　*C. rotundus*

（313）夏飘拂草　*Fimbristylis aestivalis*

（314）少穗飘拂草　*F. schoenoides*

（315）短叶水蜈蚣　*Kyllinga brevifolia*

（316）刺子莞　*Rhynchospora rubra*

（317）毛果珍珠茅　*Scleria herbecarpa*

4.16 禾本科　Gramineae

（318）水蔗草　*Apluda mutica*

（319）荩草　*Arthraxon hispidus*

（320）箣竹　*Bambusa blumeana*

（321）粉单竹　*B. chungii*

（322）撑篙竹　*B. pervariabilis*

（323）臭根子草　*Bothriochloa bladhii*

（324）台湾虎尾草　*Chloris formosana*

（325）粘人草　*Chrysopogon aciculatus*

（326）香茅　*Cymbopogon citratus*

（327）狗牙根　*Cynodon dactylon*

（328）弓果黍　*Cyrtococcum patens*

（329）华马唐　*Dactyloctenium chinensis*

（330）麻竹　*Dendrocalamus latiflorus*

（331）马唐　*Digitaria sanguinalis*

（332）稗　*Echinochloa crusgalli*

（333）穇子　*Eleusine coracana*

（334）牛筋草　*E. indica*

（335）短穗画眉草　*Eragrostis cylindrica*

（336）画眉草　*E. pilosa*

（337）假俭草　*Eremochloa ophiuroides*

（338）鹧鸪草　*Eriachne pallescens*

（339）扭黄茅　*Heteropogon contortus*

（340）白茅　*Imperata cylindrica*

（341）有芒鸭嘴草　*Ischaemum aristatum*

（342）细毛鸭嘴草　*I. cilare*

（343）淡竹叶　*Lophatherum gracile*

（344）五节芒　*Miscanthus floridulus*

（345）类芦　*Neyraudia reynaudiana*

（346）铺地黍　*Panicum repens*

（347）糠稷　*P. bisulcatum*

（348）双穗雀稗　*Paspalum distichum*

（349）雀稗　*P. thunbergii*

（350）茅根　*Perotis indica*

（351）芦苇　*Phragmites communis*

（352）*甘蔗　*Saccharum sinense*

（353）金色狗尾草　*Setaria glauca*

（354）互花米草　*Spartina alterniflora*

（355）鬣刺　*Spinifex littoreus*

（356）鼠尾粟　*Sporobolus fertilis*

（357）盐地鼠尾粟　*S. virginicus*

（358）*玉米　*Zea mays*

（359）沟叶结缕草　*Zoysia matrella*

附录2　山口红树林保护区水域浮游植物名录

干季（2018年2月）

1. 硅藻类

（1）细弱圆筛藻　*Coscinodiscus subtilis*

（2）圆筛藻　*C.* sp.

（3）小环藻　*Cyclotella* sp.

（4）布氏双尾藻　*Ditylum brightwellii*

（5）舟形藻　*Navicula* spp.

（6）菱形藻　*Nitzschia* sp.

（7）中华齿状藻　*Odontella sinensis*

（8）羽纹藻　*Pinnularia* spp.

（9）端尖曲舟藻　*Pleurosigma acutum*

（10）海洋曲舟藻　*P. pelagicum*

（11）曲舟藻　*P.* sp.

（12）优美旭氏藻　*Schroederella delicatula*

（13）热带骨条藻　*Skeletonema tropicum*

（14）针杆藻　*Synedra* spp. *sinensis*

（15）佛氏海线藻　*Thalassionema frauenfeldii*

（16）菱形海线藻　*T. nitzschioides*

2. 甲藻类

（17）羊角角藻中国变种　*Ceratium hircus* var. *sinicum*

（18）梭甲藻　*C. fusus*

（19）多甲藻　*Peridinium* sp.

湿季（2018年6月）

1. 硅藻类

（1）细弱圆筛藻　*Coscinodiscus subtilis*

（2）圆筛藻　*C.* sp.

（3）小环藻　*Cyclotella* sp.

（4）布氏双尾藻　*Ditylum brightwellii*

（5）太阳双尾藻　*D. sol*

（6）波罗的海布纹藻　*Gyrosigma balticum*

（7）舟形藻　*Navicula* spp.

（8）中华齿状藻　*Odontella sinensis*

（9）羽纹藻　*Pinnularia* spp.

（10）海洋曲舟藻　*Pleurosigma pelagicum*

（11）曲舟藻　*P.* sp.

（12）优美旭氏藻　*Schroederella delicatula*

（13）热带骨条藻　*Skeletonema tropicum*

（14）针杆藻　*Synedra* spp. *sinensis*

（15）佛氏海线藻　*Thalassionema frauenfeldii*

（16）菱形海线藻　*T. nitzschioides*

2. 甲藻类

（17）多甲藻　*Peridinium* sp.

3. 蓝藻类

（18）颤藻　*Oscillatoria.* sp

附录3　山口红树林保护区水域浮游动物名录

1. 桡足类
- （1）小拟哲水蚤　*Paracalanuus parvus*
- （2）亚强次真哲水蚤　*Subeucalanus subcrassus*
- （3）披针纺锤水蚤　*Acartia negligens*
- （4）太平洋纺锤水蚤　*Acartia pacifica*
- （5）刺尾纺锤水蚤　*A. spinicauda*
- （6）红纺锤水蚤　*A. erythraea*
- （7）椭形长足水蚤　*Calanopia elliptica*
- （8）异尾宽水蚤　*Temora discaudata*
- （9）瘦尾胸刺水蚤　*Centropages tenuiremis*
- （10）普通波水蚤　*Undinula vulgaris*
- （11）阔节角水蚤　*Pontella fera*
- （12）瘦形歪水蚤　*Tortanus gracilis*
- （13）拟长腹剑水蚤　*Oithona similis*
- （14）简长腹剑水蚤　*O. simplex*
- （15）剑水蚤　*O.* sp.
- （16）尖额谐猛水蚤　*Euterpina acutifrons*
- （17）红小毛猛水蚤　*Microsetella rosea*
- （18）小毛猛水蚤　*M. norvegica*

2. 其他浮游甲壳类
- （19）针刺真浮萤　*Euconchoecia aculeata*
- （20）间型莹虾　*Lucifer intermedius*

3. 毛颚动物
- （21）凶型猛箭虫　*Ferosagitta feror*
- （22）小箭虫　*Aidanosagitta neglecta*
- （23）弱箭虫　*A. delicata*

4. 栉水母类
- （24）球形侧腕水母　*Pleurobrachia globosa*

5. 水母类
- （25）四手触丝水母　*Lovenella assimilis*
- （26）高手水母　*Bougainvillia* sp.
- （27）水母1

6. 幼体类
- （28）仔稚鱼　Fish larva
- （29）短尾类幼体　Brachyura larva
- （30）多毛类幼体　Trochophora
- （31）D形幼体　D larva
- （32）长尾类幼体　Macrura larva

附录4　山口红树林保护区大型底栖动物名录

1. 珊瑚虫纲　Actinozoa

　1.1 **海葵科**　Actiniidae

　　（1）海葵　*Haliplanella* sp.

　1.2 **绿海葵科**　Sagartiidae

　　（2）绿海葵　*Sagartia* sp.

2. 纽形动物门　Nemerter

　2.1 **某科**

　　（3）纽虫　*Nemertice* und.

3. 无针纲　Anopla

　3.1 **枝吻科**　Polybrachiorhynchidae

　　（4）中华枝吻纽虫　*Dendrorhynchus sinensis*

　　（5）枝吻纽虫　*D.* sp.

　　（6）脑纽虫　*Cerebratulus* sp.

4. 寡毛纲　Oligochaeta

　4.1 **颤蚓科**　Tubificidae

　　（7）率直泮蚓　*Pontodrilus litoralis*

5. 多毛纲　Polychaeta

　5.1 **不倒翁虫科**　Sternaspidae

　　（8）不倒翁虫　*Sternaspis sculata*

　5.2 **齿吻沙蚕科**　Nephtyidae

　　（9）寡鳃齿吻沙蚕　*Nephtys oligobranchia*

　5.3 **海蛹科**　Ophelliidae

　　（10）中阿曼吉虫　*Armandia intermedia*

　5.4 **海稚虫科**　Spionidae

　　（11）奇异稚齿虫　*Paraprionospio pinnata*

　5.5 **矶沙蚕科**　Eunicidae

　　（12）扁平岩虫　*Marphysa depressa*

　　（13）岩虫　*Marphysa sanguinea*

　5.6 **毛鳃虫科**　Trichobranchidae

　　（14）梳鳃虫　*Terebellides stroemii*

　5.7 **欧努菲虫科**　Onuphidae

　　（15）欧努菲虫　*Onuphis eremita*

　5.8 **沙蚕科**　Nereididae

　　（16）羽须鳃沙蚕　*Dendronereis pinnaticirris*

　　（17）溪沙蚕　*Namalycastis abiuma*

　　（18）单叶沙蚕　*N. aibiuma*

　　（19）腺带刺沙蚕　*Neanthes glandicincta*

　　（20）锐足全刺沙蚕　*Nectoneanthes oxypoda*

　　（21）刺沙蚕　*N.* sp.

　　（22）双齿围沙蚕　*Perinereis aibuhitensis*

　　（23）弯齿围沙蚕　*P. camiguinoides*

　　（24）独齿围沙蚕　*P. cultrifera*

　　（25）疣吻沙蚕　*Tylorrhynchus heterochaetus*

　5.9 **索沙蚕科**　Lumbrineridae

　　（26）异足索沙蚕　*Lumbrineris heteropoda*

　5.10 **吻沙蚕科**　Glyceridae

　　（27）白色吻沙蚕　*Glycera alba*

　　（28）长吻吻沙蚕　*G. chirori*

　　（29）方格吻沙蚕　*G. tesselata*

　5.11 **小头虫科**　Capitellidae

　　（30）小头虫　*Capitella capitata*

　　（31）背毛背蚓虫　*Notomastus aberans*

　　（32）背蚓虫　*N. latericeus*

　5.12 **竹节虫科**　Maldanidae

　　（33）持真节虫　*Euclymene annandalei*

　5.13 **锥头虫科**　Orbiniidae

　　（34）长锥虫　*Haploscoloplos elongatus*

　5.14 **螠科**　Echiuridae

　　（35）短吻铲荚螠　*Listriolobus brevirostris*

　　（36）绛体管口螠　*Ochetostoma erythrogrammon*

6. 方格星虫纲　Sipunculidea

　6.1 **方格星虫科**　Sipunculidae

　　（37）裸体方格星虫　*Sipunculus mudus*

7. 革囊星虫纲　Phascolosomatidea

　7.1 **革囊星虫科**　Phascolosomatidae

　　（38）弓形革囊星虫　*Phascolosoma arcuatum*

8. 腹足纲　Gastropoda

　8.1 **笔螺科**　Mitridae

　　（39）圆点笔螺　*Mitra scutulata*

　8.2 **蛾螺科**　Buccinidae

　　（40）甲虫螺　*Cantharus cecillei*

　8.3 **拟沼螺科**　Assimineidae

（41）短拟沼螺 *Assiminea brevicula*
（42）绯拟沼螺 *A. latericea*

8.4 滨螺科 Littorinidae
（43）中间拟滨螺 *Littoraria intermedia*
（44）黑口拟滨螺 *L. melanostoma*
（45）粗糙拟滨螺 *L. scabra*
（46）红果拟滨螺 *L. coccinea*

8.5 骨螺科 Muricidae
（47）珠母核果螺 *Drupa margariticola*
（48）爱尔螺 *Ergalatax contracta*
（49）疣荔枝螺 *Thais clavigera*
（50）蛎敌荔枝螺 *T. gradata*
（51）可变荔枝螺 *T. lacerus*

8.6 滑螺科 Litiopidae
（52）刺绣双翼螺 *Diffalaba picta*

8.7 汇螺科 Potamididae
（53）珠带拟蟹守螺 *Cerithidea cingulata*
（54）查加拟蟹守螺 *C. diadjariensis*
（55）小翼拟蟹守螺 *C. microptera*
（56）彩拟蟹守螺 *C. ornate*
（57）红树拟蟹守螺 *C. rhizophorarum*
（58）中华拟蟹守螺 *C. sinensis*
（59）尖锥拟蟹守螺 *C. largillierti*

8.8 肋蜷科 Pleuroceridae
（60）方格短沟蜷 *Semisulcospira cancellata*
（61）放逸短沟蜷 *S. libertine*

8.9 马蹄螺科 Trochidae
（62）单齿螺 *Monodonta labio*
（63）蝐螺 *Umbonium vestiarium*

8.10 跑螺科 Thiaridae
（64）瘤拟黑螺 *Melanoides tuberculata*
（65）斜肋齿蜷 *Sermyla riqueti*

8.11 蝾螺科 Turbinidae
（66）粒花冠小月螺 *Lunella coronata granulate*

8.12 滩栖螺科 Batillariidae
（67）纵带滩栖螺 *Batillaria zonalis*
（68）古氏滩栖螺 *B. cumingi*

8.13 狭口螺科 Stenothyridae
（69）日本狭口螺 *Stenothyra japonica*

8.14 蟹守螺科 Cerithiidae
（70）中华蟹守螺 *Cerithium sinensis*
（71）双带盾桑椹螺 *Clypemorus bifasciatus*
（72）中华锉棒螺 *Rhinoclavis sinensis*

8.15 蜒螺科 Neritidae
（73）奥莱彩螺 *Clithon oualaniensis*
（74）紫游螺 *Neritina violacea*

（75）齿纹蜒螺 *Nerita yoldii*
（76）条蜒螺 *N. striata*
（77）渔舟蜒螺 *N. albicilla*
（78）玛瑙蜒螺 *N. achatina*
（79）线纹蜒螺 *N. lineata*

8.16 玉螺科 Naticidae
（80）微黄镰玉螺 *Lunatica gilva*
（81）扁玉螺 *Natica didyma*
（82）褐玉螺 *N. spadicea*
（83）玉螺 *N. vitellus*
（84）福氏乳玉螺 *Polinices fortune*

8.17 织纹螺科 Nassariidae
（85）秀丽织纹螺 *Nassarius festivus*
（86）秀长织纹螺 *N. foveolatus*
（87）节织纹螺 *N. hepaticus*
（88）半褶织纹螺 *N. semiplicata*
（89）西格织纹螺 *N. siquijorensis*
（90）胆形织纹螺 *N. thersites*

8.18 椎实螺科 Lymnaeidae
（91）耳萝卜螺 *Radix auricularia*

8.19 锥螺科 Turritellidae
（92）笋锥螺 *Turritella terebra*

8.20 石磺科 Onchidiidae
（93）石磺 *Onchidium verruculatum*

8.21 阿地螺科 Atyidae
（94）黄月华螺 *Haloa flavescens*
（95）日本月华螺 *H. rotundata*
（96）泥螺 *Bullacta exarate*

8.22 囊螺科 Retusidae
（97）婆罗囊螺 *Retusa borneensis*

8.23 耳螺科 Ellobiidae
（98）环带异耳螺 *Allochroa layardi*
（99）核冠耳螺 *Cassidula nucleus*
（100）黑环肋耳螺 *Laemodonta punctigera*
（101）米氏耳螺 *Ellobium aurismidae*
（102）中国耳螺 *E. chinensis*
（103）耳螺 *E.* sp.
（104）赛氏女教士螺 *Pythia cecillei*
（105）教士螺 *P.* sp.

9. 头足纲 Cephalopoda

9.1 耳乌贼科 Sepiolidae
（106）双喙耳乌贼 *Sepiola birostrat*

9.2 枪乌贼科 Loliginidae
（107）火枪乌贼 *Loligo beka*
（108）日本枪乌贼 *L. japonica*

9.3 蛸科 Octopodidae

（109）蛸　*Octopus* sp.

（110）短蛸　*O. fangsiao*

（111）长蛸　*O. variabilis*

9.4 乌贼科　Sepiidae

（112）金乌贼　*Sepia esculenta*

（113）拟目乌贼　*S. lycidas*

（114）曼氏无针乌贼　*Sepiella maindroni*

10. 双壳纲　Bivalvia

10.1 不等蛤科　Anomiidae

（115）难解不等蛤　*Enigmonia aenigmatica*

（116）中国不等蛤　*Anomia chinensis*

10.2 蛏科　Pharellidae

（117）尖齿灯塔蛏　*Pharella acutidens*

（118）缢蛏　*Sinonovacula constricta*

10.3 刀蛏科　Cultellidae

（119）尖刀蛏　*Cultellus scalprum*

（120）尖齿灯塔蛤　*Pharella acutidens*

（121）小荚蛏　*Siliqua minima*

10.4 斧蛤科　Donacidae

（122）斧蛤　*Chion* sp.

10.5 蛤蜊科　Mactridae

（123）大獭蛤　*Lutraria*（*Psommophila*）*maxima*

（124）四角蛤蜊　*Mactra*（*Mactra*）*veneriformis*

10.6 海笋科　Pholadidae

（125）马特海笋　*Martesia striata*

10.7 海月科　Placunidae

（126）海月　*Placuna*（*Placuna*）*placenta*

10.8 蚶科　Arcidae

（127）对称拟蚶　*Arcopsis symmetrica*

（128）棕蚶　*Barbatia amygdalumtostum*

（129）青蚶　*B. obliquata*

（130）异毛蚶　*Scapharca anomala*

（131）毛蚶　*S. kagoshimensis*

（132）泥蚶　*Tegillarca granosa*

10.9 细纹蚶科　Noetiidae

（133）橄榄蚶　*Estellarca olivacea*

（134）褐蚶　*Didimacar tenebrica*

10.10 胡桃蛤科　Nuculidae

（135）橄榄胡桃蛤　*Nucula*（*Leionucula*）*tenuis*

10.11 江珧科　Pinnidae

（136）栉江珧　*Atrina*（*Servatrina*）*pectinate*

10.12 棱蛤科　Trapeziidae

（137）纹斑棱蛤　*Trapezium liratum*

10.13 帘蛤科　Veneridae

（138）突畸心蛤　*Anomalocardia producta*

（139）曲畸心蛤　*A. flexuosa*

（140）中国仙女蛤　*Callista chinensis*

（141）棕带仙女蛤　*C. erycina*

（142）伊萨伯雪蛤　*Clausinella isabellina*

（143）头巾雪蛤　*C. tiaral*

（144）青蛤　*Cyclina sinensis*

（145）薄片镜蛤　*Dosinia*（*Dosinella*）*corrugata*

（146）射带镜蛤　*D.*（*Phacosoma*）*troscheli*

（147）日本镜蛤　*D.*（*Phacosoma*）*japonica*

（148）凸镜蛤　*D.*（*Sinodia*）*derupta*

（149）丝纹镜蛤　*D. caerulea*

（150）突角镜蛤　*D. cumingii*

（151）角镜蛤　*D. angulosa*

（152）帆镜蛤　*D. histrio*

（153）等边浅蛤　*Gomphina aequilatera*

（154）裂纹格特蛤　*Marcia hiantina*

（155）环沟格特蛤　*M. rimularis*

（156）紫文蛤　*Meretrix casta*

（157）丽文蛤　*M. lusoria*

（158）琴文蛤　*M. lyrata*

（159）皱肋文蛤　*M. lyrata*

（160）文蛤　*M. meretrix*

（161）波纹巴非蛤　*Paphia*（*Paratapes*）*undulata*

（162）菲律宾蛤仔　*Ruditapes philippinarum*

（163）四射缀锦蛤　*Tapes belcheri*

10.14 绿螂科　Glauconomidae

（164）弓绿螂　*Glauconme cerea*

（165）中国绿螂　*G. chinensis*

（166）皱纹绿螂　*G. corrugate*

10.15 满月蛤科　Lucinidae

（167）斯氏无齿蛤　*Anodontia stearnsiana*

（168）菲律宾满月蛤　*Lucina philippiana*

（169）疏纹满月蛤　*L. scarlatoi*

（170）印澳蛤　*Indoaustriella plicifera*

（171）豆满月蛤　*Pillucina pisidia*

10.16 牡蛎科　Ostreidae

（172）褶牡蛎　*Alectryonella plicatula*

（173）缘齿牡蛎　*Dendostrea crenulifera*

（174）僧帽牡蛎　*Saccostrea cucullata*

（175）棘刺牡蛎　*S. echinate*

（176）密鳞牡蛎　*Ostrea denselamellosa*

（177）熊本牡蛎　*Crassostrea sikamea*

（178）葡萄牙牡蛎　*C. angulata*

（179）团聚牡蛎　*Saccostrea glomerata*

10.17 曲蛎科　Glyphaeidae

（180）复瓦牡蛎　*Parahyotissa imbricata*

10.18 扇贝科 Pectinidae
  （181）华贵栉孔扇贝 Chlamys（Mimac-
          hlamys）nobilis
10.19 蹄蛤科 Ungulinidae
  （182）古明圆蛤 Cycladicama cumingii
  （183）长圆蛤 C. oblongata
  （184）津知圆蛤 C. tsychi
10.20 蚬科 Corbiculidae
  （185）河蚬 Corbicula fluminea
  （186）红树蚬 Gelonia coaxans
10.21 鸭嘴蛤科 Laternulidae
  （187）南海鸭嘴蛤 Laternula（Exolaternula）
          nanhaiensis
  （188）鸭嘴蛤 L.（Laternula）anatine
  （189）截形鸭嘴蛤 L.（Exolaternula）truncate
  （190）剖刀鸭嘴蛤 L.（Exolaternula）bos-
          chasina
10.22 贻贝科 Mytilidae
  （191）短偏顶蛤 Modiolatus flavidus
  （192）带偏顶蛤 Modiolus（Modiolus）
          comptus
  （193）菲律宾偏顶蛤 M. philippinaru
  （194）黑荞麦蛤 Xenostrobus atratus
  （195）凸壳肌蛤 Musculus senhousia
  （196）变化短齿蛤 Brachidontes variabilis
  （197）翡翠贻贝 Perna viridis
10.23 樱蛤科 Tellinidae
  （198）缘角樱蛤 Angulus emarginatus
  （199）紫角蛤 A. psammotellus
  （200）相似泊来蛤 Exotica assimilis
  （201）淡路泊来蛤 E. awajiensis
  （202）齐氏法布蛤 Fabulina tsichungyeni
  （203）紫边白樱蛤 Macoma praerupta
  （204）美女白樱蛤 M. candida
  （205）拟箱美丽蛤 Merisca capsoides
  （206）透明美丽蛤 M. diaphana
  （207）江户明樱蛤 M. jedoensis
  （208）红明樱蛤 M. rutila
  （209）幼吉樱蛤 Jitlada juvenilis
  （210）彩虹明樱蛤 Moerella iridescens
  （211）小亮樱蛤 Nitidotellina minuta
  （212）幼形亮樱蛤 N. juvenilis
  （213）圆胖樱蛤 Pinguitellina cycladiformis
10.24 珍珠贝科 Pteriidae
  （214）马氏珠母贝 Pinctuda martensi
10.25 竹蛏科 Solenidae

  （215）大竹蛏 Solen grandis
  （216）长竹蛏 S. strictus
10.26 紫云蛤科 Psammobiidae
  （217）中国紫蛤 Hiatula chinensis
  （218）和平紫蛤 H. togata

11. 颚足纲 Maxillopoda
11.1 藤壶科 Balanidae
  （219）纹藤壶 Amphibalanus amphitrite
  （220）网纹纹藤壶 A. reticulatus
  （221）红树纹藤壶 A. rhizophorae
11.2 小藤壶科 Chthamalidae
  （222）白条地藤壶 Euraphia withersi

12. 软甲纲 Malacostraca
12.1 Anthuridae
  （223）黑斑胚筒虱 Cyathura peirates
12.2 钩虾科 Gammaridae
  （224）钩虾 Gammarus gregoryi
12.3 长尾虫科 Apseudidae
  （225）莫顿戈原虫 Golumudes mortoni
12.4 虾蛄科 Squilidae
  （226）脊条褶虾蛄 Lophosquilla costata
  （227）黑斑口虾蛄 Oratosquilla kempi
  （228）口虾蛄 O. oratoria
12.5 对虾科 Penaeidae
  （229）新对虾 Metapenaeus sp.
  （230）细巧仿对虾 Parapenaeopsis tenella
  （231）长毛对虾 Penaeus（Fenneropena-
          eus）penicillatus
  （232）日本对虾 P.（Marsupenaeus）jap-
          onicus
  （233）宽沟对虾 P.（Marsupenaeus）latis-
          ulcatus
  （234）斑节对虾 P. monodon
  （235）墨吉对虾 P. merguionsis
  （236）短沟对虾 P. semisulcatus
  （237）南美白对虾 P. vannamai
  （238）尖突鹰爪虾 Trachypenaeus sedili
  （239）须赤虾 Metapenaeopsis barbata
  （240）近缘新对虾 Metapenaeus affinis
  （241）刀额新对虾 M. ensis
12.6 长臂虾科 Palaemonidae
  （242）脊尾白虾 Exopalaemon carincauda
  （243）罗氏沼虾 Macrobrachium rosenbergii
12.7 长额虾科 Pandalidae
  （244）全齿红虾 Plesionika sindoi
12.8 长眼虾科 Ogyrididae

（245）纹尾长眼虾　*Ogyrides striaticauda*

12.9　鼓虾科　Alpheidae

（246）双凹鼓虾　*Alpheus bisincisus*

（247）短脊鼓虾　*A. brevicristatus*

（248）鲜明鼓虾　*A. distinguendus*

（249）刺螯鼓虾　*A. hoplocheles*

（250）优美鼓虾　*A. euphrosyne*

（251）日本鼓虾　*A. japonicus*

（252）鼓虾　*A.* sp.

（253）无刺鼓虾　*A. stanleyl dearmarus*

12.10　海蛄虾科　Thalassinidae

（254）海蛄虾　*Thalassina anomala*

12.11　泥虾科　Laomediidae

（255）泥虾　*Laomedia astacina*

12.12　活额寄居蟹科　Diogenidae

（256）细螯寄居蟹　*Clibanarius clibanarius*

（257）下齿细螯寄居蟹　*C. infraspinatus*

（258）拟脊活额寄居蟹　*Diogenes paracristimanus*

12.13　寄居蟹科　Paguridae

（259）寄居蟹　*Paguridae* sp.

12.14　关公蟹科　Dorippidae

（260）熟练关公蟹　*Dorippe*（*Neodorippe*）*callida*

12.15　蜘蛛蟹科　Majidae

（261）长足长趺蟹　*Phalangipus longipes*

12.16　长脚蟹科　Goneplacidae

（262）福建佘氏蟹　*Ser fukiensis*

（263）裸盲蟹　*Typhlocarcinus nudus*

12.17　玉蟹科　Leucosiidae

（264）果坚壳蟹　*Ebalia malefactrix*

（265）斜方五角蟹　*Nursia rhomboidalis*

（266）中华五角蟹　*N. sinica*

（267）隆线拳蟹　*Philyra carinata*

（268）橄榄拳蟹　*P. olivacea*

（269）巨形拳蟹　*P. pisum*

12.18　梭子蟹科　Portunidae

（270）钝齿蟳　*Charybdis hellerii*

（271）远海梭子蟹　*Portunus pelagicus*

（272）红星梭子蟹　*P. sanguinolentus*

（273）三疣梭子蟹　*P. trituberculatus*

（274）拟曼赛因青蟹　*Scylla paramamosain*

（275）锯缘青蟹　*S. serrata*

（276）锐刺短桨蟹　*Thalamita danae*

12.19　馒头蟹科　Calappidae

（277）红线黎明蟹　*Matuta planipes*

（278）中华虎头蟹　*Orithyia siinica*

12.20　扇蟹科　Xanthidae

（279）雕刻真扇蟹　*Euxanthus exsculptus*

（280）特异扇蟹　*Xantho distinguendus*

12.21　毛刺蟹科　Pilumnidae

（281）光滑异装蟹　*Heteropanope glabra*

（282）健全异毛蟹　*Heteropilumnus subinteger*

（283）马氏毛粒蟹　*Pilumnopeus makiana*

12.22　六足蟹科　Hexapodoidae

（284）颗粒仿六足蟹　*Hexapinus granuliferus*

12.23　方蟹科　Grapsidae

（285）平分大额蟹　*Metopograpsus messor*

（286）四齿大额蟹　*M. quadridentatus*

（287）粗腿厚纹蟹　*Pachygrapsus crassipes*

12.24　相手蟹科　Sesarmidae

（288）无齿螳臂相手蟹　*Chiromantes dehaani*

（289）刺指小相手蟹　*Nanosesarma pontianacensis*

（290）印尼小相手蟹　*N. batavicum*

（291）小相手蟹　*N. minutum*

（292）近亲拟相手蟹　*Parasesarma affine*

（293）斑点拟相手蟹　*P. pictum*

（294）双齿拟相手蟹　*P. bidens*

（295）拟相手蟹　*P.* sp.

（296）吉氏胀蟹　*Sarmatium germaini*

（297）中华相手蟹　*Sesarma*（*Sesarmops*）*sinensis*

（298）中型相手蟹　*S. intermedia*

12.25　弓蟹科　Varunidae

（299）隆背张口蟹　*Chasmagnathus convexus*

（300）日本绒螯蟹合浦亚种　*Eriocheir japonica hepuensis*

（301）平背蜞　*Gaetice depressus*

（302）道氏拟厚蟹　*Helicana doerjesi*

（303）伍氏厚蟹　*Helice*（*Helicana*）*wuana*

（304）侧足厚蟹　*H. latimera*

（305）长指近方蟹　*Hemigrapsus longitarsis*

（306）绒螯近方蟹　*H. penicillatus*

（307）肉球近方蟹　*H. sanguineus*

（308）秀丽长方蟹　*Metaplax elegans*

（309）长足长方蟹　*M. longipes*

（310）沈氏长方蟹　*M. sheni*

（311）少疣长方蟹 *M. takahashii*

12.26 **和尚蟹科** Mictyridae

（312）短指和尚蟹 *Mictyris brevidactylus*

12.27 **猴面蟹科** Camptandriidae

（313）三突无栉蟹 *Leipocten trigranulum*

（314）异常猴面蟹 *Camptandrium aroma-oum*

（315）六齿猴面蟹 *C. sexdentatum*

（316）宽身闭口蟹 *Cleistostoma dilatatum*

（317）浓毛拟闭口蟹 *Paracleistostoma crassipilum*

（318）扁平拟闭口蟹 *P. depressum*

12.28 **大眼蟹科** Macrophthalmidae

（319）强壮大眼蟹 *Macrophthalmus crassipes*

（320）隆背大眼蟹 *M.（Macrophthalmus）convexus*

（321）明秀大眼蟹 *M.（Mareotis）definitus*

（322）太平大眼蟹 *M.（Mareotis）pacificus*

（323）绒毛大眼蟹 *M.（Mareotis）tomen-tosus*

（324）短身大眼蟹 *M. ababreviatus*

（325）悦目大眼蟹 *M. erato*

（326）日本大眼蟹 *M. japonicus*

12.29 **毛带蟹科** Dotillidae

（327）韦氏毛带蟹 *Dotilla wichmanni*

（328）宁波泥蟹 *Ilyoplax ningpoensis*

（329）锯眼泥蟹 *I. serrata*

（330）淡水泥蟹 *I. tansuiensis*

（331）颗粒股窗蟹 *Scopimera tuberculata*

（332）角眼切腹蟹 *Tmethypocoelis cerato-phora*

12.30 **沙蟹科** Ocypodidae

（333）光辉招潮 *Uca nitidus*

（334）清白招潮 *U. lactea*

（335）弧边招潮 *U. arcuata*

（336）屠氏招潮 *U. dussumieri*

（337）拟屠氏招潮 *U. paradussumieri*

（338）北方招潮 *U. borealis*

（339）海栖招潮 *U. marionis*

（340）乌氏招潮 *U. uroillei*

（341）凹指招潮 *U. vocans*

12.31 **短眼蟹科** Xenophthalmidae

（342）莱氏异额蟹 *Anomalifrons lightana*

13. **肢口纲** **Merostomata**

13.1 **鲎科** Tachypleidae

（343）圆尾鲎 *Carcinoscorpius rotundicauda*

（344）中国鲎 *Tachypleus tridentatus*

14. **无关节纲** **Inarticulata**

14.1 **海豆芽科** Lingulidae

（345）亚氏海豆芽 *Lingula adamsi*

（346）鸭嘴海豆芽 *L. anatina*

15. **海参纲** **Holothuroidea**

15.1 **锚参科** Synaptidae

（347）刺锚参 *Protankyra* sp.

15.2 **芋参科** Molpadiidae

（348）海地瓜 *Acaudina molpadioides*

16. **海星纲** **Asteroidea**

16.1 **槭海星科** Astropectinidae

（349）单刺槭海星 *Astropecten monacanthus*

16.2 **蛛网海胆科** Arachnoidae

（350）扁平蛛网海胆 *Arachnoides placenta*

17. **有尾纲** **Appendiculata（Copeiata）**

17.1 **住囊虫科** Oikopleuridae

（351）异体住囊虫 *Oikopleura dioica*

18. **硬骨鱼纲** **Osleichlhyes**

18.1 **鲱科** Clupeidae

（352）斑鰶 *Konosirus punctatus*

18.2 **海龙科** Syngnathidae

（353）前鳍多环海龙 *Hippichthys heptagonus*

18.3 **蛇鳗科** Ophichthyidae

（354）杂食豆齿鳗 *Pisoodonophis boro*

18.4 **鳎科** Soleidae

（355）卵鳎 *Solea ovata*

18.5 **塘鳢科** Eleotridae

（356）乌塘鳢 *Bostrichthys sinensis*

（357）崤塘鳢 *Butis butis*

（358）葛氏塘鳢 *Perccottus glehni*

18.6 **虾虎鱼科** Gobiidae

（359）犬牙细棘虾虎鱼 *Acentrogobius caninus*

（360）绿斑细棘虾虎鱼 *A. chlorostigmatoides*

（361）妆饰细棘虾虎鱼 *A. ornatus*

（362）青斑细棘虾虎鱼 *A. viridipunctatus*

（363）勃氏叉牙虾虎鱼 *Apocryptodon bleekeri*

（364）大弹涂鱼 *Boleophthalmus pectinirostris*

（365）短吻栉虾虎鱼 *Ctenogobius brevirostris*

（366）裸项栉虾虎鱼 *C. gymnauehen*

（367）舌虾虎鱼 *Glossogobius giuris*

（368）斑纹舌虾虎鱼 *G. olivaceus*

（369）杂色虾虎鱼 *Gobius poecilichthys*

（370）阿部鲻虾虎鱼 *Mugilogobius abei*

（371）黏皮鲻虾虎鱼 *M. myxodermus*

（372）红狼牙虾虎鱼 *Odontamblyopus rubic-*

undus

（373）弹涂鱼　*Periophthalmus modestus*

（374）青弹涂鱼　*Scartelaos histophorus*

（375）斑尾复虾虎鱼　*Synechogobius omm-aturus*

（376）条纹三叉虾虎鱼　*Tridentiger trigono-cephalus*

18.7 **鲻科**　Mugilidae

（377）棱鲻　*Liza carinatus*

（378）前鳞骨鲻　*Osteomugil ophuyseni*

附录5　山口红树林保护区游泳动物名录

1. 口足目　Stomatopoda

1.1 **虾蛄科**　Squillidae

（1）多脊虾蛄　*Carinosquilla multic arinata*

（2）口虾蛄　*Oratosquilla oratoria*

（3）无刺小口虾蛄　*Oratosquillina inornata*

2. 十足目　Decapoda

2.1 **对虾科**　Penaeidae

（4）须赤虾　*Metapenaeopsis barbata*

（5）斑节对虾　*Penaeus monodon*

（6）亨氏仿对虾　*Parapenaeopsis hungerfordi*

（7）长毛明对虾　*Fenneropenaeus penicillatus*

（8）近缘新对虾　*Metapenaeus affinis*

（9）刀额新对虾　*M. ensis*

（10）中型新对虾　*M. intermedius*

（11）沙栖新对虾　*M. moyebi*

2.2 **长臂虾科**　Palaemonidae

（12）脊尾白虾　*Exopalamon carincauda*

2.3 **鳗头蟹科**　Calappidae

（13）红线黎明蟹　*Matuta planipes*

2.4 **长脚蟹科**　Goneplacidae

（14）裸盲蟹　*Typhlocarcinus nudus*

（15）毛盲蟹　*T. villosus*

（16）隆脊强蟹　*Eucrate costata*

2.5 **玉蟹科**　Leucosiidae

（17）隆线拳蟹　*Philyra carinata*

2.6 **蜘蛛蟹科**　Majiidae

（18）锐刺长踦蟹　*Phalangipus hystrix*

2.7 **毛刺蟹科**　Pilumnidae

（19）五角暴蟹　*Halimede ochtodes*

（20）真壮毛粒蟹　*Pilumnopeus eucratoides*

2.8 **梭子蟹科**　Portunidae

（21）双额短桨蟹　*Thalamita sima*

（22）拟曼赛因青蟹　*Scylla paramamosain*

（23）矛形梭子蟹　*Portunus hastatoides*

（24）日本蟳　*Charybdis japonica*

2.9 **豆蟹科**　Pinnotheridae

（25）豆形短眼蟹　*Xenophthalmus pinnotheroides*

3. 鲱形目　Clupeiformes

3.1 **鲱科**　Clupeidae

（26）斑鰶　*Konosirus punctatus*

（27）圆吻海鰶　*Nematalosa nasus*

（28）日本海鰶　*N. japonica*

3.2 **锯腹鳓科**　Pristigasteridae

（29）黑口鳓　*Ilisha melastoma*

3.3 **鳀科**　Engraulidae

（30）康氏侧带小公鱼　*Stolephorus commersonnii*

（31）黄吻棱鳀　*Thryssa vitrirostris*

（32）汉氏棱鳀　*T. hamiltonii*

（33）赤鼻棱鳀　*T. kammalensis*

4. 鲻形目　Mugiliformes

4.1 **鲻科**　Mugilidae

（34）头鲻　*Mugil cephalus*

（35）硬头骨鲻　*Osteomugil strongylocephalus*

（36）前棱鲻　*Liza affinis*

5. 鲶形目　Siluriformes

5.1 **海鲶科**　Ariidae

（37）内而褶海鲶　*Plicofollis nella*

5.2 **鳗鲶科**　Plotosidae

（38）线纹鳗鲶　*Plotosus lineatus*

6. 刺鱼目　Gasterosteiformes

6.1 **海龙科**　Syngnathidae

（39）日本海马　*Hippocampus japonicus*

7. 鲉形目　Scorpaeniformes

7.1 **鲉科**　Scorpaenidae

（40）粗高鳍鲉　*Vespicula trachinoides*

（41）瞻头鲉　*Polycaulus uranoscopus*

7.2 **鲬科**　Platycephalidae

（42）鲬　*Platycephalus indicus*

8. 鲈形目　Perciformes

8.1 **鮨科**　Serranidae

（43）中国花鲈　*Lateolabrax maculatus*

8.2 **鱚科**　Sillaginidae

（44）多鳞鱚　*Sillago sihama*

8.3　鲹科　Carangidae

　　（45）卵形鲳鲹　*Trachinotus ovatus*

　　（46）及达副叶鲹　*Alepes djedaba*

8.4　石首鱼科　Sciaenidae

　　（47）皮氏叫姑鱼　*Johnius belangerii*

　　（48）勒氏枝鳔石首鱼　*Dendrophysa russelii*

8.5　鲾科　Leiognathidae

　　（49）短吻鲾　*Leiognathus brevirostris*

　　（50）颈斑鲾　*L. nuchalis*

　　（51）鹿斑仰口鲾　*Secutor ruconius*

8.6　银鲈科　Gerridae

　　（52）日本银鲈　*Gerres japonicus*

　　（53）缘边银鲈　*G. limbatus*

8.7　鲷科　Sparidae

　　（54）黄鳍棘鲷　*Acanthopagrus latus*

　　（55）黑棘鲷　*A. schlegeli*

　　（56）二长棘犁齿鲷　*Evynnis cardinalis*

8.8　鯯科　Terapontidae

　　（57）细鳞鯯　*Therapon jarbua*

8.9　羊鱼科　Mullidae

（58）黑斑绯鲤　*Upeneus tragula*

8.10　金钱鱼科　Scatophagidae

　　（59）金钱鱼　*Scatophagus argus*

8.11　鳚科　Blenniidae

　　（60）斑头肩鳃鳚　*Omobranchus fasciolatoceps*

8.12　鲻科　Callionymidae

　　（61）李氏鲻　*Callionymus richardsoni*

8.13　塘鳢科　Eleotridae

　　（62）锯嵴塘鳢　*Butis koilomatodon*

8.14　虾虎鱼科　Gobiidae

　　（63）触角沟虾虎鱼　*Oxyurichthys tentacula*

　　（64）斑纹舌虾虎鱼　*Glossogobius olivaceus*

　　（65）孔虾虎鱼　*Trypauchen vagina*

9. 鲽形目　Pleuronectiformes

9.1　舌鳎科　Cynoglossinae

　　（66）斑头舌鳎　*Cynoglossus puncticeps*

10. 鲀形目　Tetraodontiformes

10.1　鲀科　Tetraodontidae

　　（67）月尾兔头鲀　*Lagocephalus lunaris*

　　（68）星点多纪鲀　*Takifugu niphobles*

附录6　山口红树林保护区昆虫名录

*虽然螨类不是昆虫纲动物，但是在农林业生产实践中常将其列入调查范围。

1. 弹尾目　Collembola
1.1 鳞跳虫科　Tomoceridae
（1）简长角跳虫　*Tomocerus varius*

2. 等翅目　Blattaria
2.1 白蚁科　Termitidae
（2）黄翅大白蚁　*Macrotermes barneyi*
（3）黑翅大白蚁　*Odontotermes formosanus*
2.2 鼻白蚁科　Rhinotermitidae
（4）家白蚁　*Coptotermes formosanus*

3. 蜚蠊目　Blattari
3.1 蜚蠊科　Blattidae
（5）美洲大蠊　*Periplaneta americana*
（6）澳洲大蠊　*P. australasiae*
3.2 姬蠊科　Blattellidae
（7）德国小蠊　*Blattella germanica*

4. 蜻蜓目　Odonata
4.1 螅科　Coenagriidae
（8）短尾黄螅　*Ceriagrion melanurum*
（9）黑脊螅　*Coenagrion calamorum*
（10）林斑小螅　*Agriocnemis femina*
（11）小螅　*A.* sp.
4.2 蜻科　Libellulidae
（12）红蜻　*Crocothemis servilia*
（13）黄蜻　*Pantala flavescens*
（14）华丽灰蜻　*Orthetrum chrysis*
（15）狭腹灰蜻　*O. sabina*
（16）纹蓝小蜻　*Diplacodes trivialis*
（17）斑丽翅蜻　*Rhyothemis variegate*
（18）截斑脉蜻　*Neurothemis tuliia*

5. 脉翅目　Neuroptera
5.1 草蛉科　Chrysopidae
（19）普通草蛉　*Chrysopa carnea*
（20）大草蛉　*C. pallens*

（21）亚非玛草蛉　*Mallada desjardinsi*
5.2 蚁蛉科　Myrmeleontidae
（22）蚁蛉　*Myrmeleon formicarius*

6. 螳螂目　Mantodea
6.1 螳螂科　Mantodea
（23）枯叶大刀螳　*Tenodera aridifolia*
（24）中华大刀螳　*T. sinensis*
（25）广腹螳螂　*Hierodula patellifera*

7. 缨翅目　Thysanoptera
7.1 管蓟马科　Phlaeothripidae
（26）榕母管蓟马　*Gynaikothrips uzeli*

8. 竹节虫目　Phasmatodea
8.1 枝科　Bacteriidea
（27）斑腿华枝　*Sinophasma maculicruralis*

9. 直翅目　Orthoptera
9.1 蝼蛄科　Grylloidea
（28）东方蝼蛄　*Gryllotalpa orientalis*
9.2 蟋蟀科　Trigonidiidae
（29）花生大蟋　*Tarbinskiellus portentosus*
（30）长颚斗蟋　*Velarifictorus aspersus*
（31）石首棺头蟋　*Loxoblemmus equestris*
（32）台湾棺头蟋　*L. formosanus*
（33）双斑大蟋　*Gryllus bimaculatus*
（34）田蟋蟀　*G. campestris*
（35）澳洲油葫芦　*Teleogryllus commodus*
（36）黄脸油葫芦　*T. emma*
（37）北京油葫芦　*T. mitratus*
（38）黑脸油葫芦　*T. occipitalis*
（39）短翅灶蟋　*Gryllodes sigillatus*
9.3 蚁蟋科　Mymecophilidae
（40）台湾蚁蟋　*Myrmecophilus formosanus*
9.4 蛉蟋科　Trigonidiidae
（41）黄足斜蛉蟋　*Trigonidium flavipes*

（42）斑腿双针蟋　*Dianemobius fascipes*

9.5 树蟋科　Oecanthidae

（43）印度树蟋　*Oecanthus indicus*

（44）黄树蟋　*O. rufescens*

9.6 锥头蝗科　Pyrgomorphidae

（45）短额负蝗　*Atractomorpha sinensis*

9.7 斑翅蝗科　Oedipodida

（46）云斑车蝗　*Gastrimargus marmoratus*

（47）东亚飞蝗　*Locusta migratoria manilensis*

（48）花胫绿纹蝗　*Aiolopus thalassinus*

（49）隆X小车蝗　*Oedaleus abruptus*

（50）疣蝗　*Trilophidia annulate*

（51）红翅踵蝗　*Pternoscirta sauteri*

（52）红褐斑腿蝗　*Catantops pinguis*

（53）拟山稻蝗　*Oxya anagavisa*

（54）中华稻蝗　*O. chinensis*

（55）小稻蝗　*O. intricata*

（56）稻蝗　*O.* sp.

（57）稞蝗　*Quilta* sp.

（58）棉蝗　*Chondracris rosea*

（59）赤胫伪稻蝗　*Pseudoxya diminuta*

（60）斜翅蝗　*Eucoptacra praemorsa*

（61）芋蝗　*Gesonula punctifrons*

（62）长夹蝗　*Choroedocus capensis*

（63）紫胫长夹蝗　*C. violaceipes*

（64）长角直斑腿蝗　*Stenocatantops splendens*

9.8 剑角蝗科　Acrididae

（65）长角佛蝗　*Phlaeoba antennata*

（66）僧帽佛蝗　*P. infumata*

（67）中华剑角蝗　*Acrida cinereal*

（68）细肩蝗　*Calephorus vitalisi*

9.9 蚱科　Tetrigidae

（69）悠背蚱　*Euparatettix* sp.

（70）北部湾蚱　*Tetrix beibuwanensis*

（71）日本蚱　*T. japonica*

（72）蚱　*T.* sp.

（73）瘦长背蚱　*Paratettix variabilis*

9.10 草螽科　Conocephalidae

（74）斑翅草螽　*Conocephalus maculatus*

（75）鸣草螽　*C. melas*

（76）草螽　*C.* sp.

（77）素色似织螽　*Hexacentrus unicolor*

（78）鼻优草螽　*Euconocephalus nasutus*

9.11 露螽科　Phaneropteridae

（79）截叶糙颈螽　*Ruidocollaris truncatolobata*

（80）日本条螽　*Ducetia japonica*

9.12 螽斯科　Tettigoniidae

（81）纺织娘　*Mecopoda elongata*

（82）双叶绿螽　*Holochlora bilobata*

10. 半翅目　Hemiptera

10.1 蝽科　Pentatomidae

（83）大臭蝽　*Metonymia glandulosa*

（84）小斑岱蝽　*Dalpada nodifera*

（85）宽盾蝽　*Poecilocoris* sp.

（86）黑须稻绿蝽　*Nezara antennata*

（87）稻绿蝽　*N. viridula*

（88）绿蝽　*N.* sp.

（89）麻皮蝽　*Erthesina fullo*

（90）叉角曙厉蝽　*Eocanthecoma furcellata*

（91）日本地蝽　*Panaorus japonicus*

（92）地蝽　*P.* sp.

10.2 盾蝽科　Scutelleridae

（93）角盾蝽　*Cantao ocellatus*

（94）紫蓝丽盾蝽　*Chrysocoris stollii*

（95）亮盾蝽　*Lamprocoris roylii*

10.3 负子蝽科　Belostomatidae

（96）负子蝽　*Belostoma* sp.

10.4 红蝽科　Largidae

（97）突背斑红蝽　*Physopelta gutta*

（98）离斑棉红蝽　*Dysdercus cingulatus*

（99）叉带棉红蝽　*D. decussatus*

（100）联斑棉红蝽　*D. poecilus*

10.5 宽蝽科　Veliidae

（101）尖钩宽黾蝽　*Microvelia horvathi*

10.6 荔蝽科　Tessaratomidae

（102）荔蝽　*Tessaratoma papillosa*

10.7 猎蝽科　Reduviidae

（103）黑哎猎蝽　*Ectomocoris atrox*

（104）彩纹猎蝽　*Euagoras plagiatus*

（105）日月盗猎蝽　*Peirates arcuatus*

（106）锥盾菱猎蝽　*Isyndus reticulatus*

（107）轮刺猎蝽　*Scipinia horrida*

（108）短斑普猎蝽　*Oncocephalus simillimus*

（109）淡裙猎蝽　*Yolinus albopustulatus*

（110）黄带犀猎蝽　*Sycanus croceovittatus*

（111）云斑真猎蝽　*Harpactor incertis*

10.8 跷蝽科　Berytidae

（112）锤胁跷蝽　*Yemma* sp.

10.9 水黾科　Gerridae

（113）圆臀大黾蝽　*Gerris paludum*

10.10 缘蝽科　Coreidae

（114）菲缘蝽　*Physomerus grossipes*

（115）短肩棘缘蝽 *Cletus pugnator*

（116）稻棘缘蝽 *C. punctiger*

（117）平肩棘缘蝽 *C. tenuis*

（118）长肩棘缘蝽 *C. trigonus*

（119）瘤缘蝽 *Acanthocoris scaber*

（120）曲胫侏缘蝽 *Mictis tenebrosa*

（121）一点同缘蝽 *Homoeocerus unipunctatus*

10.11 长蝽科 Lygaeidae

（122）箭痕腺长蝽 *Spilostethus hospes*

（123）黑带红腺长蝽 *Graptostethus servus*

（124）脊长蝽 *Tropidothorax* sp.

10.12 蛛缘蝽科 Alydidae

（125）异稻缘蝽 *Leptocorisa acuta*

（126）条蜂缘蝽 *Riptortus linearis*

（127）点蜂缘蝽 *R. pedestris*

10.13 蝉科 Cicadidae

（128）红蝉 *Huechys sanguinea*

（129）黄蟪蛄 *Platypleura hilpa*

（130）黑蚱蝉 *Cryptotympana atrata*

10.14 叶蝉科 Cicadellidae

（131）大青叶蝉 *Cicadella viridis*

（132）白翅褐脉叶蝉 *Cofana spectra*

（133）二条黑尾叶蝉 *Nephotettix apicalis*

（134）黑尾叶蝉 *N. cincticeps*

（135）二点黑尾叶蝉 *N. virescens*

（136）小绿叶蝉 *Empoasca fabae*

10.15 小叶蝉科 Typhlocybidae

（137）白翅叶蝉 *Thaia oryzivora*

10.16 角蝉科 Membracidae

（138）台湾负角蝉 *Telingana formosanus*

（139）褐三刺角蝉 *Tricentrus brunneus*

10.17 广翅蜡蝉科 Ricaniidae

（140）八点广翅蜡蝉 *Ricania speculum*

（141）眼纹疏广蜡蝉 *Euricania ocella*

10.18 象蜡蝉科 Dictyopharidae

（142）伯瑞象蜡蝉 *Raivuna patruelis*

（143）月纹象蜡蝉 *Orthopagus lunulifer*

10.19 蛾蜡蝉科 Flatidae

（144）紫络蛾蜡蝉 *Lawana imitata*

10.20 沫蝉科 Cercopidae

（145）稻赤斑黑沫蝉 *Callitettix versicolor*

10.21 飞虱科 Delphacidae

（146）白背飞虱 *Sogatella furcifera*

（147）褐飞虱 *Nilaparvata lugens*

（148）灰飞虱 *Laodelphax striatellus*

10.22 蚜科 Aphididae

（149）桃蚜 *Myzus persicae*

（150）萝卜蚜 *Lipaphis pseudobrassicae*

10.23 绵蚧科 Margarodidae

（151）吹绵蚧 *Icerya purchase*

10.24 蜡蚧科 Coccidae

（152）日本龟蜡蚧 *Ceroplastes japonicas*

（153）红蜡蚧 *C. rubens*

10.25 盾蚧科 Diaspididae

（154）考氏白盾蚧 *Pseudaulacaspis cockerelli*

（155）黑褐圆盾蚧 *Chrysomphalus aonidum*

（156）蛎盾蚧 *Lepidosaphes* sp.

（157）椰圆盾蚧 *Aspidiotus destructor*

11. 鳞翅目 Lepidoptera

11.1 木蠹蛾科 Cossidae

（158）咖啡豹蠹蛾 *Zeuzera coffeae*

（159）梨豹蠹蛾 *Z. pyrina*

11.2 袋蛾科 Psychidae

（160）桉袋蛾 *Acanthopsyche subferalbata*

（161）蜡彩袋蛾 *Chalia larminati*

（162）白囊袋蛾 *Chalioides kondonis*

（163）黛袋蛾 *Dappula tertia*

（164）褐袋蛾 *Mahasena colona*

（165）茶袋蛾 *Clania minuscule*

（166）大袋蛾 *C. variegata*

11.3 锚纹蛾科 Callidulidae

（167）隐锚纹蛾 *Tetragonus catamitus*

11.4 鹿蛾科 Amatidea

（168）南鹿蛾 *Amata sperbius*

（169）鹿蛾 *A.* sp.

11.5 刺蛾科 Limacodidae

（170）扁刺蛾 *Thosea* sp.

（171）黄刺蛾 *Monema flavescens*

（172）丽绿刺蛾 *Parasa lepida*

（173）闪银纹刺蛾 *Miresa fulgida*

11.6 灯蛾科 Arctiidae

（174）粉蝶灯蛾 *Nyctemera plagifera*

（175）八点灰灯蛾 *Creatonotos transiens*

（176）散星灯蛾 *Argina cribraria*

（177）黄扁土苔蛾 *Eilema plante*

（178）黄苔蛾 *Danielithosia immaculata*

（179）拟三色星灯蛾 *Utetheisa lotrix*

（180）点斑雪灯蛾 *Spilosoma ningyuenfui*

11.7 毒蛾科 Lymantriidae

（181）棉古毒蛾 *Orgyia postica*

11.8 卷蛾科 Tortricidae

（182）苦楝小卷蛾 *Loboschiza koenigiana*

（183）毛颚小卷蛾　*Lasiognatha cellifera*

11.9 枯叶蛾科　Lasiocampidae

（184）石梓褐枯叶蛾　*Gastropacha philippinensis*

（185）绿黄枯叶蛾　*Trabala vishnou*

（186）黄褐天幕毛虫　*Malacosoma neustria testacea*

（187）木麻黄胸枯叶蛾　*Streblote castanea*

11.10 天蛾科　Sphingidae

（188）白薯天蛾　*Herse convolvuli*

（189）芝麻鬼脸天蛾　*Acherontia styx*

（190）斑腹长喙天蛾　*Macroglossum variegatum*

11.11 斑蛾科　Zygaenidae

（191）蝶形锦斑蛾　*Cyclosia papilionaris*

（192）锦斑蛾　*C.* sp.

11.12 尺蛾科　Geometridae

（193）双线兔尺蛾　*Hyperythra lutea*

（194）豹尺蛾　*Dysphania militaris*

（195）海桑豹尺蛾　*D.* sp.

（196）遗仿锈腰尺蛾　*Chlorissa obliterate*

（197）褐烟钩尺蛾　*Luxiaria amasa*

（198）油桐尺蛾　*Biston suppressaria*

（199）大造桥虫　*Ascotis selenaria*

（200）樟翠尺蛾　*Thalassodes quadraria*

11.13 草螟科　Crambidae

（201）棉大卷叶野螟　*Syllepte derogate*

（202）三条扇野螟　*Pleuroptya chlorohanta*

（203）桃蛀螟　*Conogethes punctiferalis*

11.14 螟蛾科　Pyralidae

（204）纯白草螟　*Pseudocatharylla simplex*

（205）甜菜白带野螟　*Spoladea recurvalis*

（206）海斑水螟　*Eoophyla halialis*

（207）海榄雌瘤斑螟　*Ptyomaxia syntaractis*

（208）白斑黑野螟　*Phlyctaenia tyres*

（209）亮斑娟野螟　*Diaphania canthusalis*

（210）黄纹水螟　*Nymphula fengwhanalis*

（211）云纹叶野螟　*Nausinoe perspectata*

（212）白缘蛀果斑螟　*Assara albicostalis*

（213）三化螟　*Tryporyza incertulas*

（214）白骨壤蛀果螟　*Dichocrocis* sp.

（215）稻纵卷叶野螟　*Cnaphalocrocis medinalis*

11.15 夜蛾科　Noctuidae

（216）柚木肖弄蝶夜蛾　*Hyblaea puera*

（217）人心果阿夜蛾　*Lymantria serva*

（218）焦条黄夜蛾　*Xanthodes graellsi*

（219）犁纹黄夜蛾　*X. transversa*

（220）斜纹夜蛾　*Spodoptera litura*

（221）脊蕊夜蛾　*Lophoptera squamiger*

（222）狐戟夜蛾　*Lacera alope*

（223）褐灰角衣夜蛾　*Gonepatica opaline*

（224）毛跗夜蛾　*Remigia frugali*

（225）毛胫夜蛾　*Mocis undata*

（226）梦尼夜蛾　*Orthosia* sp.

（227）粘虫　*Pseudaletia separate*

（228）短带三角夜蛾　*Trigonodes hyppasia*

（229）荔枝癣皮夜蛾　*Blenina lichenosa*

（230）白脉粘夜蛾　*Leucania venalba*

（231）基白长角皮夜蛾　*Risoba obscurivialis*

（232）大螟　*Sesamia inferens*

11.16 钩蛾科　Drepanidae

（233）无瓣海桑白钩蛾　*Ditrigona* sp.

11.17 凤蝶科　Papilionidae

（234）斑凤蝶　*Papilio clytia*

（235）达摩凤蝶　*P. demoleus*

（236）美凤蝶　*P. memnon*

（237）翠蓝斑凤蝶　*P. paradoxa*

（238）巴黎翠凤蝶　*P. paris*

（239）玉带凤蝶　*P. polytes*

（240）柑橘凤蝶　*P. Xuthus*

（241）统帅青凤蝶　*Graphium agamemnon*

（242）木兰青凤蝶　*G. doson*

（243）青凤蝶　*G. sarpedon*

11.18 粉蝶科　Pieridae

（244）橙粉蝶　*Ixias pyrene*

（245）东方菜粉蝶　*Pieris canidia*

（246）菜粉蝶　*P. rapae*

（247）檗黄粉蝶　*Eurema blanda*

（248）无标黄粉蝶　*E. brigitta*

（249）宽边黄粉蝶　*E. hecabe*

（250）迁粉蝶　*Catopsilia pomona*

（251）梨花迁粉蝶　*C. pyranthe*

（252）青粉蝶　*Pareronia anais*

（253）纤粉蝶　*Leptosia nina*

（254）青园粉蝶　*Cepora nadina*

（255）黑脉园粉蝶　*C. nerissa*

11.19 蛱蝶科　Nymphalidae

（256）虎斑蝶　*Danus genutia*

（257）幻紫斑蛱蝶　*Hypolimnas bolina*

（258）金斑蛱蝶　*H. missipus*

（259）波蛱蝶　*Ariadne ariadne*

（260）珐蛱蝶　*Phalanta phalantha*

（261）中环蛱蝶　*Neptis hylas*

（262）黄襟蛱蝶　*Cupha erymanthis*

（263）翠袖锯眼蝶　*Elymnias hypermnestra*

（264）黑脉蛱蝶　*Hestina assimilis*

（265）中介眉眼蝶　*Mycalesis intermedia*

（266）小眉眼蝶　*M. mineu*

（267）平顶眉眼蝶　*M. mucianus*

（268）窄斑凤尾蛱蝶　*Polyura athamas*

（269）美眼蛱蝶　*Junonia almana*

（270）波纹眼蛱蝶　*J. atlites*

（271）黄裳眼蛱蝶　*J. hierta*

（272）蛇眼蛱蝶　*J. lemonias*

（273）翠蓝眼蛱蝶　*J. orithya*

（274）幻紫斑蝶　*Euploea core*

（275）默紫斑蝶　*E. klugii*

（276）妒丽紫斑蝶　*E. tulliolus*

11.20 灰蝶科　Lycaenidae

（277）波灰蝶　*Prosotas* sp.

（278）蛇目褐蚬蝶　*Abisara echerius*

（279）酢酱灰蝶　*Zizeeria maha*

（280）咖灰蝶　*Catochrysops strabo*

（281）莱灰蝶　*Remelana jangala*

（282）蓝灰蝶　*Everes argiades*

（283）长尾蓝灰蝶　*E. lacturnus*

（284）缅甸娆灰蝶　*Arhopala birmana*

（285）山灰蝶　*Shijimia moorei*

（286）尼采梳灰蝶　*Ahlbergia nicevillei*

（287）素雅灰蝶　*Jamides alecto*

（288）雅灰蝶　*J. bochus*

（289）净雅灰蝶　*J. pura*

（290）霓纱燕灰蝶　*Rapala nissa*

（291）银线灰蝶　*Spindasis lohita*

（292）珍灰蝶　*Zeltus amasa*

（293）紫灰蝶　*Chilades lajus*

11.21 蚬蝶科　Riodinidae

（294）蛇目褐蚬蝶　*Abisara echerius*

11.22 弄蝶科　Hesperiidae

（295）幺纹稻弄蝶　*Parnara bada*

（296）直纹稻弄蝶　*P. guttata*

（297）宽纹黄室弄蝶　*Potanthus pava*

（298）籼弄蝶　*Borbo cinnara*

12. 鞘翅目　Coleoptera

12.1 隐翅甲科　Staphylinidae

（299）青翅蚁形隐翅虫　*Paederus fuscipes*

（300）蚁形隐翅虫　*P.* sp.

12.2 芫菁科　Meloida

（301）豆芫菁　*Epicauta gorhami*

（302）眼斑沟芫菁　*Hycleus cichorii*

（303）大斑芫菁　*H. phaleratus*

（304）曲纹沟芫菁　*H. schoenherri*

12.3 叩甲科　Elateridae

（305）米氏梳爪叩甲　*Melanotus melli*

12.4 拟步甲科　Tenebrionidae

（306）小扁足甲　*Alaetrinus* sp.

12.5 步甲科　Carabida

（307）金斑虎甲　*Cicindela aurulenta*

（308）虎甲　*C.* sp.

（309）圆胸宽带步甲　*Craspedophorus mandarinus*

（310）耶屁步甲　*Pheropsophus jessoensis*

（311）暗色白缘虎甲　*Callytron inspeculare*

（312）琉球长颈虎甲　*Neocollyris loochooensis*

12.6 金龟科　Scarabaeidae

（313）神农洁蜣螂　*Catharsius molossus*

（314）斑青花金龟　*Gametis bealiae*

（315）黑绒金龟　*Maladera orientalis*

12.7 丽金龟科　Rutelidae

（316）桐黑丽金龟　*Anomala antiqua*

（317）红脚绿丽金龟　*A. cupripes*

12.8 金花虫科　Chrysomelidae

（318）三带筒金花虫　*Cryptocephalus trifasciatus*

12.9 瓢虫科　Coccinellidae

（319）八斑和瓢虫　*Harmonia octomaculata*

（320）小红瓢虫　*Rodolia pumila*

（321）大红瓢虫　*R. rufopilosa*

（322）稻红瓢虫　*Micraspis discolor*

（323）六斑月瓢虫　*Cheliomenes sexmaculata*

（324）茄二十八星瓢虫　*Henosepilachna vigintioctopunctata*

（325）双带盘瓢虫　*Lemnia biplagiata*

（326）狭臀瓢虫　*Coccinella transversalis*

（327）大突肩瓢虫　*Synonycha grandis*

12.10 牙甲科　Hydrophilidae

（328）宽跗牙甲　*Hydrophilus piceus*

12.11 叶甲科　Chrysomelidae

（329）黑额凹唇跳甲　*Argopus nigrifrons*

（330）紫胫甲　*Sagra femorata*

（331）甘薯肖叶甲　*Colasposoma dauricum*

（332）刺腿沟臀叶甲　*Colaspoiaes opaca*

（333）恶性橘啮跳甲　*Clitea metallica*

（334）合欢毛叶甲　*Trichochrysea nitidissima*

（335）黄足黄守瓜　*Aulacophora femoralis*

chinensis

（336）甘薯梳龟甲 *Aspidomorpha furcata*

（337）星斑梳龟甲 *A. miliaris*

（338）甘薯台龟甲 *Taiwania circumdata*

（339）三带隐头叶甲 *Omaspides trifasciata*

12.12 天牛科 Cerambycidae

（340）橙斑白条天牛 *Batocera davidis*

（341）星天牛 *Anoplophora chinensis*

12.13 象甲科 Curculionidae

（342）广西灰象 *Sympiezomias guangxiensis*

（343）大灰象 *S. velatus*

（344）蓝绿象 *Hypomeces squamosus*

（345）长喙象 *Sphenophorus* sp.

13. 膜翅目 Hymenoptera

13.1 胡蜂科 Vespidae

（346）黄腰胡蜂 *Vespa affinis*

（347）小金箍胡蜂 *V. tropica haematodes*

（348）台湾马蜂 *Polistes formosanus*

（349）棕马蜂 *P. gigas*

（350）亚非马蜂 *P. hebraeus*

（351）果马蜂 *P. olivaceus*

（352）黄裙马蜂 *P. sagittarius*

（353）点马蜂 *P. stigma*

13.2 蜾蠃科 Eumenidae

（354）台湾厚蜾蠃 *Pachymenes formosensis*

（355）黄盾华丽蜾蠃 *Delta companiforme*

（356）大华丽蜾蠃 *D. pyriforme*

（357）黄喙蜾蠃 *Rhynchium quinquecinctum*

（358）泥壶蜾蠃 *Odynerus* sp.

（359）墨体胸蜾蠃 *Orancistrocerus aterrimus*

（360）乌缘蜾蠃 *Anterhynchium argentatum*

（361）黄缘蜾蠃 *A. flavomarginatum*

13.3 蛛蜂科 Pompilidae

（362）黄头蛛蜂 *Leptodialepis bipartita*

13.4 姬蜂科 Ichneumonidae

（363）松毛虫黑点瘤姬蜂 *Xanthopimpla pedator*

（364）广黑点瘤姬蜂 *X. punctata*

（365）螟黑点瘤姬蜂 *X. stemmator*

（366）黑点瘤姬蜂 *X.* sp.

（367）拟瘦姬蜂 *Netelia testacea*

13.5 土蜂科 Scoliidae

（368）天蓝土蜂 *Megascolia azurea*

（369）白毛长腹土蜂 *Campsomeris annulata*

（370）毛肩土蜂 *C. coelebs*

（371）黄带土蜂 *C. phalerata*

（372）长腹土蜂 *C. plumipes*

13.6 泥蜂科 Sphecidae

（373）黄腰壁泥蜂 *Sceliphron madraspatanum*

（374）叶齿金绿泥蜂 *Chlorion lobatum*

（375）瘦蓝泥蜂 *Chalybion bengalense*

（376）银毛泥蜂 *Sphex argentatus*

（377）红足沙泥蜂 *Ammophila atripes*

（378）沙泥蜂 *A.* sp.

13.7 切叶蜂科 Megachilidae

（379）赤腹蜂 *Euaspis* sp.

（380）切叶蜂 *Megachile policaris*

（381）切叶蜂 *M.* sp.

13.8 隧蜂科 Halictidae

（382）蓝彩带蜂 *Nomia chalybeata*

（383）三条彩带蜂 *N. incerta*

（384）彩带蜂 *N.* sp.

13.9 蜜蜂科 Apidae

（385）青条蜂 *Amegilla calceifera*

（386）绿条无垫蜂 *A. zonata*

（387）琉璃蜂 *Thyreus* sp.

（388）黄芦蜂 *Ceratina flavipes*

（389）绿芦蜂 *C. smaragdula*

（390）中华蜜蜂 *Apis cerana*

（391）小蜜蜂 *A. florea*

（392）意大利蜜蜂 *A. mellifera*

（393）黄胸木蜂 *Xylocopa appendiculata*

（394）竹木蜂 *X. nasalis*

（395）灰胸木蜂 *X. phalothorax*

13.10 蚁蜂科 Mutillidae

（396）双斑蚁蜂 *Mutilla* sp.

（397）眼斑驼盾蚁蜂 *Radoszkowskius oculata*

13.11 广肩小蜂科 Eurytomidae

（398）广肩小蜂 *Eurytoma* sp.

13.12 小蜂科 Chalcididae

（399）无脊大腿小蜂 *Brachymeria excarinata*

（400）广大腿小蜂 *B. lasus*

13.13 蚁科 Termitidae

（401）东方食植行军蚁 *Dorylus orientalis*

（402）横纹齿猛蚁 *Odontoponera transversa*

（403）聚纹双刺猛蚁 *Diacamma rugosum*

（404）中华细颚猛蚁 *Leptogenys chinensis*

（405）火蚁 *Solenopsis geminata*

（406）黑褐举腹蚁 *Cremastogaster rogenhoferi*

（407）游举腹蚁 *C. vagula*

（408）粗纹举腹蚁 *C. artifex*

（409）近缘巨首蚁 *Pheidologeton affinis*

（410）双脊铺道蚁 *Tetramorium bicarinatum*

（411）茸毛铺道蚁 *T. lanuginosum*

（412）相似铺道蚁 *T. simillimum*

（413）沃尔什氏铺道蚁 *T. walshi*

（414）花居小家蚁 *Monomorium floricola*

（415）飘细长蚁 *Tetraponera allaborans*

（416）榕细长蚁 *T. microcarpa*

（417）双齿多刺蚁 *Polyrhachis dives*

（418）侧扁弓背蚁 *Camponotus compressus*

（419）哀弓背蚁 *C. dolendus*

（420）小弓背蚁 *C. minus*

（421）东京弓背蚁 *C. tokioensis*

（422）长足捷蚁 *Anoplolepis gracilipes*

（423）黄猄蚁 *Oecophylla smaragdina*

（424）无毛凹臭蚁 *Ochetellus glaber*

14. 双翅目　Diptera

14.1 蚊科　Culicidae

（425）多斑按蚊 *Anopheles maculatus*

（426）微小按蚊 *A. minimus*

（427）海滨库蚊 *Culex sitiens*

（428）白纹伊蚊 *Aedes albopictus*

（429）骚扰伊蚊 *A. vexans*

14.2 蝇科　Syrphidae

（430）突额家蝇 *Musca convexifrons*

（431）舍蝇 *M. domestica*

14.3 寄蝇科　Tachinidae

（432）四斑尼尔寄蝇 *Nealsomyia rufella*

（433）古毒蛾追寄蝇 *Exorista* sp.

14.4 丽蝇科　Calliphoridae

（434）海南丽蝇 *Lucilia hainanensis*

（435）紫绿蝇 *L. porphyrina*

14.5 麻蝇科　Sarcophagidae

（436）棕尾别麻蝇 *Boettcherisca peregrina*

（437）白头亚麻蝇 *Parasarcophaga albiceps*

（438）黄须亚麻蝇 *P. misera*

14.6 潜蝇科　Agromyzidae

（439）潜蝇 *Agromyza* sp.

14.7 瘦足蝇科　Micropezidae

（440）华瘦足蝇 *Taeniaptera* sp.

14.8 食蚜蝇科　Syrphidae

（441）斑翅食蚜蝇 *Dideopsis aegrotus*

（442）棕腿斑眼蚜蝇 *Eristalinus arvorum*

（443）斑眼蚜蝇一种 *E.* sp.

（444）侧斑直脉食蚜蝇 *Dideoides latus*

14.9 长足虻科　Dolichopodidae

（445）长足虻 *Dolichopdlus* sp.

14.10 虻科　Tabanidae

（446）舟山斑虻 *Chrysops chusanensis*

（447）异斑虻 *C. dispar*

（448）中华虻 *Tabanus mandarinus*

（449）全黑虻 *T. nigra*

（450）断纹虻 *T. striatus*

14.11 食虫虻科　Asilidae

（451）大眼虻 *Ammophilomima* sp.

（452）克虫虻 *Clephydroneura* sp.

（453）曲毛食虫虻 *Neoitamus angusticornis*

（454）大食虫虻 *Promachus yesonicus*

14.12 蠓科　Ceratopogonidae

（455）嗜按库蠓 *Culicoides anophelis*

（456）荒川库蠓 *C. arakawae*

15. 蛛形纲真螨目*　Arachnida Acariformes

15.1 羽爪瘿螨科　Diptilomiopidae

（457）甘蔗下鼻瘿螨 *Catarhinus sacchari*

附录7　山口红树林保护区鸟类名录

1. 鸡形目　Galliformes
　1.1 **雉科**　Phasianidae
　　（1）中华鹧鸪　*Francolinus pintadeanus*

2. 雁形目　Anseriformes
　2.1 **鸭科**　Anatidae
　　（2）栗树鸭　*Dendrocygna javanica*
　　（3）赤麻鸭　*Tadorna ferruginea*
　　（4）白眉鸭　*Anas querquedula*
　　（5）赤颈鸭　*A. penelope*
　　（6）绿头鸭　*A. platyrhynchos*
　　（7）针尾鸭　*A. acuta*
　　（8）绿翅鸭　*A. crecca*
　　（9）赤膀鸭　*A. strepera*
　　（10）琵嘴鸭　*A. clypeata*
　　（11）斑嘴鸭　*A. poecilorhyncha*
　　（12）罗纹鸭　*Mareca falcata*
　　（13）斑背潜鸭　*Aythya marila*

3. 䴙䴘目　Podicipediformes
　3.1 **䴙䴘科**　Podicipedidae
　　（14）小䴙䴘　*Tachybaptus ruficollis*
　　（15）凤头䴙䴘　*Podiceps cristatus*

4. 鸽形目　Columbiformes
　4.1 **鸠鸽科**　Columbidae
　　（16）火斑鸠　*Streptopelia tranquebarica*
　　（17）山斑鸠　*S. orientalis*
　　（18）珠颈斑鸠　*Spilopelia chinensis*

5. 夜鹰目　Caprimulgiformes
　5.1 **夜鹰科**　Caprimulgidae
　　（19）普通夜鹰　*Caprimulgus indicus*
　5.2 **雨燕科**　Apodidae
　　（20）白腰雨燕　*Apus pacificus*
　　（21）小白腰雨燕　*A. nipalensis*
　　（22）短嘴金丝燕　*Aerodramus brevirostris*
　　（23）白喉针尾雨燕　*Hirundapus caudacutus*

6. 鹃形目　Cuculiformes
　6.1 **杜鹃科**　Cuculidae

　　（24）大鹰鹃　*Cuculus sparverioides*
　　（25）大杜鹃　*C. canorus*
　　（26）中杜鹃　*C. saturatus*
　　（27）四声杜鹃　*C. micropterus*
　　（28）八声杜鹃　*Cacomantis merulinus*
　　（29）噪鹃　*Eudynamys scolopacea*
　　（30）乌鹃　*Surniculus dicruroides*
　　（31）绿嘴地鹃　*Phaenicophaeus tristis*
　　（32）褐翅鸦鹃　*Centropus sinensis*
　　（33）小鸦鹃　*C. bengalensis*

7. 鹤形目　Gruiformes
　7.1 **秧鸡科**　Rallidae
　　（34）灰胸秧鸡　*Gallirallus striatus*
　　（35）普通秧鸡　*Rallus aquaticus*
　　（36）红胸田鸡　*Porzana fusca*
　　（37）白胸苦恶鸟　*Amaurornis phoenicurus*
　　（38）董鸡　*Gallicrex cinerea*
　　（39）骨顶鸡　*Fulica atra*
　　（40）白喉斑秧鸡　*Rallina eurizonoides*
　　（41）黑水鸡　*Gallinula chloropus*

8. 鸻形目　Charadriiformes
　8.1 **水雉科**　Jacanidae
　　（42）水雉　*Hydrophasianus chirurgus*
　8.2 **彩鹬科**　Rostratulidae
　　（43）彩鹬　*Rostratula benghalensis*
　8.3 **反嘴鹬科**　Recurvirostridae
　　（44）黑翅长脚鹬　*Himantopus himantopus*
　8.4 **燕鸻科**　Glareolidae
　　（45）普通燕鸻　*Alcedo atthis*
　8.5 **鸻科**　Charadriidae
　　（46）凤头麦鸡　*Vanellus vanellus*
　　（47）灰头麦鸡　*V. cinereus*
　　（48）金眶鸻　*Charadrius dubius*
　　（49）环颈鸻　*C. alexandrinus*
　　（50）东方鸻　*C. veredus*
　　（51）蒙古沙鸻　*C. mongolus*

（52）铁嘴沙鸻 *C. leschenaultii*

（53）金鸻 *Pluvialis fulva*

（54）灰鸻 *P. squatarola*

8.6 鹬科 Scolopacidae

（55）丘鹬 *Scolopax rusticola*

（56）针尾沙锥 *Gallinago stenura*

（57）扇尾沙锥 *G. gallinago*

（58）黑尾塍鹬 *Limosa limosa*

（59）斑尾塍鹬 *L. lapponica*

（60）小杓鹬 *Numenius minutus*

（61）中杓鹬 *N. phaeopus*

（62）白腰杓鹬 *N. arquata*

（63）大杓鹬 *N. madagascariensis*

（64）鹤鹬 *Tringa erythropus*

（65）红脚鹬 *T. totanus*

（66）泽鹬 *T. stagnatilis*

（67）青脚鹬 *T. nebularia*

（68）白腰草鹬 *T. ochropus*

（69）林鹬 *T. glareola*

（70）矶鹬 *Actitis hypoleucos*

（71）翘嘴鹬 *Xenus cinereus*

（72）灰尾漂鹬 *Heteroscelus brevipes*

（73）翻石鹬 *Arenaria interpres*

（74）大滨鹬 *Calidris tenuirostris*

（75）红腹滨鹬 *C. canutus*

（76）三趾滨鹬 *C. alba*

（77）红颈滨鹬 *C. rufiocllis*

（78）青脚滨鹬 *C. temminckii*

（79）长趾滨鹬 *C. subminuta*

（80）弯嘴滨鹬 *C. ferruginea*

（81）黑腹滨鹬 *C. alpina*

（82）阔嘴鹬 *Limicola falcinellus*

（83）流苏鹬 *Philomachus pugnax*

8.7 鸥科 Laridae

（84）黑嘴鸥 *Larus saundersi*

（85）小黑背银鸥 *L. fuscus*

（86）西伯利亚银鸥 *L. smithsonianus*

（87）红嘴鸥 *Chroicocephalus ridibundus*

（88）灰翅浮鸥 *Chlidonias hybrida*

（89）白翅浮鸥 *C. niger*

（90）鸥嘴噪鸥 *Gelochelidon nilotica*

（91）红嘴巨燕鸥 *Sterna caspia*

（92）普通燕鸥 *S. hirundo*

（93）白额燕鸥 *S. albifrons*

8.8 三趾鹑科 Turnicidae

（94）棕三趾鹑 *Turnix suscitator*

（95）黄脚三趾鹑 *T. tanki*

9. 鹈形目 Pelecaniformes

9.1 鹭科 Ardeidae

（96）苍鹭 *Ardea cinerea*

（97）草鹭 *A. purpurea*

（98）绿鹭 *Butorides striatus*

（99）牛背鹭 *Bubulcus ibis*

（100）池鹭 *Ardeola bacchus*

（101）大白鹭 *Ardea alba*

（102）中白鹭 *Egretta intermedia*

（103）白鹭 *E. garzetta*

（104）黄嘴白鹭 *E. eulophotes*

（105）夜鹭 *Nycticorax nycticorax*

（106）黄斑苇鳽 *Ixobrychus sinensis*

（107）栗苇鳽 *I. cinnamomeus*

（108）黑苇鳽 *I. flavicollis*

（109）黑冠鳽 *Gorsachius melanolophus*

9.2 鹮科 Threskiornithidae

（110）黑脸琵鹭 *Platalea minor*

（111）白琵鹭 *P. leucorodia*

10. 鹰形目 Falconiformes

10.1 鹗科 Pandionidae

（112）鹗 *Pandion haliaetus*

10.2 鹰科 Accipitridae

（113）黑翅鸢 *Elanus caeruleus*

（114）黑鸢 *Milvus migrans*

（115）松雀鹰 *Accipiter virgatus*

（116）日本松雀鹰 *A. gularis*

（117）凤头鹰 *A. trivirgatus*

（118）褐耳鹰 *A. badius*

（119）赤腹鹰 *A. soloensis*

（120）普通鵟 *Buteo buteo*

（121）灰脸鵟鹰 *Butastur indicus*

（122）白腹鹞 *Circus spilonotus*

（123）鹊鹞 *C. melanoleucos*

（124）黑冠鹃隼 *Aviceda leuphotes*

（125）褐冠鹃隼 *A. jerdoni*

（126）凤头蜂鹰 *Pernis ptilorhynchus*

（127）乌雕 *Clanga clanga*

11. 鸮形目 Strigiformes

11.1 鸱鸮科 Strigidae

（128）领角鸮 *Otus bakkamoena*

（129）红角鸮 *O. sunia*

（130）鹰鸮 *Ninox scutulata*

（131）领鸺鹠 *Glaucidium brodiei*

（132）斑头鸺鹠 *G. cuculoides*

12. 犀鸟目　Bucerotiformes

12.1 戴胜科　Upupidae

（133）戴胜　*Upupa hoopoe*

13. 佛法僧目　Coraciiformes

13.1 翠鸟科　Alcedinidae

（134）普通翠鸟　*Alcedo atthis*

（135）白胸翡翠　*Halcyon smyrnensis*

（136）蓝翡翠　*H. pileata*

（137）斑鱼狗　*Ceryle rudis*

13.2 蜂虎科　Meropidae

（138）蓝喉蜂虎　*Merops viridis*

（139）栗喉蜂虎　*M. philippinus*

14. 啄木鸟目　Piciformes

14.1 啄木鸟科　Picidae

（140）蚁䴕　*Jynx torquilla*

15. 隼型目　Falconiformes

15.1 隼科　FaLconidae

（141）红隼　*Falco tinnunculus*

（142）燕隼　*F. subbuteo*

（143）游隼　*F. peregrinus*

（144）红脚隼　*F. amurensis*

16. 雀形目　Passeriformes

16.1 百灵科　Alaudidae

（145）小云雀　*Alauda gulgula*

16.2 黄鹂科　Oriolidae

（146）黑枕黄鹂　*Oriolus chinensis*

16.3 山椒鸟科　Campephagidae

（147）暗灰鹃鵙　*Coracina melaschistos*

（148）灰山椒鸟　*Pericrocotus divaricatus*

16.4 燕鵙科　Artamidae

（149）灰燕鵙　*Artamus fuscus*

16.5 卷尾科　Dicruridae

（150）灰卷尾　*Dicrurus leucophaeus*

（151）发冠卷尾　*D. hottentottus*

（152）黑卷尾　*D. macrocercus*

16.6 王鹟科　Monarchindae

（153）黑枕王鹟　*Hypothymis azurea*

（154）寿带　*Terpsiphone incei*

16.7 伯劳科　Laniidae

（155）红尾伯劳　*Lanius cristatus*

（156）棕背伯劳　*L. schach*

（157）虎纹伯劳　*L. tigrinus*

（158）栗背伯劳　*L. cristatus*

（159）牛头伯劳　*L. bucephalus*

16.8 鸦科　Corvidae

（160）松鸦　*Garrulus glandarius*

（161）红嘴蓝鹊　*Urocissa erythrorhyncha*

16.9 燕科　Hirundinidae

（162）家燕　*Hirundo rustica*

（163）金腰燕　*Cecropis daurica*

（164）崖沙燕　*Riparia riparia*

（165）烟腹毛脚燕　*Delichon dasypus*

16.10 鹡鸰科　Motacillidae

（166）白鹡鸰　*Motacilla alba*

（167）黄鹡鸰　*M. tschutschensis*

（168）黄头鹡鸰　*M. citreola*

（169）灰鹡鸰　*M. cinerea*

（170）山鹡鸰　*Dendronanthus indicus*

（171）田鹨　*Anthus richardi*

（172）红喉鹨　*A. cervinus*

（173）黄腹鹨　*A. rubescens*

（174）树鹨　*A. hodgsoni*

（175）水鹨　*A. spinoletta*

16.11 鹎科　Pycnonotidae

（176）红耳鹎　*Pycnonotus jocosus*

（177）白头鹎　*P. sinensis*

（178）白喉红臀鹎　*P. aurigaster*

（179）栗背短脚鹎　*Hemixos castnonotus*

16.12 椋鸟科　Sturnidae

（180）八哥　*Acridotheres cristatellus*

（181）黑领椋鸟　*Gracupica nigricollis*

（182）灰背椋鸟　*Sturnus sinensis*

（183）丝光椋鸟　*Spodiopsar sericeus*

（184）灰椋鸟　*S. cineraceus*

16.13 鸫科　Turdidae

（185）白眉鸫　*Turdus obscurus*

（186）乌灰鸫　*T. cardis*

（187）灰背鸫　*T. hortulorum*

（188）乌鸫　*T. merula*

（189）白腹鸫　*T. pallidus*

（190）橙头地鸫　*Geokichla citrina*

16.14 鹟科　Muscicapidae

（191）鹊鸲　*Copsychus saularis*

（192）红胁蓝尾鸲　*Tarsiger cyanurus*

（193）北红尾鸲　*Phoenicurus auroreus*

（194）红尾歌鸲　*Luscinia sibilans*

（195）紫啸鸫　*Myophonus caeruleus*

（196）蓝矶鸫　*Monticola solitarius*

（197）黑喉石䳭　*Saxicola maurus*

（198）灰林䳭　*S. ferreus*

（199）北灰鹟　*Muscicapa dauurica*

（200）乌鹟　*M. sibirica*

（201）黄眉姬鹟　*Ficedula narcissina*

（202）白眉姬鹟　*F. zanthopygia*

（203）白腹蓝鹟　*Cyanoptila cyanomelana*

（204）方尾鹟　*Culicicapa ceylonensis*

（205）鸲［姬］鹟　*Ficedula mugimaki*

（206）红喉姬鹟　*F. parva*

（207）海南蓝仙鹟　*Niltava hainana*

（208）铜蓝鹟　*Eumyias thalassina*

16.15 画眉科　Timaliidae

（209）画眉　*Garrulax canorus*

（210）黑脸噪鹛　*G. perspicillatus*

（211）红头穗鹛　*Stachyris ruficeps*

16.16 扇尾莺科　Cisticolidae

（212）棕扇尾莺　*Cisticola juncidis*

（213）黄腹山鹪莺　*Prinia flaviventris*

（214）纯色山鹪莺　*P. inornata*

16.17 莺科　Sylviidae

（215）淡脚树莺　*Cettia pallidipes*

（216）强脚树莺　*C. fortipes*

（217）短翅树莺　*Horornis canturians*

（218）双斑绿柳莺　*Phylloscopus plumbeitarsus*

（219）黑眉苇莺　*Acrocephalus bistrigiceps*

（220）厚嘴苇莺　*Arundinax aedon*

（221）东方大苇莺　*A. stentoreus*

（222）长尾缝叶莺　*Orthotomus sutorius*

（223）极北柳莺　*Phylloscopus borealis*

（224）黄眉柳莺　*P. inornatus*

（225）褐柳莺　*P. fuscatus*

（226）黄腰柳莺　*P. proregulus*

（227）冕柳莺　*P. coronatus*

（228）巨嘴柳莺　*P. schwarzi*

16.18 绣眼鸟科　Zosteropidae

（229）暗绿绣眼鸟　*Zosterops japonicus*

16.19 山雀科　Paridae

（230）大山雀　*Parus major*

16.20 雀科　Passeridae

（231）麻雀　*Passer montanus*

（232）黑尾蜡嘴雀　*Eophona migratoria*

（233）金翅雀　*Chloris sinica*

16.21 梅花雀科　Estrildidae

（234）斑文鸟　*Lonchura punctulata*

16.22 啄花鸟科　Dicaeidae

（235）朱背啄花鸟　*Dicaeum cruentatum*

16.23 太阳鸟科　Nectariniidae

（236）黄腹花蜜鸟　*Cinnyris jugularis*

16.24 鹀科　Emberizidae

（237）栗耳鹀　*Emberiza fucata*

（238）小鹀　*E. pusilla*

（239）黄胸鹀　*E. aureola*

（240）灰头鹀　*E. spodocephala*

（241）栗鹀　*E. rutila*

（242）凤头鹀　*Melophus lathami*

后　记

　　本书主要包括六个部分：绪论、红树植物、大型底栖动物、昆虫和蜘蛛、鸟类及主要种类名录。其中，刘文爱负责绪论、昆虫和蜘蛛、名录部分，孙仁杰负责鸟类部分，杨明柳负责大型底栖动物部分，潘良浩负责植物部分。参与本书编写的还有薛云红、曾聪、高霆炜、甄文全等。

　　本书主要内容的完成有赖于以下项目的资助：广西山口人与生物圈世界保护区十年评估本底调查、国家重点研发计划基础资源调查专项课题"广西红树林生物资源调查"（2017FY100704）、国家重点研发计划"典型脆弱生态修复与保护研究"重点专项（2017YFC0506103）、国家自然科学基金地区基金（32060282）。

　　感谢广西山口红树林生态国家级自然保护区管理中心资助了本书部分出版费用。特别感谢广西红树林研究中心主任范航清研究员、副主任阎冰研究员对后辈年轻科研人员的提携、帮助和指导。

　　由于作者水平有限，错漏在所难免，恳请各位专家、读者不吝赐教，多加指正。

著者

2021年5月